***ACCESO GRATIS** a la Lectura en la Nube*

Para visualizar el libro electrónico en la nube de lectura envíe junto a su nombre y apellidos una fotografía del código de barras situado en la contraportada del libro y otra del ticket de compra a la dirección:

ebooktirant@tirant.com

En un máximo de 72 horas laborables le enviaremos el código de acceso con sus instrucciones.

La visualización del libro en **NUBE DE LECTURA** excluye los usos bibliotecarios y públicos que puedan poner el archivo electrónico a disposición de una comunidad de lectores. Se permite tan solo un uso individual y privado

EL DELITO DE INSOLVENCIA FRAUDULENTA

COMITÉ CIENTÍFICO DE LA EDITORIAL TIRANT LO BLANCH

María José Añón Roig
Catedrática de Filosofía del Derecho de la Universidad de Valencia
Ana Cañizares Laso
Catedrática de Derecho Civil de la Universidad de Málaga
Jorge A. Cerdio Herrán
Catedrático de Teoría y Filosofía de Derecho Instituto Tecnológico Autónomo de México
José Ramón Cossío Díaz
Ministro en retiro de la Suprema Corte de Justicia de la Nación y miembro de El Colegio Nacional
María Luisa Cuerda Arnau
Catedrática de Derecho Penal de la Universidad Jaume I de Castellón
Manuel Díaz Martínez
Catedrático de Derecho Procesal de la UNED
Carmen Domínguez Hidalgo
Catedrática de Derecho Civil de la Pontificia Universidad Católica de Chile
Eduardo Ferrer Mac-Gregor Poisot
Juez de la Corte Interamericana de Derechos Humanos Investigador del Instituto de Investigaciones Jurídicas de la UNAM
Owen Fiss
Catedrático emérito de Teoría del Derecho de la Universidad de Yale (EEUU)
José Antonio García-Cruces González
Catedrático de Derecho Mercantil de la UNED
José Luis González Cussac
Catedrático de Derecho Penal de la Universidad de Valencia
Luis López Guerra
Catedrático de Derecho Constitucional de la Universidad Carlos III de Madrid
Ángel M. López y López
Catedrático de Derecho Civil de la Universidad de Sevilla
Marta Lorente Sariñena
Catedrática de Historia del Derecho de la Universidad Autónoma de Madrid
Javier de Lucas Martín
Catedrático de Filosofía del Derecho y Filosofía Política de la Universidad de Valencia
Víctor Moreno Catena
Catedrático de Derecho Procesal de la Universidad Carlos III de Madrid
Francisco Muñoz Conde
Catedrático de Derecho Penal de la Universidad Pablo de Olavide de Sevilla
Angelika Nussberger
Catedrática de Derecho Constitucional e Internacional en la Universidad de Colonia (Alemania) Miembro de la Comisión de Venecia
Héctor Olasolo Alonso
Catedrático de Derecho Internacional de la Universidad del Rosario (Colombia) y Presidente del Instituto Ibero-Americano de La Haya (Holanda)
Luciano Parejo Alfonso
Catedrático de Derecho Administrativo de la Universidad Carlos III de Madrid
Consuelo Ramón Chornet
Catedrática de Derecho Internacional Público y Relaciones Internacionales de la Universidad de Valencia
Tomás Sala Franco
Catedrático de Derecho del Trabajo y de la Seguridad Social de la Universidad de Valencia
Ignacio Sancho Gargallo
Magistrado de la Sala Primera (Civil) del Tribunal Supremo de España
Elisa Speckman Guerra
Directora del Instituto de Investigaciones Históricas de la UNAM
Ruth Zimmerling
Catedrática de Ciencia Política de la Universidad de Mainz (Alemania)

Fueron miembros de este Comité:
Emilio Beltrán Sánchez, Rosario Valpuesta Fernández y **Tomás S. Vives Antón**

Procedimiento de selección de originales, ver página web:
www.tirant.net/index.php/editorial/procedimiento-de-seleccion-de-originales

EL DELITO DE INSOLVENCIA FRAUDULENTA

GUILLERMO RUIZ BLAY

tirant lo blanch
Valencia, 2026

Copyright ® 2026

Todos los derechos reservados. Ni la totalidad ni parte de este libro puede reproducirse o transmitirse por ningún procedimiento electrónico o mecánico, incluyendo fotocopia, grabación magnética, o cualquier almacenamiento de información y sistema de recuperación sin permiso escrito del autor y del editor.

En caso de erratas y actualizaciones, la Editorial Tirant lo Blanch publicará la pertinente corrección en la página web www.tirant.com.

La aceptación de la presente obra ha tenido en consideración la evaluación y calificación otorgada por los expertos componentes del tribunal calificador de la tesis doctoral en la que se basa, cumpliendo con el criterio correspondiente de los revisores externos y ofreciendo la calidad debida a la presente edición.

Director de la Colección:
JOSÉ LUIS GONZÁLEZ CUSSAC
Catedrático de Derecho Penal
Universitat de València

© Guillermo Ruiz Blay

© TIRANT LO BLANCH
EDITA: TIRANT LO BLANCH
C/ Artes Gráficas, 14 - 46010 - Valencia
TELFS.: 96/361 00 48 - 50
FAX: 96/369 41 51
Email:tlb@tirant.com
www.tirant.com
Librería virtual: www.tirant.es
DEPÓSITO LEGAL: V-1420-2026
ISBN: 979-13-7040-222-8
MAQUETA: Tink Factoría de Color

Si tiene alguna queja o sugerencia, envíenos un mail a: *atencioncliente@tirant.com*. En caso de no ser atendida su sugerencia, por favor, lea en *www.tirant.net/index.php/empresa/politicas-de-empresa* nuestro procedimiento de quejas.

Responsabilidad Social Corporativa: http://www.tirant.net/Docs/RSCTirant.pdf

Son más los que desisten que los que fracasan.

Índice

*Abreviaturas**

AAP	Auto de la Audiencia Provincial
ADC	Anuario de Derecho Civil
ADPCP	Anuario de Derecho Penal y Ciencias Penales
AHDE	Anuario de Historia de Derecho Español
AP	Audiencia Provincial
Art.	Artículo
ATC	Auto del Tribunal Constitucional
ATS	Auto del Tribunal Supremo
BOE	Boletín Oficial del Estado
CC	Código Civil
CE	Constitución Española
CFGE	Circular de la Fiscalía General del Estado
CGPJ	Consejo General del Poder Judicial
CP	Código Penal
EM	Exposición de Motivos
EOMF	Estatuto Orgánico del Ministerio Fiscal
FGE	Fiscalía General del Estado
INE	Instituto Nacional de Estadística
LC	Ley Concursal
LEC	Ley de Enjuiciamiento Civil
LECrim	Ley de Enjuiciamiento Criminal
LGT	Ley General Tributaria
LO	Ley Orgánica
LOPJ	Ley Orgánica del Poder Judicial
LSC	Ley de Sociedades de Capital

* Por las fechas de redacción, edición y publicación de esta obra no se recogen las nuevas denominaciones de los órganos judiciales auspiciada por la L.O. 1/2025, de 2 de enero, de medidas en materia de eficiencia del Servicio Público de Justicia.

PJ	Persona jurídica
PPJJ	Personas jurídicas
PYME	Pequeña y mediana empresa
RD	Real Decreto
RPJ	Responsabilidad de la persona jurídica
SAP	Sentencia de la Audiencia Provincial
STC	Sentencia del Tribunal Constitucional
STEDH	Sentencia del Tribunal Europeo de Derechos Humanos
STS	Sentencia del Tribunal Supremo
TC	Tribunal Constitucional
TEDH	Tribunal Europeo de Derechos Humanos
TRLC	Texto Refundido de la Ley Concursal
TJCE	Tribunal de Justicia de las Comunidades Europeas
TS	Tribunal Supremo

Introducción

Esta monografía se apoya en mi lejana tesis doctoral defendida en 2017, pero supone un texto prácticamente nuevo, ya no sólo porque recoge todas las sugerencias de los miembros del tribunal de defensa de aquella tesis y por el lapso transcurrido, sino también por el material académico surgido y la jurisprudencia dictada por el Tribunal Supremo sobre la nueva configuración del ilícito.

La incidencia del derecho penal en las relaciones económicas y en la vida empresarial y societaria, especialmente en situaciones de crisis, ha suscitado multitud de estudios en estos años del siglo XXI y profundos cambios legislativos, realidad a lo que no ha sido ajeno nuestro sistema jurídico. Buena prueba lo constituyen las muy profundas reformas del Código Penal, de la Ley Concursal y la sustitución de la Leyes de Sociedades Anónimas y Limitadas por la Ley de Sociedades de Capital desde el año 2000 hasta el presente.

La regulación penal de las insolvencias punibles ha sido, históricamente, uno de los ámbitos más complejos y controvertidos del Derecho penal económico. En ella confluyen, de manera especialmente intensa, intereses individuales y colectivos, categorías dogmáticas de contornos difusos y una inevitable tensión entre la protección del crédito y el riesgo de una expansión desmedida del Derecho penal en contextos de crisis económica.

El delito de insolvencia punible —hoy recogido fundamentalmente en el artículo 259 del Código Penal— se sitúa en un espacio fronterizo entre el Derecho penal y el Derecho concursal. Esta ubicación híbrida explica buena parte de las dificultades interpretativas que presenta: la necesidad de integrar conceptos propios del Derecho mercantil y concursal en la lógica del injusto penal, la determinación del bien jurídico protegido y la delimitación entre conductas penalmente relevantes y meros incumplimientos civiles o mercantiles.

Los incentivos de las personas jurídicas para colaborar con las autoridades en la prevención, investigación y sanción de conductas que puedan llegar a ser consideradas delictivas —entre las que se encuentra la insolvencia fraudulenta— y el ámbito de su responsabilidad, es un campo que no ha hecho sino comenzar a abrirse al trabajo de la jurisprudencia y la doctrina, que se va a ver enfrentada a la muy necesaria delimitación del alcance del derecho de defensa, que viene padeciendo una significativa merma con cada reforma legislativa, en relación tanto a las personas jurídicas como físicas, así como también con relación a la descripción de las conductas.

Las sucesivas crisis económicas han intensificado este debate. La insolvencia, lejos de ser una categoría excepcional, se ha convertido en un fenómeno recurrente, lo que ha obligado al legislador y a la jurisprudencia a manejar conceptos jurídicos necesariamente indeterminados, con el consiguiente riesgo de inseguridad jurídica. En este contexto, la tentación de instrumentalizar el Derecho penal como mecanismo de tutela reforzada del crédito plantea interrogantes que no pueden ser ignorados desde una perspectiva garantista.

Todo ello justifica el estudio de la concreta figura delictiva de la insolvencia punible en un momento —como el actual— en el que el número de procesos concursales disminuye y puede enfrentarse una regulación más reposada de las situaciones de bancarrota, sin la premura que los tiempos de crisis han marcado, con el objetivo de conciliar la protección de los acreedores y el respeto a los principios del derecho penal; la necesidad de converger con el resto de legislaciones penales de países europeos y extranjeros y respetar nuestra tradición legislativa criminal.

El presente trabajo tiene por objeto ofrecer un análisis sistemático del delito de insolvencia punible, partiendo de la configuración del bien jurídico protegido y de su evolución histórica, para abordar posteriormente los elementos subjetivos del tipo, las formas de autoría y participación, así como la específica problemática que plantea la responsabilidad penal de la persona jurídica en este ámbito. El estudio se completa con un examen detallado del régimen de penas y de las circunstancias que inciden en su determinación, prestando especial atención a la relevancia —real o pretendida— de la denominada "alarma social".

Lejos de una aproximación meramente exegética, el enfoque adoptado es deliberadamente crítico y funcional. Se trata de analizar hasta qué punto la actual regulación penal de las insolvencias responde a una verdadera necesidad de protección penal de bienes jurídicos dignos de tutela o, por el contrario, incurre en una expansión del castigo difícilmente conciliable con los principios de intervención mínima y proporcionalidad.

El estudio se dirige tanto al jurista académico como al profesional del Derecho que se enfrenta, en la práctica forense, a procedimientos penales de naturaleza concursal. A ambos se les ofrece una reconstrucción dogmática rigurosa, apoyada en la jurisprudencia más relevante y en la doctrina científica, con la finalidad última de contribuir a una aplicación del Derecho penal más coherente, previsible y respetuosa con las garantías propias de un Estado de Derecho.

Como toda obra que nace de un esfuerzo personal, este trabajo no habría llegado a buen puerto sin el sostén de otros esfuerzos, igualmente personales y generosos. Ningún trabajo científico se construye en soledad: es siempre el fruto de un compromiso compartido, con la ciencia y con quien lo asume. Por eso, mi gratitud es profunda hacia Ana, Ignacio, Guillermo, Rosario, Nerea, Alberto, Tacho, David, Mercedes, Rafael, Fernando, Fernando, al Excmo. Maza y su inseparable Isabel, Rubén, Bruno y Laura. Su cercanía, amor, apoyo y confianza han hecho posible que este trabajo alcanzara su meta.

Madrid, diciembre de 2025

Capítulo I
Cuestiones preliminares

I. LA CONFIGURACIÓN PENAL DE LAS INSOLVENCIAS PUNIBLES Y DEL CRÉDITO COMO BIEN JURÍDICO

Desde una perspectiva histórico-legislativa, el *iter* normativo desde el Código Penal de 1870 hasta el actual CP de 1995 y sus sucesivas reformas muestra un tránsito desde una concepción patrimonialista-individualista del crédito hacia una visión funcionalista, que lo erige en garante de la estabilidad económica y de la cohesión del sistema productivo. Este tránsito implica no sólo una relectura del bien jurídico protegido por el tipo penal, sino también una redefinición del papel del Derecho penal como herramienta autónoma y necesaria para prevenir y sancionar conductas que, aunque revestidas de apariencia mercantil o empresarial, entrañan un serio riesgo de deterioro de la confianza pública en la regularidad de las relaciones económicas.

En efecto, en los Códigos Penales decimonónicos y en los de inspiración preconstitucional, la regulación penal de las insolvencias punibles se encontraba estrechamente ligada al proceso civil universal de quiebra, haciendo depender la persecución penal de la previa calificación judicial civil de la insolvencia como fraudulenta o culpable. Este diseño respondía a un fundamento político-criminal limitado: la quiebra se concebía primordialmente como un atentado contra el patrimonio de los acreedores de un comerciante individual, con escaso alcance colectivo. No se percibía entonces la dimensión estructural del fenómeno ni su potencial destructivo para la credibilidad del sistema financiero. Sin embargo, este planteamiento mostraba graves deficiencias pues la conducta dolosa del deudor socavaba igualmente la confianza que sustenta la circulación del crédito y el mercado como institución económica. El modelo histórico ignoraba que, en muchas ocasiones, la insolvencia es el resultado de una planificación defraudatoria deliberada.

La técnica legislativa tradicional, consolidada en el Código Penal de 1944 y mantenida tras su refundición de 1973[1], estructuraba los delitos de quiebra culpable y fraudulenta sobre la base de una calificación previa dictada en el ámbito jurisdiccional civil. La configuración de estas figuras delictivas estaba anclada en una concepción fuertemente dependiente del procedimiento concursal, de tal forma que la declaración judicial de quiebra y su calificación como culpable o fraudulenta se erigían como presupuestos imprescindibles para la viabilidad del reproche penal. Esta subordinación convertía al Derecho penal en un apéndice del Derecho mercantil, privándolo de autonomía decisoria y reduciendo la eficacia del *ius puniendi* a un estadio meramente instrumental y tardío dentro del *iter* procesal civil. Se trataba de un modelo que, más que prevenir o sancionar conductas económicamente lesivas, operaba a modo de sanción accesoria del fracaso mercantil, ignorando la dimensión dolosa o intencional de la conducta del deudor[2].

Los artículos 520 y 521 del Código Penal de 1973 reproducían esta lógica al establecer penas diferenciadas en función de la naturaleza de la insolvencia, en consonancia con los artículos 888 y siguientes del Código de Comercio de 1885, evidenciando una simbiosis normativa que resultaba disfuncional ante los desafíos de la criminalidad económica. El resultado era una doble dependencia: normativa, por la remisión a legislación mercantil para determinar el

1 El Código Penal emanado del Decreto 3096/1973, de 14 de septiembre, por el que se publica el Código Penal, texto refundido conforme a la Ley 44/1971, de 15 de noviembre, recoge las insolvencias punibles en los artículos 519 y siguientes de la Sección 1ª del Capítulo IV del Título XIII, recogiendo en el mismo Capítulo la regulación del delito de alzamiento de bienes.

2 Vid: CERES MONTÉS, J, F. *Perspectiva jurídico-penal del Derecho concursal: la insolvencia punible.* Revista LA LEY 1995, p. 1060 y ss.

contenido de las obligaciones; y procesal, por subordinar la eficacia de la norma penal a la resolución de un proceso concursal previo.

La entrada en vigor de la Constitución española en 1978 y la necesidad de adaptar la legislación penal al nuevo régimen democrático y de derecho provocaron numerosas y variadas reformas del Código Penal aprobado en 1944 y reformado en 1973[3]. No sólo el cambio de época, sino también la existencia de lagunas punitivas[4] forzó la modificación del texto para adaptarlo a las necesidades sociales y evitar vacíos que permitieran la impunidad de conductas especialmente lesivas para el patrimonio de los acreedores y la estabilidad económica general.

Este proceso de transformación legislativa, catalizado por el nuevo marco constitucional, implicó una profunda reconfiguración del sistema penal español desde una perspectiva sustantiva y estructural pues, hasta entonces, el paradigma estaba caracterizado por la subordinación técnica y procesal del Derecho penal al Derecho mercantil y respondía a una visión del orden económico basada en la idea de que los conflictos patrimoniales debían dirimirse, en primer lugar, en el ámbito civil, relegando el reproche penal a una posición accesoria y, en ocasiones, simbólica.

La estrecha dependencia entre la calificación concursal en sede civil y la activación del *ius puniendi* devino en un mecanismo disfuncional, incapaz de abordar con eficacia aquellos supuestos en los que la crisis económica se instrumentalizaba dolosamente como medio de fraude. En este contexto de revisión estructural, el sistema tradicional que articulaba los delitos de quiebra o suspensión de pagos sobre la base de una previa calificación judicial de insolvencia

---

3 NEILA NEILA, J.M., *La responsabilidad penal ante delitos cometidos por administradores sociales y personas jurídicas*, Bosch, Barcelona, 2012, p. 19.

4 Ejemplo de ello estas lagunas es la ausencia de precepto específico que atribuyese con carácter general una responsabilidad de orden penal a aquellos que actuaban por cuenta de las personas jurídicas.

comienza a evidenciar sus límites frente a la creciente sofisticación de las prácticas de criminalidad económica[5].

Esta estructura de subordinación no sólo limitaba la operatividad del Derecho penal, sino que también generaba una imprecisión preocupante respecto del bien jurídico protegido penalmente por los enunciados normativos que apelaban genéricamente a los intereses del comercio. La falta de concreción conceptual y sistemática convertía al tipo penal en un instrumento inadecuado para afrontar situaciones de fraude económico estructurado, en las que la insolvencia se utilizaba de forma premeditada como vehículo para frustrar los derechos de los acreedores. En efecto, no sólo se trataba de castigar la insolvencia real y culpable, sino de prevenir y sancionar aquellas conductas orientadas a provocar artificialmente una situación de crisis patrimonial con el propósito de eludir las responsabilidades económicas propias o perjudicar deliberadamente a los acreedores[6].

Esta dependencia inicial, propia del Código Penal de 1973 y de la legislación mercantil decimonónica, suponía un importante obstáculo para la protección eficaz de los acreedores y del tráfico mercantil, pues la calificación civil de la quiebra como fortuita, culpable o fraudulenta determinaba de forma automática el desenlace de la vía penal, condicionando la aplicación de la sanción criminal a los avatares de un procedimiento civil que podía prolongarse durante años. Este esquema jurídico, profundamente formalista, implicaba que la conducta delictiva no se valoraba por sus propios méritos, sino en función de una condición

---

5 La doctrina ya denunciaba la ineficacia de un modelo que requería, como premisa ineludible, una resolución judicial previa de naturaleza civil para activar la respuesta penal, convirtiendo el *ius puniendi* en una figura subordinada y reactiva, sin capacidad autónoma para prevenir o sancionar adecuadamente conductas de elevada lesividad patrimonial.

6 Vid: QUINTANO RIPOLLES, A. *Tratado de la Parte Especial de Derecho Penal, Tomo III, Infracciones sobre el propio patrimonio, daños y leyes especiales,* Madrid, 1965, p. 42.

externa e independiente, ajena al juicio penal[7]. Esta lógica subordinada no sólo mermaba la eficacia de la tutela penal, sino que generaba una clara inseguridad jurídica, al permitir que el curso del proceso penal dependiera de un procedimiento distinto, con objetivos procesales diferentes y con estándares probatorios no necesariamente coincidentes[8].

Este modelo evidenció pronto su inadecuación para enfrentar situaciones de abuso que, en muchos casos, quedaban impunes por la imposibilidad de acreditar en el proceso civil todos los elementos de la conducta dolosa o por la estrategia del deudor de prolongar el procedimiento para eludir responsabilidades.

La necesidad de una respuesta penal autónoma se hizo evidente con la entrada en vigor de la Constitución de 1978, que instauró un nuevo marco de pros y libertades que cristaliza la evolución de la regulación penal de las insolvencias punibles en España y la progresiva toma de conciencia sobre la necesidad de tutelar el crédito como bien jurídico de relevancia suprapersonal, en cuanto expresión de la confianza social en la seguridad del tráfico mercantil, condición *sine qua non* para la vigencia efectiva del principio de libertad de empresa consagrado en el artículo 38 de la vigente Constitución Española. Esta protección no responde únicamente a una lógica patrimonialista en favor del acreedor individual, sino que debe entenderse como la garantía institucional de un presupuesto estructural para la economía de mercado: la vigencia y eficacia del crédito como instrumento de intercambio, financiación y estabilidad productiva. En este contexto, el bien jurídico deja de ser un interés subjetivo meramente disponible para adqui-

---

7 PÉREZ LUÑO, A.-E., *La seguridad jurídica*, Editorial Ariel, Barcelona, 1994, p. 8.

8 La jurisprudencia del Tribunal Supremo, como se aprecia en la STS de 24 de septiembre de 1969, consolidó esta visión dependiente, afirmando que el carácter fraudulento o culpable de la quiebra debía acreditarse en la jurisdicción civil para que los órganos penales pudieran pronunciarse sobre la responsabilidad criminal del quebrado.

rir la condición de bien de orden colectivo cuya vulneración genera un perjuicio sistémico.

Es a partir de 1978 que se inicia un proceso paulatino de integración de los principios garantistas del Estado social y democrático de Derecho en el núcleo dogmático penal, lo que exigió no sólo la revisión de figuras delictivas concretas, sino una reformulación completa del modelo de intervención penal. El Código Penal de 1944, incluso tras su refundición en 1973, evidenciaba una notable disonancia con los valores democráticos emergentes, al tiempo que adolecía de una técnica legislativa deficiente y un enfoque excesivamente formalista e insuficientemente orientado a la protección de bienes jurídicos. Por tanto, las reformas acometidas a partir de esa fecha no se limitaron a un ejercicio de actualización nominal o ampliación de tipos, sino que respondieron a la necesidad de instaurar un nuevo paradigma conforme a las exigencias de legalidad estricta, culpabilidad y proporcionalidad sancionadora.

La apertura del ordenamiento jurídico a los valores constitucionales y a una renovada concepción de la legalidad penal impulsó la revisión crítica de numerosos tipos delictivos anclados en paradigmas normativos preconstitucionales, entre los cuales destacaba el tratamiento de las insolvencias como fenómeno puramente accesorio al procedimiento concursal. A partir de entonces, la protección penal del crédito se consideró una garantía institucional necesaria para el mantenimiento de la confianza en las obligaciones contractuales. Ello exigía trascender la subordinación del Derecho penal a la calificación civil, en favor de un modelo que reconociese en el crédito un bien jurídico autónomo y digno de tutela penal inmediata. Esta nueva visión impuso la necesidad de articular un tipo penal basado en la conducta del sujeto activo, en su intencionalidad defraudatoria, y en el resultado lesivo para los acreedores, al margen de las valoraciones civiles que pudiera emitir un juez mercantil sobre la gestión económica del deudor.

La proliferación de estructuras empresariales complejas, la aparición de vehículos jurídicos orientados a dificultar la trazabilidad del patrimonio, y la expansión de nuevas formas de ocultación patrimonial mediante ingeniería financiera y contable, exigían una reconfiguración del tipo penal que superase el esquema de subordinación penal al Derecho mercantil y soslayase las evidentes lagunas de punibilidad, especialmente en los casos donde el deudor, valiéndose de esas estructuras societarias opacas o de maniobras dilatorias, lograba eludir la declaración judicial de quiebra y, con ello, cualquier posibilidad de reproche penal.

Esta elusión no sólo suponía una lesión directa al patrimonio de los acreedores, sino también una quiebra del principio de igualdad ante la ley, en la medida en que favorecía una impunidad estructural para aquellas insolvencias simuladas o instrumentalizadas.

A pesar de los intentos de reforma parcial, como los introducidos por la Ley Orgánica 8/1983, el modelo seguía manteniendo una excesiva dependencia de la calificación civil, retrasando o impidiendo la reacción penal frente a conductas dolosas con alto potencial lesivo para el patrimonio de los acreedores[9]. Esta reforma supuso, además, un reconocimiento inicial de la necesidad de adaptar el Derecho penal a la realidad del tráfico económico moderno, en el que los delitos patrimoniales ya no se cometen sólo en el ámbito de relaciones personales, sino mediante el uso estratégico de estructuras societarias complejas.

---

[9] Ejemplos paradigmáticos de ese cambio eran los artículos 520 a 522 del Código Penal de 1973 en su redacción conforme a la L.O. 8/1983, de 25 de junio, de Reforma Urgente y Parcial del Código Penal: Artículo 520: *El quebrado que fuere declarado en insolvencia fraudulenta, con arreglo al Código de Comercio, será castigado con la pena de prisión mayor.;* Artículo 521: *El quebrado que fuere declarado en insolvencia culpable por alguna de las causas comprendidas en el artículo 888 del Código de Comercio incurrirá en la pena de prisión menor;* Artículo 522: *Serán penados como cómplices del delito de insolvencia fraudulenta los que ejecutaren cualquiera de los actos que se determinan en el artículo 893 del Código de Comercio.*

La LO 8/1983 supuso otro avance al reconocer la responsabilidad penal de los administradores y representantes de personas jurídicas, abriendo así la puerta a una interpretación más flexible del principio de autoría en los delitos económicos. Sin embargo, esta reforma no alteró el núcleo del modelo, que seguía exigiendo como requisito de procedibilidad la declaración judicial de concurso y su correspondiente calificación.

En definitiva, la reforma de 1983 introdujo ciertos avances, pero no logró alterar la arquitectura esencial del modelo tradicional pues los delitos seguían dependiendo de la previa declaración judicial de quiebra, y la actuación penal se condicionaba a una calificación que debía ser dictada en el seno del procedimiento concursal, dejando sin respuesta numerosos supuestos de insolvencia provocada, agravada o explotada con fines defraudatorios.

La Ley Orgánica 8/1983[10] intentó ofrecer una respuesta parcial a esta problemática mediante la introducción del artículo 15 bis, que habilitó por primera vez de forma expresa la atribución de responsabilidad penal a los representantes de personas jurídicas en delitos especiales propios. Esta novedad legal pretendía colmar una laguna normativa que había sido cubierta de forma precaria por construcciones jurisprudenciales en tensión con el principio de legalidad penal, aunque su efecto fue más correctivo que transformador ya que, si bien se reconocía la posibilidad de imputación personal al gestor societario, la figura de la persona jurídica seguía operando como un instrumento de protección frente a las consecuencias penales de las conductas económicamente lesivas[11].

La reforma no alteró el núcleo del modelo. El mantenimiento de esta estructura reflejaba una resistencia estructural a concebir la ilicitud penal de la insolvencia como una

---

10 BOE 27 junio 1983, núm. 152, p. 17909.

11 VIVES ANTON, T., *Derecho Penal. Parte especial,* Tirant lo Blanch, 4 ed., Valencia, 2015, p. 901.

conducta autónoma, susceptible de ser analizada desde el prisma del dolo, del ánimo defraudatorio y del perjuicio patrimonial, sin necesidad de un refrendo judicial en sede mercantil.

El esquema normativo de 1983 representó, sin duda, un avance respecto a etapas anteriores, pero permanecía anclado en un modelo que condicionaba inexcusablemente el inicio de la persecución penal a la previa calificación como fraudulenta o culpable de la quiebra[12]. Esta vinculación dejaba fuera del ámbito penal numerosos supuestos en los que, aun existiendo actuaciones dolosas por parte del deudor, no se llegaba a una calificación formal dentro del proceso mercantil, ya fuera por ausencia de impulso procesal[13] o, en muchos casos, por estrategias deliberadas del deudor orientadas a eludir dicha calificación mediante prácticas dilatorias o liquidaciones extrajudiciales.

Fue necesario esperar hasta la aprobación del Código Penal de 1995 para asistir a una reforma de calado que reconfiguró de forma integral el tratamiento penal de las insolvencias. A partir de entonces, la conducta del deudor pasó a analizarse de forma autónoma desde una perspectiva penal sustantiva, desligada de la calificación civil, y centrada en la existencia de dolo y perjuicio patrimonial. Esta transformación supuso no solo una ruptura técnica con el

---

12 Ya antes, la jurisprudencia había comenzado a mostrar cierta sensibilidad hacia la necesidad de flexibilizar el vínculo entre el Derecho mercantil y la intervención penal en materia de insolvencias. Sin embargo, los límites seguían siendo estrechos ante la ausencia de una habilitación normativa clara que permitiera desligar ambos planos. Fue precisamente la reforma del Código Penal de 1995 la que operó como punto de inflexión, al instaurar un nuevo paradigma de autonomía penal, rompiendo con la lógica accesoria del modelo anterior y permitiendo así una respuesta más directa y eficaz frente a conductas que, aunque no cristalizaran en procedimientos concursales, ponían en serio peligro el interés patrimonial de los acreedores.

13 Ejemplo de ello es la ausencia de precepto específico que atribuyese con carácter general una responsabilidad de orden penal a aquellos que actuaban por cuenta de las personas jurídicas.

modelo anterior, sino también un cambio dogmático profundo. Se reconocía que el delito de insolvencia punible no es una derivación del fracaso empresarial, sino una manifestación específica de ataque a la seguridad del tráfico mercantil mediante el abuso de la autonomía patrimonial del deudor.

Se puede afirmar así que la verdadera ruptura con el esquema anterior se produce con el vigente Código Penal de 1995, que abandona definitivamente la subordinación de la responsabilidad penal a la calificación civil, configurando los delitos de insolvencia punible como figuras autónomas que prescinden de la sentencia de calificación concursal como presupuesto de perseguibilidad[14]. La actividad típica se centra ahora en la conducta subjetiva del deudor, en su voluntad dolosa de causar o agravar la situación de insolvencia y en el perjuicio efectivo o potencial generado para los acreedores. El reproche penal se fundamenta, por tanto, en la ilicitud de una actuación que, bajo la apariencia de crisis patrimonial, encubre una voluntad defraudatoria orientada a vaciar de contenido el patrimonio del obligado frente a sus acreedores legítimos.

14 El artículo 260.4 CP, a pesar lo obvio que se nos representa en nuestros días, tiene una gran importancia, ya que, tal y como trata la STS 948/2003 de 24 de junio de 2003, pretender que la calificación civil de una quiebra como fraudulenta o, por ejemplo, los pronunciamientos laborales de condena a las Sociedades titularidad de los acusados al pago solidario de la deudas sociales, pueden llegar a suponer una automática condena penal sobre el acusado, sería igual que negar la libertad de interpretación de las normas, la finalidad y contenido diverso de la legalidad civil, laboral y penal. En este mismo sentido, dicha sentencia continúa señalando que la contradicción en los hechos probados o admitidos por las diferentes jurisdicciones debe de entenderse como una diversa contemplación de los mismos fenómenos, con perspectivas, criterios, principios y normas diferencias. Por ello, no puede existir una quiebra a las expectativas o a la vulneración de la seguridad jurídica, sino una convivencia armónica de distintas jurisdicciones, ya que, si alguna debe de prevalecer sobre las demás es la penal por ser preferente.

El artículo 260 CP de 1995 estableció por primera vez una regulación independiente de la insolvencia punible, deja atrás la dependencia procesal, desligando la calificación penal de la declaración civil de concurso y fijando como elementos típicos la causación o agravación dolosa de la insolvencia o crisis económica, así como el perjuicio para los acreedores, sin que la resolución dictada en el proceso concursal resultase vinculante para los tribunales penales. En este artículo se establece que el deudor, sin distinguir al que es comerciante de quién no lo es, que cause o agrave dolosamente la situación de crisis económica o insolvencia será castigado, y se tipifica la conducta en función del dolo y del perjuicio potencial o efectivo a los acreedores, desplazando la atención desde el procedimiento civil a la actuación subjetiva del deudor y sus representantes[15].

Con ello, el legislador introduce un nuevo modelo que reconoce que la insolvencia punible no es un hecho residual o epifenoménico de la quiebra, sino un instrumento de fraude autónomo que puede y debe ser perseguido penalmente incluso al margen del procedimiento concursal[16]. A partir de este momento, el reproche penal se fundamenta exclusivamente en el análisis de la conducta delictiva en términos típicos, antijurídicos y culpables, reconociendo la capacidad del Derecho penal para intervenir directamente en la protección de los acreedores cuando se constate la existencia de fraude, manipulación contable o vaciamiento patrimonial doloso. Esta previsión permite al Ministerio Fiscal y a los órganos jurisdiccionales actuar sin necesidad de esperar a que se declare o califique una situación de

---

15 GÓMEZ MARTÍN, F. *Insolvencias punibles y Ley concursal. Estudios de Deusto: revista de la Universidad de Deusto.* Vol. 53. Nº 1. 2005, pp. 45-110. p. 46.

16 MAZA MARTIN, J.M. *Las insolvencias punibles. Empresa y Derecho Penal (I). Cuadernos de Derecho Judicial,* 1999, pp. 271 y ss. Tan es así que El artículo 260.4 CP establece una forma de cierre de paso a cualquier efecto penal de la calificación de la insolvencia en el proceso civil, estableciéndose que "en ningún caso, la calificación de la insolvencia en el proceso civil vincula a la jurisdicción penal".

insolvencia en sede mercantil, habilitando una tutela penal más temprana y eficaz[17].

Con este cambio de técnica[18] el legislador otorga preeminencia a la protección del crédito como bien jurídico directamente tutelado por la norma penal, al tiempo que emancipa el proceso penal del civil, instaurando un régimen que permite la persecución penal de conductas fraudulentas, aunque no exista declaración previa de concurso, siempre que se acredite el incumplimiento regular de las obligaciones exigibles, como recoge el artículo 259.4 CP tras su reforma por la LO 1/2015[19]. Este precepto introdu-

---

17 FERRER BARRIENDOS, A. *Repercusiones concursales del nuevo Código Penal. Cuadernos de Derecho judicial.* Nº 5, 1996, p. 537 y ss. Considera que el elemento objetivo del tipo presupone la previa declaración judicial y no basta que se dé una mera situación económica de insolvencia, sino que es necesario que exista un estado jurídico de insolvencia que pueda llegar a determinar tal condición. En este sentido BUEREN RONCERO (1998). *Insolvencias punibles. II Jornadas Nacionales sobre el Derecho Concursal. Centro de Estudios Superiores Jurídico-Empresariales.* p. 11 y ss. Entiende que para que se dé tal conducta, es necesario que la actuación se lleve a cabo de forma dolosa (ya sea a través de un dolo directo o eventual) y que llegue a producir un perjuicio económico para el deudor, el cual se da por un lado como el resultado del hecho delictivo, y por otro lado, como la situación determinante de la penalidad, por lo que, si no se llega a producir un perjuicio económico, la conducta no deberá de ser penada.

18 No hacemos referencia a la reforma del CP por LO 15/2003, de 25 de noviembre pues esta reforma no afectó al contenido de los artículos relativos a las insolvencias punibles tipificados en el artículo 260 CP, ya que la única modificación derivada de este se dio en el contenido gramatical del mismo. En este sentido, la modificación de su terminología se dio para adaptarse a las nuevas disposiciones de la Ley 22/2003, de 9 de julio, Concursal, la cual hace referencia al término de "concurso" para la denominación del procedimiento que viene a sustituir a los anteriores procedimientos de "quiebra" y "suspensión de pagos".

19 Con la reforma introducida por esta ley, se han producido novedades con relación a la extensión del tipo y el adelantamiento de la protección, lo que habla a las claras de la intención del legislador de no dejar impunes conductas de los deudores en las situaciones de insolvencia inminente, acudiendo a cláusulas abiertas tal y como ocurría con la anterior regulación del concurso punible. Así, por ejemplo, este artículo 259.4 CP expresa el deseo del legislador de

ce un criterio objetivo de acreditación del estado de insolvencia que no requiere pronunciamiento judicial previo, lo que refuerza la capacidad de reacción del Derecho penal ante la criminalidad económica.

De esta forma, se establece de forma taxativa una independencia entre la materia civil y penal[20], lo que, a pesar de lo obvio que se nos representa en nuestros días, tiene una gran importancia, ya que, tal y como trata la STS 948/2003 de 24 de junio de 2003, pretender que la calificación civil de fraudulenta de la quiebra o, por ejemplo, los pronunciamientos laborales de condena a las Sociedades titularidad de los acusados al pago solidario de las deudas sociales, pueden llegar a suponer una automática condena penal sobre el acusado sería igual que negar la libertad de interpretación de las normas, la finalidad y contenido diverso de la legalidad civil, laboral y penal[21].

La STS 2210/2024 confirma expresamente esta interpretación, al declarar que la jurisdicción penal puede va-

---

que el deudor no responda sólo cuando fuera declarado en concurso, sino que también sea responsable en el momento en que no cumpla de forma regular sus obligaciones exigibles, lo que parece asegurar la exigencia de responsabilidad al deudor temerario, con ello, se mantiene la línea de la reforma de 1995 de obviar la declaración de concurso como condición objetiva de perseguibilidad.

20 Siguiendo a BUEREN RONCERO, *Insolvencias punibles BUEREN RONCERO (1998). Insolvencias punibles.* II Jornadas Nacionales sobre el Derecho Concursal. Centro de Estudios Superiores Jurídico-Empresariales muestra que esta regulación suponía un avance para los acreedores respecto al Código Penal de 1944, ya que anteriormente, el acreedor defraudado se encontraba en el imperativo de tener que esperar varios años para poder perseguir por la vía penal al deudor insolvente.

21 En este mismo sentido, dicha sentencia continúa señalando que la contradicción en los hechos probados o admitidos por las diferentes jurisdicciones debe de entenderse como una diversa contemplación de los mismos fenómenos, con perspectivas, criterios, principios y normas diferencias. Por ello, no puede existir una quiebra a las expectativas o a la vulneración de la seguridad jurídica, sino una convivencia armónica de distintas jurisdicciones, ya que, si alguna debe de prevalecer sobre las demás es la penal por ser preferente.

lorar autónomamente la existencia de insolvencia punible, sin que la calificación civil como fortuita excluya el dolo o el perjuicio relevante exigido por el tipo penal. Se abandona así la concepción de la insolvencia como mera consecuencia de una calificación procesal mercantil para entenderla como un estado económico que, de ser provocado o agravado dolosamente, merece respuesta penal por sí mismo.

Por tanto, la autonomía penal de la insolvencia punible constituye uno de los avances más significativos del Derecho penal económico moderno en España. El juez penal, liberado de los condicionantes externos derivados de otros órdenes jurisdiccionales, puede ahora reconstruir el *iter criminis* con arreglo a parámetros propios del proceso penal, como son la prueba directa o indiciaria del dolo, la concurrencia de elementos subjetivos específicos, y la existencia de perjuicio para los acreedores, sin verse restringido por valoraciones civiles que responden a finalidades sustancialmente distintas.

Esta desvinculación del proceso penal respecto del civil representa también una garantía fundamental para los deudores honestos, pues evita que una calificación civil adversa, basada en criterios más amplios o en presunciones propias del proceso concursal, pueda derivar automáticamente en una condena penal.

La autonomía del proceso penal refuerza, en este sentido, la individualización del juicio de responsabilidad, haciendo posible que se distinga entre el mero fracaso económico empresarial y las conductas propiamente dolosas orientadas a defraudar, ocultar o vaciar el patrimonio disponible en perjuicio de los acreedores.

En conclusión, la configuración penal de la insolvencia punible en el Código Penal de 1995, reforzada con las reformas posteriores y consolidada por la jurisprudencia del Tribunal Supremo, ha supuesto un cambio de paradigma.

Igualmente, la técnica legislativa empleada en el Código Penal de 1995 y sus reformas posteriores destaca por la utilización de tipos penales en blanco, con remisión a normas mercantiles y contables que definen los deberes de diligencia, información y conservación de documentación, lo que, por un lado, dota de flexibilidad al tipo penal para adaptarse a los cambios normativos y prácticas empresariales, pero introduce también riesgos de inseguridad jurídica que deben ser corregidos mediante una interpretación restrictiva y conforme al principio de legalidad del tipo[22]. La referencia a estándares extrapenales, por otro lado, plantea el desafío de delimitar con precisión el contenido de las obligaciones cuyo incumplimiento puede dar lugar a responsabilidad penal, de modo que se evite una expansión excesiva del tipo y se respete el principio de tipicidad.

En definitiva, la transformación del modelo tradicional supuso un desplazamiento del eje del delito de insolvencia punible desde la dependencia absoluta del proceso civil de quiebra hacia un modelo penal autónomo centrado en la conducta dolosa del deudor. Este cambio legislativo ha permitido que el Derecho penal actúe con mayor eficacia en la defensa del orden económico, sin renunciar a los principios que lo caracterizan, y consolidando una doctrina jurisprudencial coherente con los nuevos estándares de criminalidad patrimonial[23].

Fue también con la promulgación del Código Penal de 1995 cuando se consagró de forma definitiva el crédito como bien jurídico protegido de manera autónoma, desplazándose el eje de protección desde el proceso concursal hacia la conducta dolosa del deudor que agrava o provoca una situación de insolvencia, en perjuicio de los intereses de sus acreedores.

Este modelo rompe con la lógica accesoria anterior y configura un sistema en el que el reproche penal se vin-

---

22 LUZÓN PEÑA, D.M., *Lecciones de derecho penal: parte general*, 3.ª ed., Tirant lo Blanch, 2016, p. 123.

23 SAP Cádiz 1928/2024, que resalta que la calificación concursal o la pasividad de la administración concursal no obstan para el ejercicio autónomo de la acción penal, siempre que concurran indicios suficientes de un vaciamiento doloso del patrimonio del deudor.

cula exclusivamente a la acción típica, su antijuridicidad y la culpabilidad del sujeto[24], sin necesidad de intervención previa de la jurisdicción civil. El artículo 260 CP deja atrás la dependencia procesal para centrarse en la existencia de dolo directo o eventual en la producción o agravamiento de una situación de crisis económica que afecte negativamente al patrimonio disponible para responder frente a los acreedores.

La autonomía del bien jurídico protegido encuentra su más clara manifestación en el artículo 260.4 CP, que establece de forma expresa que "en ningún caso, la calificación de la insolvencia en el proceso civil vincula a la jurisdicción penal". Este precepto materializa la exigencia constitucional de separación de jurisdicciones, garantizando la potestad del juez penal de apreciar los hechos y valorar la existencia del ilícito con criterios propios del derecho penal, orientados por los principios de legalidad, tipicidad y culpabilidad[25].

No obstante, tras conservar el delito vigente históricamente en nuestro Código, se mantiene por algunos autores penalistas que la Ley Concursal viene a salvaguardar el derecho de crédito de los acreedores, en la medida de lo posible y de manera ordenada[26], lo cual ya suena casi idéntico que la definición del objeto de protección que en la mayoría de la doctrina se atribuye a este delito; pero la realidad es que la LC no fue concebida como un sistema de protección de los acreedores o reflote de la sociedad concursada, sino que las sucesivas (y constantes) reformas legislativas le fueron dando un contenido muy diferente al original que es más parecido a un sistema de liquidación ordenada de los débitos contra los activos vigentes en el momento de de-

---

24 GARCÍA CAVERO, P., *Derecho penal económico: parte general*, Grijley, Lima, 2007, p. 131.

25 SILVA SÁNCHEZ, J.M., *Aproximación al derecho penal contemporáneo*, Bosch Editor, 1992, p. 232.

26 GARCÍA RIVAS, N., *Insolvencias punibles*, en Derecho penal español. Parte especial (II), Tirant lo Blanch, Valencia, 2011, p. 379.

clararse el concurso, por lo que, en mi opinión, difícilmente puede decirse que la LC tenga como objetivo principal la protección del crédito[27].

Desde una perspectiva doctrinal, se sostiene que el crédito no debe concebirse como un mero derecho subjetivo de contenido patrimonial, sino que reviste la condición de bien jurídico supraindividual, cuya lesión trasciende el interés del acreedor individual, al incidir de manera negativa en la seguridad del tráfico jurídico-económico y, en consecuencia, en el interés general[28].

Esta visión ha sido refrendada por la STS 3322/2024, que identifica expresamente como bien jurídico protegido en los delitos de insolvencia punible el derecho del acreedor a la integridad del patrimonio del deudor, y no simplemente la eficiencia del procedimiento concursal. El Tribunal subraya que el objetivo último de la intervención penal es proteger la confianza en la exigibilidad de las obligaciones dinerarias dentro del sistema económico.

La criminalización de las conductas dolosas que generan o agravan la insolvencia no busca únicamente resarcir al acreedor concreto, sino preservar la fiabilidad del conjunto del sistema económico en el que se basa la libertad de empresa y la confianza contractual[29]. Asimismo, se destaca que el crédito desempeña una función estructural en la economía de mercado, al posibilitar la asunción racional

---

27 A favor de esta afirmación las distintas modificaciones de Disposiciones Adicionales destinadas a forzar (facilitar, dirían otros) a las entidades crediticias a conformar un acuerdo cuando el resto de los acreedores comunes o privilegiados habían dado su visto bueno en un determinado porcentaje, lo que no les protege, sino que les perjudica en su posición de créditos con privilegio especial cuando la obligación cuyo cumplimiento interesan está asegurada con garantía real.

28 MARTÍNEZ-BUJÁN, C., *El delito de insolvencia del artículo 260 CP, tras la nueva ley concursal*, en *Homenaje a Rodríguez Mourullo*, Aranzadi, Cizur Menor, p. 1556.

29 BACIGALUPO SAGGESE, S.; BAJO FERNÁNDEZ, M., *Derecho penal económico*, Civitas, Madrid, 2010, p. 445.

de riesgos y el acceso a la financiación, de forma que la pérdida de confianza en su garantía debilita la cohesión social y fomenta la desinversión. Esta visión funcional del crédito se impone con fuerza en un contexto globalizado, donde el dinamismo económico depende, en gran medida, de la certeza en el cumplimiento de las obligaciones dinerarias y en la sanción de las prácticas defraudatorias.

Jurisprudencialmente, esta concepción del crédito como bien jurídico protegido ha sido perfilada con mayor precisión en sentencias recientes del Tribunal Supremo. Así, la STS 3322/2024, de 24 de mayo, reafirma que el núcleo del bien jurídico tutelado en los delitos de insolvencia punible es el derecho del acreedor a satisfacerse en el patrimonio del deudor, como garantía de la integridad del tráfico económico, subrayando que el reproche penal se justifica por el carácter intencional y fraudulento de la actuación. Por su parte, la STS 2210/2024, de 30 de abril, establece que no es necesaria una previa declaración judicial de concurso para apreciar la punibilidad de la conducta, siempre que concurran elementos como el ánimo defraudatorio, la disposición dolosa de activos y el perjuicio para los acreedores. El Tribunal reitera que la calificación concursal no vincula al juez penal, quien debe valorar la conducta conforme a los principios del derecho penal moderno, en especial la autonomía funcional, el dolo típico y la afectación al bien jurídico protegido.

En conclusión, el recorrido legislativo y doctrinal demuestra que el crédito ha evolucionado desde un interés patrimonial de carácter individual hasta convertirse en un bien jurídico de relevancia sistémica, cuya protección penal se justifica político-criminalmente como instrumento para preservar la seguridad del tráfico mercantil y, con ello, la estabilidad económica general[30].

Esta evolución normativa y doctrinal ha permitido superar el tradicional sometimiento de la jurisdicción penal

---

30 MUÑOZ CONDE, F., *El delito de alzamiento de bienes*, cit., p. 59.

al proceso civil, consagrando un modelo en el que el crédito se erige como valor jurídico autónomo, merecedor de una protección penal inmediata y eficaz que salvaguarde el principio de seguridad jurídica y fomente un entorno económico basado en la confianza recíproca entre acreedores y deudores[31]. La madurez alcanzada en la configuración del tipo penal de insolvencia punible refleja así una profunda transformación de la política criminal en materia económico-patrimonial, orientada a garantizar un tráfico jurídico transparente, responsable y justo.

II. CRISIS ECONÓMICAS E INSOLVENCIA: CATEGORÍAS JURÍDICAS INDETERMINADAS

La formulación del delito de insolvencia punible en el Código Penal, vigente desde 1996 hasta 2015 en el artículo 260, introdujo un avance decisivo al erigir como elementos típicos la existencia de una "crisis económica" o una "insolvencia" provocadas o intensificadas dolosamente por el deudor o quienes obren en su nombre, sin precisar jurídicamente dichos conceptos, lo que los convierte en categorías jurídicas abiertas de notable complejidad[32].

La amplitud de estas nociones plantea relevantes desafíos hermenéuticos que afectan tanto al plano dogmático como al procesal. La apertura semántica de los conceptos empleados por el legislador amplía peligrosamente el margen de valoración judicial, lo que, si bien puede dotar de cierta flexibilidad al tipo penal frente a conductas econó-

---

31 MIR PUIG, S., *Derecho penal: parte general*, Reppertor, Barcelona, 2011, pp. 116 y 122.

32 Texto original del art. 260.1 vigente desde el 24 de mayo de 1996 hasta el 1 de septiembre de 2004: El que fuere declarado en quiebra, concurso o suspensión de pagos será castigado con las penas de prisión de dos a seis años y multa de ocho a veinticuatro meses, cuando la situación de crisis económica o la insolvencia sea causada o agravada dolosamente por el deudor o persona que actúe en su nombre.

micas sofisticadas (como las realizadas por medios informáticos), también genera un cierto riesgo para el principio de legalidad[33].

Desde el punto de vista del análisis típico, la ausencia de parámetros objetivos y uniformes para determinar en qué momento se configura una crisis económica penalmente relevante, o cuándo una situación de insolvencia trasciende el plano técnico o comercial para adquirir relevancia jurídico-penal, dificulta la delimitación clara de las conductas ilícitas, fomentando el riesgo de incriminaciones excesivas o interpretaciones expansivas que puedan abarcar incluso escenarios propios de la gestión empresarial lícita pero fallida (*bussines judgement rule*).

El término "crisis económica", que aparece en la redacción legal del CP de 1995 como uno de los elementos objetivos del tipo, se presenta como un concepto intencionadamente flexible, capaz de abarcar desde una transitoria falta de liquidez hasta un proceso prolongado de inviabilidad empresarial, sin que el texto legal establezca umbrales objetivos que clarifiquen su alcance, intensidad o duración, lo que conduce a una aplicación potencialmente desigual. Esta indefinición conceptual es especialmente problemática en un contexto económico caracterizado por una elevada volatilidad de los mercados, en el que las empresas pueden atravesar períodos cíclicos de dificultad sin que ello suponga necesariamente una situación de crisis con trascendencia jurídica penal.

La interpretación amplia del término puede llevar, incluso, a la criminalización de decisiones económicas adoptadas de buena fe pero que, con el tiempo, resultan erróneas o insostenibles. Su carácter abierto permite su empleo como presupuesto alternativo de la insolvencia, generando un riesgo de criminalización de situaciones propias del tráfico mercantil que no necesariamente responden a un

[33] HUERTA TOCILDO, S., *El derecho fundamental a la legalidad penal*, *Revista Española de Derecho Constitucional*, vol. 13, n.º 39, 1993, p. 13.

dolo defraudatorio. La consecuencia inmediata de ello es la necesidad de establecer, vía jurisprudencial o doctrinal, límites interpretativos suficientemente estrictos que impidan la conversión del Derecho penal en una herramienta de reacción frente al fracaso económico o la ineficiencia empresarial.

La "insolvencia", igualmente indefinida en la norma penal, ha sido tradicionalmente uno de los conceptos jurídicos más complejos y controvertidos en el ámbito del Derecho patrimonial. En el plano concursal, se asocia a la imposibilidad de satisfacer regularmente las obligaciones exigibles, y se define con cierto margen de objetividad atendiendo a ratios contables, pasivos acumulados, incumplimientos sostenidos o falta de liquidez estructural. Sin embargo, el traslado de este concepto al terreno penal, desprovisto de una definición expresa o de una remisión clara al estándar concursal, introduce una ambigüedad significativa.

No existe un estándar uniforme que permita distinguir, sin lugar a duda, entre la insolvencia técnica —propia del ciclo económico y que puede ser reversible— y aquella insolvencia económica punible que deriva de una conducta dolosa orientada a perjudicar a los acreedores. Esta imprecisión conceptual incrementa la complejidad procesal y la carga probatoria para acreditar la intencionalidad fraudulenta exigida por el tipo. En muchos supuestos, la frontera entre una gestión empresarial desacertada y una conducta típicamente relevante no es fácilmente trazable, lo que obliga a una labor judicial especialmente fina y prudente.

Desde el plano procesal, esta ambigüedad impacta directamente en la carga de la prueba, obligando a la parte acusadora a acreditar no solo la existencia fáctica de una crisis o insolvencia, sino también su carácter doloso, causal y lesivo para los acreedores, sin que el propio texto legal proporcione criterios orientadores que faciliten dicha labor probatoria.

La demostración de la existencia de una crisis económica o insolvencia dolosamente causadas conlleva una complejidad probatoria elevada, tanto en la fase instructora como en el plenario, pues requiere, por un lado, pruebas periciales de carácter contable-financiero que acrediten con solidez el estado económico de la entidad o del deudor; y por otro, elementos indiciarios o directos que permitan inferir la existencia de dolo en la conducta del acusado. Esta prueba del dolo —en su modalidad directa o eventual— constituye, sin duda, uno de los aspectos más delicados del procedimiento, dado que muchas decisiones empresariales que terminan en insolvencia pueden haber sido adoptadas con ánimo de salvamento o continuidad del negocio[34].

Resulta particularmente difícil deslindar entre la imprudencia empresarial, la gestión temeraria no delictiva, o el error de cálculo, frente a la voluntad real de perjudicar a los acreedores. La jurisprudencia[35] ha reiterado la necesidad de acudir a una valoración detallada del contexto económico, los actos previos y concomitantes, y el comportamiento posterior del deudor para determinar si hubo o no intención defraudatoria. Esta dificultad probatoria obliga a extremar el rigor en la valoración de los hechos y a no prescindir de la necesidad de probar la existencia de dolo, pues lo contrario supondría criminalizar la gestión errática o la mala fortuna empresarial, vaciando de contenido el principio de culpabilidad.

El uso de la conjunción "o", en la formulación legal vigente hasta 2015, establece que cualquiera de estas situaciones —crisis económica o insolvencia— basta por sí sola

---

34 NIETO MARTÍN, A., *El delito de quiebra*, Tirant lo Blanch, Valencia, 2000, p. 180.

35 Así lo establece la STS 421/2024, de 7 de mayo al señalar que no puede confundirse la gestión empresarial imprudente, el error en la evaluación del riesgo o incluso la mala fortuna en los negocios con el comportamiento doloso típico del artículo 259 del Código Penal. El Tribunal Supremo exige que el dolo se infiera de un análisis conjunto de las actuaciones del deudor, valorando su contexto económico, su comportamiento previo y posterior, y los efectos reales de sus decisiones, subrayando que el Derecho penal no puede sancionar el simple fracaso empresarial sin vulnerar el principio de culpabilidad.

para colmar el elemento objetivo, ampliando el campo de aplicación del tipo penal y evidenciando la pretensión del legislador de sancionar diversas formas de ataque al derecho de crédito, aunque ello suponga asumir un riesgo de afectar actuaciones legítimas en la gestión empresarial[36]. Se ha subrayado que esta amplitud permite entender como equivalentes crisis económica e insolvencia cuando el pasivo supera al activo del deudor[37], configurando un supuesto que compromete seriamente las expectativas de cobro de los acreedores[38].

Es imprescindible que crisis económica e insolvencia sean objeto de interpretación restrictiva y prudente, para evitar que se conviertan en instrumentos de criminalización de situaciones puramente comerciales o negligentes que, aun siendo reprochables desde un punto de vista civil, no merecen sanción penal[39].

Asimismo, la extensión de la responsabilidad penal a terceros que actúan en nombre del deudor amplía el espectro subjetivo del delito, incluyendo no sólo a los administradores formales de la persona jurídica, sino también a todos aquellos que, sin ostentar un cargo explícito, participan activamente en la creación o agravación de la crisis

---

36 BAJO FERNÁNDEZ, M., *Derecho Penal Económico aplicado a la actividad empresarial*, Civitas, Madrid, 1978, pp. 151 y ss.

37 Del mismo modo, BUEREN RONCERO. *Insolvencias punibles.* Op. cit. p. 29. Trata la distinción entre ambos conceptos, entendiendo la "insolvencia" como aquellas situaciones en las obligaciones exigibles superan los bienes y derechos realizables, mientras que la "crisis económica" se trata de un concepto jurídico indeterminado que debe de ser interpretado por el juez correspondiente, lo cual puede conllevar a vulneraciones del principio de legalidad.

38 NIETO MARTÍN, A. *El delito de quiebra.* Ed. Tirant lo Blanch, 2000, pp. 167 y ss. Entiende que para determinar el concepto de crisis económica debemos de atender a la regulación del Anteproyecto de Ley Concursal de 1983, el cual ha sido el objeto de fundamento del artículo 260 CP y definía el concepto de crisis económica en su artículo 9, entendiéndolo como una "amenaza de lesión de los intereses de los acreedores (…)".

39 NIETO MARTÍN, A., *El delito de quiebra,* Tirant lo Blanch, Valencia, 2000, pp. 167 y ss.

o insolvencia, siempre que obren con dolo y contribuyan de manera directa al perjuicio de los acreedores[40]. Esta inclusión subjetiva responde a una visión funcional de la autoría, en consonancia con las doctrinas más modernas sobre el dominio del hecho y la intervención delictiva en estructuras organizadas de poder económico.

En consecuencia, asesores externos, consejeros, fiduciarios, o testaferros pueden responder penalmente si su intervención excede la mera asesoría técnica y se traduce en actos u omisiones que, desde una posición de influencia real, materializan o facilitan el fraude[41]. Esta previsión normativa pretende hacer frente a las maniobras que se ocultan tras el velo societario, donde la responsabilidad se diluye entre distintos niveles de gestión con el objetivo de sustraerse al control judicial y a la eventual imputación penal.

El Derecho penal no debe ni puede operar como mecanismo automático de castigo frente al error empresarial, la mala praxis comercial o los fracasos derivados del riesgo propio de toda actividad económica lícita. Sólo en aquellos supuestos donde se acredite la concurrencia de una voluntad fraudulenta y el resultado lesivo para los acreedores puede y debe operar el tipo penal.

---

40 GÓMEZ MARTÍN, V.; NAVARRO MASSIP, J., *La responsabilidad penal para personas jurídicas en el Código Penal español*, Revista Aranzadi Doctrinal, Nº 1/2016, pp. 23-39.

41 GONZÁLEZ CUSSAC, J.L., *Insolvencias punibles. Suspensión de pagos, quiebra e insolvencias punibles*, Tirant lo Blanch, Vol. III, 2001, pp. 2117 y ss.

Capítulo II
El bien jurídico

I. EL BIEN JURÍDICO Y EL DERECHO PENAL ECONÓMICO

Las relaciones sociales y económicas actuales parecen imponer una valoración diferente de Justicia, de la relación del ciudadano con el ordenamiento penal —que no se percibe ya sólo como la relación entre el Estado y el delincuente, sino como la evitación del riesgo a los titulares de derechos— y, en consecuencia, exigen una concreción de los fines y de la eficacia de la norma penal con un alcance distinto a los planteamientos del Derecho penal del siglo XX.

La categoría de Derecho penal económico surge en este contexto como un intento de explicar las características comunes a una serie de delitos que podrían considerarse una familia dentro del orden penal, regido por sus características normas y principios[42]; y se ha definido estrictamente como el conjunto de normas que protegen el intervencionismo del Estado en la Economía lo que supondría considerar como delitos económicos sólo aquellos que atentan contra la formación de los precios, los monetarios, el contrabando, el blanqueo y el delito fiscal, al entender como tales las infracciones jurídico-penales que lesionan o ponen en peligro el orden económico entendido como regulación jurídica del intervencionismo estatal en la Economía. Pero esta concepción deja fuera muchas otras infracciones y autores distintos de los descritos, por lo que en un sentido más amplio sería el conjunto de normas jurídico-penales que protegen el orden económico entendido como regu-

42 MARTÍNEZ BUJÁN, C., *Derecho penal económico y de la empresa.* Parte general, 5a, Tirant lo Blanch, Valencia, 2016, p. 65 y ss.

lación jurídica de la producción, distribución y consumo de bienes y servicios, lo que pone la protección del orden económico en primer plano[43], definiéndose entonces el delito económico como la infracción que, afectando "prima facie" a un bien jurídico patrimonial individual, lesiona o pone en peligro, en segundo término, la regulación jurídica de la producción, distribución y consumo de bienes y servicios.

Existe sí un concepto amplio y otro más estricto de delito económico. El concepto más estricto hace referencia a las infracciones que atentan contra la actividad interventora y reguladora del Estado en la economía, lo que conformaría el "Derecho penal administrativo económico". Junto a ese concepto estricto se reconoce un concepto amplio de delitos económicos que incluiría las infracciones vulneradoras de bienes jurídicos supraindividuales de contenido económico que trascienden la dimensión puramente patrimonial individual del delito, sin afectar la regulación del intervencionismo estatal en la economía. Pero dicho concepto amplio no es fácil de consensuar en cuanto a su alcance[44].

En nuestro análisis del tipo delictivo de la insolvencia punible nos atendremos a un concepto amplio de derecho penal económico, siendo el bien jurídico la primera categoría del tipo a estudiar.

No es una teoría pacífica la del bien jurídico, aunque sólo sea por su origen histórico de contestación a la concepción individualista de la "lesión de derechos" de FEUERBACH, si bien, y aunque no hagamos ahora un desarrollo histórico de la evolución de la misma[45], sí podemos afirmar

---

43 Sin embargo, se pierden la univocidad y precisión exigibles en la labor conceptual como advierten BAJO FERNÁNDEZ, M.; BACIGALUPO SAGGESE, S., *Derecho penal económico*, 2a, Editorial Universitaria Ramón Areces, Madrid, 2010, p. 15.

44 MARTÍNEZ BUJÁN, C., *Derecho penal económico y de la empresa*. Parte general, cit., p. 45.

45 Junto a BIRNBAUM estarán VON LISZT y WELZEL, los cuales también conciben al bien jurídico cómo un concepto independiente de

que pese a las críticas que haya podido recibir y los trabajos realizados sobre la misma[46], la teoría del bien jurídico y su principio de exclusiva protección de bienes jurídicos es criterio rector a la hora de fundar un sistema penal, al tiempo que es un punto de partida válido sobre el que iniciar el análisis de los delitos[47], como así haremos.

---

la legislación; y por otro, tendremos a BINDING, HONIG y MEZGER, para quienes el derecho penal no tiene por qué proteger bienes jurídicos, sino que aquello que el derecho penal proteja será considerado bien jurídico.

46 JAKOBS, G.; CANCIO MELIÁ, M., *Qué protege el derecho penal: bienes jurídicos o la vigencia de la norma*, Ediciones Jurídicas Cuyo, Mendoza, Arg., 2001; ABANTO VÁSQUEZ, M.A., "Acerca de la teoría de bienes jurídicos", Revista penal, 18, 2006; GONZÁLEZ RUS, J.J., *Seminario sobre bien jurídico y reforma de la parte especial*, Anuario de derecho penal y ciencias penales, vol. 35, 3, 1982; HEFENDEHL, R., *El bien jurídico: imperfecto pero sin alternativa*, en Estudios penales en homenaje a Enrique Gimbernat, Vol. 1, 2008, pp. 389-404, Edisofer, 2008; MÜSSIG, B., *Desmaterialización del bien jurídico y de la política criminal: sobre las perspectivas y los fundamentos de una teoría del bien jurídico crítica hacia el sistema*, Revista de derecho penal y criminología, 9, 2002, p. 170 y ss. Muy crítico con la actividad legislativa actual en Alemania, donde también se evidencia la introducción de tipos penales que hacen referencia a bienes jurídicos «vagos» a los que se asocian penas desproporcionadamente altas y sin conexión con el núcleo del derecho penal. Afirmando con ello la quiebra práctica de la teoría del bien jurídico como objeto de protección del derecho penal, habida cuenta del sacrificio de garantías; la porosidad de las definiciones de elementos objetivos y subjetivos y la inclusión de delitos de manifestación y de organización que, a su juicio, demuestran la verdadera implantación de un «Derecho penal del enemigo» y de un moderno estado de excepción como estándar de actuación; JIMÉNEZ, E.C., "La «teoría material del bien jurídico» del sistema Bustos/Hormazábal", Estudios Penales y Criminológicos, vol. 35, 0, 2015; ROXIN, C., *El concepto de bien jurídico como instrumento de crítica legislativa sometido a examen*, Revista electrónica de ciencia penal y criminología, 15, 2013. En el que ya se plantean cuestiones hoy en día vigentes desde la consideración del bien jurídico como problema teórico y límite a la acción del legislador y de la política criminal, hasta la dificultad de conceptualizar el bien jurídico con carácter general desde la perspectiva constitucional.

47 KIERSZENBAUM, M., *El bien jurídico en el derecho penal. Algunas nociones básicas desde la óptica de la discusión actual*, Lecciones y ensayos, vol. 86, 2009, p. 187. El autor explica que el concepto de bien jurídico ha cumplido hasta hoy importantes funciones en la dogmática penal; lo

No es único el concepto de bien jurídico pues éste irá ligado a las concepciones filosóficas y de legitimación del derecho penal que se empleen en su análisis[48], pero se puede decir que el consenso mínimo en la teoría del bien jurídico —del principio de lesividad por el que el derecho penal sólo debería proteger bienes jurídico penales—, a la que nos adscribimos, consiste en que el "bien jurídico" es visto como el punto de encuentro entre "injusto" y "política criminal"[49].

---

ha hecho como criterio para la clasificación de los delitos, y como elemento de base y límite al orden penal. Así, el bien jurídico ha servido al liberalismo como barrera contenedora del poder punitivo. Sin embargo, esta idea de bien jurídico como noción reductora de la coerción estatal se encuentra actualmente en una de sus más fuertes crisis; PAWLIK, M., *El delito, ¿lesión de un bien jurídico?*, Indret: Revista para el Análisis del Derecho, 2, 2016, p. 11. Considera el autor que la afirmación según la cual el Derecho penal sirve a la protección o aseguramiento de bienes jurídicos goza de un reconocimiento prácticamente unánime en la discusión jurídico-penal actual, por lo que con amplia cita de autores alemanes, cuestiona esta comprensión para posteriormente sentar las bases de una concepción del injusto penal alternativa, basada en la figura de la persona en Derecho y su competencia jurídico-penal para mantener la indemnidad de concretos intereses ajenos.

48 Conseguida con el racionalismo la emancipación del Derecho penal y la teología —la separación del pecado y el delito; de la penitencia y la pena— las distintas corrientes filosóficas fundamentan una distinta justificación y finalidad del Derecho penal que hoy en día se entiende todavía mayoritariamente como la defensa de bienes jurídicos penalmente relevantes: HEFENDEHL, R., *La Teoría del bien jurídico*: ¿fundamento de legitimación del Derecho penal o juego de abalorios dogmático?, Ediciones Jurídicas y Sociales, 2016; ÁLAMO, M.A., *Bien jurídico penal: más allá del constitucionalismo de los derechos*, Estudios penales y criminológicos, 29, 2009; R. R. P. BRAGA, *Reflexiones sobre las teorías del bien jurídico protegido en materia penal*, ECA: Estudios centroamericanos, 684, 2005; CUELLO CONTRERAS, J., *Presupuestos para una teoría del bien jurídico protegido en Derecho penal*, Anuario de derecho penal y ciencias penales, vol. 34, 2, 1981; S. M. PUIG, *Bien jurídico y bien jurídico-penal como límites del Ius puniendi*, Estudios penales y criminológicos, 14, 1989; SÁNCHEZ, J.A.L., *Bien jurídico y legitimidad de la intervención penal*, Revista chilena de derecho, vol. 22, 2, 1995; SANCHÍS, L.P., *Una perspectiva normativa sobre el bien jurídico*, Nuevo Foro Penal, 65, 2003.

49 BUSTOS RAMÍREZ, J.J., *Politica criminal y bien jurídico en el delito de quiebra*, Anuario de derecho y ciencias penales, vol. 1, 1990, p. 32.

La autonomía valorativa de los bienes jurídicos que posee el Derecho penal ha de llevarnos, siguiendo a MUÑOZ CONDE, a considerar bienes dignos de una protección penal aquellos "presupuestos que la persona necesita para su autorrealización y el desarrollo de su personalidad en la vida social"[50], alejándonos de una concepción demasiado estricta del bien jurídico[51] que impediría desarrollos futuros de una sociedad, y buscando el equilibrio entre dinamicidad y la necesidad de garantía del bien jurídico[52], sin perder de vista que la determinación de los bienes jurídicos dignos de protección suponen un juicio valorativo de la realidad moral y la necesidad social del grupo sobre el que se pretende legislar que puede conllevar una perversión del bien jurídico si se pone al servicio de la protección de los valores y bienes del grupo social dominante en un momento histórico, que podría conllevar el uso represivo del derecho penal para atacar y contrarrestar a las minorías[53].

De ahí la necesidad de elaborar un concepto formal y material de bien jurídico que, como ya decíamos, se hace complejo en el ámbito doctrinal.

En un Estado Democrático y de Derecho, como el que rige en España, dicha relevancia social para el bien jurídico podría buscarse en el texto constitucional vigente[54], pues el

---

50 MUÑOZ CONDE, F.; ARÁN, M.G., *Derecho penal.* Parte general, 9a, Tirant lo Blanch, Valencia, 2015, p. 63.

51 MIR PUIG, S., *Bien y bien jurídico-penal como límites del Ius puniendi*, cit., p. 209. Considera bienes dignos de una protección penal aquellos con una relevancia social fundamental para la vida social.

52 ABANTO VÁSQUEZ, M.A., *Acerca de la teoría de bienes jurídicos,* cit., p. 5.

53 MUÑOZ CONDE, F.; ARÁN, M.G., *Derecho penal.* Parte general, cit., p. 66.

54 Considerando la Constitución como primera fuente determinante de los objetos de protección y concediendo al legislador el papel de selección la determinación de los restantes intereses colectivos dignos de protección J. M. ZUGALDÍA ESPINAR, Lecciones de derecho penal. Parte general, Tirant lo Blanch, Valencia, 2016, p. 32 Con MIR PUIG Y MUÑOZ CONDE, podemos afirmar que la Constitución no es la única fuente legitimadora de bienes jurídico

bien jurídico aprobado será válido siempre que el reconocimiento de aquél como susceptible de protección penal respete los límites a la acción política que marca la Constitución con el reconocimiento de bienes y derechos[55], cuando la vulneración de los derechos fundamentales de los ciudadanos se ciña a esos límites en las circunstancias estrictamente necesarias y más graves[56].

La teoría del bien jurídico la consideramos como concepto básico que constituye el punto de referencia obligado para fundamentar, limitar e interpretar el Derecho penal en un sistema penal democrático[57], pues la pregunta

---

penales, pues existen para el primero determinados bienes jurídicos con valor social no recogidos en ella de forma específica, como puede ser el bien de la seguridad en el trabajo vinculado al derecho al trabajo constitucional; y existen también conflictos dentro de la propia Constitución al reconocer derechos a grupos distintos y, en ocasiones contrapuestos, que el legislador ordinario deberá conciliar, como sucede con los derechos constitucionales reconocidos a todos los ciudadanos, frente a los reconocidos a aquellos sujetos a un proceso penal, en los que los deseos de retribución, reparación o venganza de los perjudicados han de ser moderados. Mientras que para MUÑOZ CONDE detrás de todo bien jurídico debe existir un «interés humano» un beneficio al desarrollo personal del individuo, pues los bienes son producto del acuerdo social basado en evidencia, de forma tal que el legislador «no los saca de la realidad social», sino que los configura mediante una función política y un proceso constitutivo.

55 Ni la Constitución obliga a defender penalmente todo su contenido, ni todo ataque a la misma tiene por qué merecer la protección del derecho penal S. M. PUIG, *Bien jurídico y bien jurídico-penal como límites del Ius puniendi*, cit., p. 213.

56 MUÑOZ CONDE, F.; ARÁN, M., *Derecho penal.* Parte general, cit., p. 63.

57 SZCZARANSKI, F., *Sobre la evolución del bien jurídico penal: un intento de saltar más allá de la propia sombra.*, Política Criminal: Revista Electrónica Semestral de Políticas Públicas en Materias Penales, 14, 2012, p. 405 y ss. Rechazando la teoría funcionalista de JAKOBS la misión del derecho penal es garantizar la identidad de la sociedad al declarar que la conducta defraudatoria no forma parte de la integración social que se debe tomar en cuenta, sin que sea su cometido el evitar lesiones a bienes jurídicos, sino que el bien a proteger será la firmeza de las expectativas esenciales de la sociedad. De esta forma, en contra de una visión del delito como atentado primordialmente

por el bien jurídico protegido en el Derecho penal es "la pregunta por el valor social cuya indemnidad ha requerido la prohibición de ciertas conductas" y la severa sanción (penal) de su transgresión, pues el mismo es considerado como "un bien importante para la sociedad como libertad o condición de libertad"[58].

Aún con todo, se hace prácticamente imposible encontrar un concepto "sustancial" de bien jurídico que abarque todos los delitos, pues aunque el bien jurídico puede determinar el contenido del injusto de cada figura delictiva individualmente considerada, no puede proporcionar un núcleo de injusto común a todo tipo de comportamiento antijurídico; por lo que se ha propuesto determinarlo en relación a su función de justificación de los límites impuestos a las libertades de los ciudadanos reconocidas en la Constitución —que es lo que da sentido a la norma concreta—, como orientación y límite a la pena que el legislador puede imponer[59].

---

a individuos, sostenida en base a una teoría de lesión a bienes personales, todo delito será daño social, señalando que si es el derecho el que hace que los bienes poseídos fácticamente por alguien sean comprendidos como algo que los demás deben respetar —con lo que el sujeto pasa a ser titular de derechos y el resto adquiere existencia jurídica mediante la obligación o deber de no lesionar ese derecho—, entonces la infracción a ese deber es delito en contra de la persona en tanto ser social. Por lo anterior, el delito mismo es perturbación de la estructura normativa de la sociedad, esto es daño social, que consiste en la contradicción entre una persona competente y la obligatoriedad de una institución, incluso cuando dicha institución es una pura norma.

Así se limita la función protectora del Derecho penal a la afirmación de la vigencia de la norma, pues detrás de ella siempre hay un interés o bien jurídico por el que se comprende, interpreta y critica la vigencia de tal norma; pero sin referencia al bien jurídico esta función parece vacía de contenido y tautológica.

58 RODRÍGUEZ MOURULLO, G., *El bien jurídico protegido en los delitos societarios con especial referencia a la administración desleal*, Cuadernos de derecho judicial, 7, 1999, p. 13.

59 MARTÍNEZ-BUJÁN, C., *Derecho penal económico y de la empresa.* Parte especial, 4ª, Tirant lo Blanch, Valencia, 2013, p. 157. Se opone su "concepción procedimental del bien jurídico" a la planteada por

La defensa de bienes jurídicos es la esencia de la formulación y operatividad del Derecho penal, lo que destaca la enorme importancia que tienen éste y las funciones asociadas al mismo. La función crítica[60] de los bienes jurídicos, nos permitirá conocer los intereses de política-criminal y defensa social en la mente del legislador para poder juzgar si los mismos protegen verdaderos bienes jurídico-penales y si la forma de protegerlos es la adecuada[61]. También nos permite una verdadera distinción, organización y concreción de tipos penales según el bien que protejan (función sistemática) que evite arbitrariedades en su aplicación al describir los elementos del tipo, el alcance de la prohibición concreta, la permisión de determinadas conductas atentatorias del bien jurídico (causas de justificación), la imputabilidad del individuo, la punibilidad y la importancia de la pena a imponer (función interpretativa)[62]El bien jurídico nos facilita el contenido del injusto y pone en concordancia los derechos fundamentales recogidos en la Constitución con la validez de las limitaciones que estos sufren en el uso del derecho punitivo del Estado (función limitadora del "*ius puniendi*")[63].

Por tanto, en el análisis dogmático de cada tipo, la determinación del bien jurídico protegido determinará en muchos casos el contenido y alcance del injusto, la justificación de la penalidad asociada al comportamiento antijurídico, la naturaleza del delito o su ubicación sistemática[64],

---

JAKOBS sustituyendo el bien jurídico por la necesidad de reafirmar o estabilizar la vigencia de la norma vulnerada y garantizar la "identidad de la sociedad".

60 Función negada por el normativismo radical.

61 MUÑOZ CONDE, F.; ARÁN, M.G., *Derecho penal.* Parte general, cit., p. 67.

62 ABANTO VÁSQUEZ, M.A., *Acerca de la teoría de bienes jurídicos*, cit., p. 6; S. MIR PUIG, Derecho penal: parte general, Reppertor, Barcelona, 2011, p. 164.

63 LUZÓN PEÑA, D.M., *Lecciones de derecho penal*: parte general, 3ª ed., Tirant lo Blanch, 2016, p. 179.

64 MARTÍNEZ BUJÁN, C., *Derecho penal económico y de la empresa.* Parte general, cit., p. 145.

lo que no es ajeno al Derecho penal económico ni al delito de este artículo 259 que estamos analizando.

Esta orientación ha sido ratificada en la jurisprudencia más reciente. Así, la STS 1553/2025[65] subraya que el artículo 259 CP protege el interés de los acreedores en la integridad del patrimonio del deudor, cuando este ha sido lesionado dolosamente mediante actuaciones que provocan o agravan el estado de insolvencia. Con ello, se consolida una noción del bien jurídico alejada del puro interés patrimonial del deudor y centrada en la garantía funcional del tráfico económico y la protección del crédito, lo que refuerza la autonomía del Derecho penal económico frente a valoraciones de otro orden.

El desarrollo legislativo histórico de un país condiciona la decisión sobre los bienes jurídicos a proteger en cada momento, que dependerán de las concepciones morales y las necesidades sociales del momento[66]. Nuestro Código no es excepción y su contenido es fruto de la sociedad burguesa en que ve la luz por primera vez, siendo así que la evolución histórica de la concepción del Estado, de la vida social y de la economía han determinado cambios en el Derecho penal que, hoy día, supone la aceptación de que el derecho penal ha de ir extendiendo su protección a bienes menos individuales, pero de gran relevancia para amplios sectores de la población.

BUSTOS RAMÍREZ introduce la distinción de bienes jurídicos "microsociales" y "macrosociales", entendiendo por los primeros aquellos como la vida, salud individual, libertad; y los segundos, como los bienes jurídicos institucionales que miran al funcionamiento del sistema, tales como el bien jurídico "garantía", los cuales están al servicio de los microsociales. Ambos deben ser considerados debido a la "complejidad" del Estado moderno[67].

---

65 STS 1553/2025, de 5 de junio.

66 MUÑOZ CONDE, F.; ARÁN, M.G, *Derecho penal*. Parte general, cit., p. 65.

67 BUSTOS RAMÍREZ, J., *Control social y sistema penal*, PPU, Barcelona, 1987 BUSTOS recurre a la idea de VON LISZT sobre el bien jurídico

Con MUÑOZ CONDE[68] se puede distinguir en el actual Código penal una división entre delitos contra las personas —con afectación de bienes individuales— y delitos contra la sociedad con afectación del orden social o bienes jurídicos comunes —sin suponer esto un posicionamiento dualista con respecto a la teoría del bien jurídico[69]— lo que supone la existencia de bienes jurídicos individuales que afectan directamente a la persona y, bienes jurídicos colectivos, que afectan al sistema social como agrupación de varias personas individuales[70].

El bien jurídico nos permite *"conocer los presupuestos axiológicos del sistema, y facilita con ello su evaluación y crítica"*, pues la conexión entre la norma y el bien jurídico-penal exige que el primer paso para concretar éste, *"sea la interpretación de los términos exactos del enunciado de la norma, para que, una vez fijado, dicho objeto de protección se convierta no sólo en conclusión de la interpretación, sino en medio de la misma"*[71].

En el Derecho penal económico, además de las cuestiones debatidas en la doctrina ya apuntadas, sigue hoy vigen-

---

como un «producto social». De ahí que el objetivo de una teoría crítica del bien jurídico, sea el poner de relieve la discriminación y la injusticia del derecho penal, que se produce cuando las posiciones dogmáticas encubren ideológicamente el objeto de protección.

68 MUÑOZ CONDE, F.; GARCÍA ARÁN, M., *Derecho penal.* Parte general, 10ª ed., Tirant lo Blanch, Valencia, 2023.

69 La fuerza de la posición del autor no puede igualarse a la de los orígenes de la Escuela de Francfort y ni siquiera a su inicial posicionamiento junto a HASSEMER, pues viene a admitir la posibilidad de considerar la protección de los bienes colectivos económicos desde la perspectiva de su afectación mediata a la libertad individual o a la autorrealización de la persona.

70 CASTRO MARQUINA, G., *La necesidad del derecho penal económico: su legitimidad en el estado social y democrático de derecho,* B de F, Montevideo, 2016, p. 69 Señala que la perspectiva de MUÑOZ CONDE parte de un presupuesto equivocado, pues el aspecto colectivo no necesariamente ha de alcanzar al bien jurídico, pudiendo referirse a la modalidad de agresión, sin perder la perspectiva de que hoy en día los ataques a los bienes jurídicos individuales se desarrollan en el marco de contextos de acción colectiva.

71 RODRÍGUEZ MOURULLO, G., *El bien jurídico protegido,* cit., p. 14.

te la discusión doctrinal acerca de cuál es el objeto estricto de protección de los delitos integrados bajo éste concepto y si dicho objeto los puede unificar dentro de esa categoría, pues a pesar de la reforma tan honda y extensa padecida por el Código penal, no todo lo escrito sobre este particular con anterioridad a 2015 ha perdido su valor como veremos. Aunque es especialmente complejo adentrarse en el estudio del bien jurídico en el ámbito del Derecho penal económico toda vez que se hace necesario prestar atención al significado que cada autor da a los conceptos, pues sus significados, aunque parecidos, pueden variar enormemente en cuanto a las ideas que recogen[72].

Precio a este debate nos encontramos también con el propio de si el derecho penal debería dedicarse a fenómenos como el de la delincuencia de empresa, pues existen argumentos diversos a favor de la inhibición del derecho penal en la materia toda vez que, por ejemplo, el autor del delito es, al mismo tiempo, criador de riqueza; la realidad social demuestra que los delitos que son considerados como verdaderamente graves en el contexto social son otros como los de terrorismo o violencia en el ámbito familiar, pero no los económicos; y los delitos cometidos en el marco de una empresa no merecen una estrategia propia, pues en realidad son fenómenos de delincuencia común y su complejidad, dinamicidad y estructura anuncian un fracaso en la labor del derecho penal[73].

Desde luego no hay duda de que la criminalidad económica de empresa es la más notable por razón de la cantidad de afectados y de las cuantías asociadas a la misma por razón del daño o la responsabilidad civil, por lo que no cabe más remedio que afrontar la realidad criminal de unos hechos que atentan contra bienes protegidos constitucionalmen-

---

72 CASTRO MARQUINA, G., *La necesidad del derecho penal económico*, cit., p. 68.

73 SERRANO-PIEDECASAS FERNÁNDEZ, J.R.; DEMETRIO CRESPO, E., *Cuestiones actuales de derecho penal económico*, Editorial Constitución y Leyes, COLEX, 2008, p. 12.

te[74] y que justifican sobradamente la existencia del Título XIII del Libro II del Código penal, sin que ese contenido constitucional permita bajar la guardia en cuanto al evidente riesgo de excesiva criminalización y expansionismo del derecho penal en este ámbito, que resultaría disfuncional e, incluso, un riesgo en sí mismo al desarrollo económico del país[75].

Esta necesidad de tutela penal ha sido reconocida también por la jurisprudencia más reciente. Así, la STS 1084/2024 subraya que el art. 257 CP no protege de forma aislada el patrimonio del deudor, sino la eficacia de los mecanismos institucionales mediante los que el ordenamiento jurídico garantiza el cumplimiento de obligaciones patrimoniales válidamente reconocidas, incluso en sede laboral. En este sentido, la intervención penal en materia económica se justifica cuando el deudor actúa dolosamente para frustrar de forma sistemática el derecho del acreedor a la tutela judicial efectiva, afectando con ello a la estabilidad del tráfico económico y a la confianza legítima en el cumplimiento de los créditos[76].

Así el ámbito del Derecho penal económico, además de su función de político-criminal estableciendo límites a la acción del legislador, cumple el bien jurídico su función sistemática y organizadora de un modo significado; pero muy especialmente su función interpretativa, pues, aunque no se trate de la defensa de bienes calificados tradicional-

---

74 Aunque los bienes jurídicos recogidos en la Constitución no son los únicos bienes susceptibles de defensa penal, como ya hemos expresado, es cierto que el artículo 38 CE "reconoce la libertad de empresa en el marco de la economía de mercado" añadiendo que los poderes públicos garantizan su protegen su ejercicio y la productividad, y el artículo 33 CE añade que "se garantiza el derecho a la propiedad", al tiempo que se citan diversos derechos por los que deben velar los poderes públicos, como son la seguridad en el trabajo; la libertad sindical y el derecho de huelga (art. 28 CE); la defensa de la salud y de los intereses económicos de los consumidores (art. 51 CE), entre otros.

75 SERRANO-PIEDECASAS FERNÁNDEZ, J.R.; DEMETRIO CRESPO, E., *Cuestiones actuales de derecho penal económico*, cit., p. 14.

76 STS 1084/2024, de 22 de febrero.

mente como "personalísimos", se hace necesario acudir al bien jurídico para distinguir entre delitos que protegen el patrimonio, "intereses difusos"[77] y bienes colectivos, cuestión nada sencilla en los términos actuales de la regulación de los delitos del Capítulo XIII, que parece emplear la teoría del bien jurídico más que como límite al "ius puniendi", como exigencia de punibilidad[78].

Y a la dificultad de la determinación de qué bienes jurídicos constituyen el cuerpo del llamado Derecho penal económico, se añade la previa de identificación de los bienes jurídicos con interés de protección penal en la delincuencia económica, pues dicha labor se encuentra con la resistencia de considerar los intereses económicos como ajenos al ámbito penal en un mundo global que exige —y provoca— una desregulación en la actividad económica más que una intervención en la misma por vía penal, que más parece romper con los principios garantistas de "ultima ratio" y de protección de bienes jurídicos verdaderos para convertir el Código penal en el instrumento de protección de los cambiantes programas políticos y económicos.

No hay duda de que los intereses patrimoniales se han defendido en nuestro Código penal desde sus orígenes codificados, por lo que no es que el Derecho penal de este siglo esté planteando *ex novo* conductas punibles sin sustento en nuestro derecho histórico, sino que los ataques se realizan en modalidades y contra realidades propias de nuestro tiempo[79] a las que el derecho penal ha de prestar su protección[80].

---

[77] Categoría que, recogida en el derecho italiano, viene a conceptualizar esos bienes jurídicos colectivos un tanto indeterminados e imprecisos en su amplitud, que se refieren a la defensa de la sociedad o la comunidad, no tanto del Estado, y cuya legitimidad y admisibilidad es discutida. LUZÓN PEÑA, D.M., Lecciones de derecho penal, cit., p. 177.

[78] SERRANO-PIEDECASAS FERNÁNDEZ, J.R.; DEMETRIO CRESPO, E., *Cuestiones actuales de derecho penal económico*, cit., p. 26.

[79] Vid. El estudio de las conductas típicas más adelante.

[80] FERNÁNDEZ TERUELO, J.G., *Instituciones de derecho penal económico y de la empresa*, Thomson Reuters, 2013, p. 55 y ss. Considera que la

Las críticas realizadas a la expansión del derecho penal sobre la vulneración de los principios del derecho penal —el de subsidiariedad, fragmentariedad, intervención mínima, "ultima ratio" y, especialmente, al de ofensividad— entendiendo que muchas de las conductas sancionadas en el ámbito del llamado Derecho penal económico no son idóneas para vulnerar un bien jurídico-penal ni tan necesarias como para justificar la intervención del Derecho penal, son válidas, igual que lo son las que ponen el énfasis en la poco meditada labor legislativa que provoca graves disfunciones en el proceso de lo que se ha considerado el proceso normal de legislación penal y de interpretación de la norma sancionadora[81]. Pero todas estas críticas no pueden obviar la realidad ya expresada de que la criminalidad de empresa y la criminalidad de "cuello blanco" son muy relevantes en nuestra sociedad.

Merecen una respuesta adecuada, por lo que no podemos negar la necesidad de sanción penal, si bien es evidente que el proceso legislativo encaminado a este fin es más que mejorable, lo que debería ayudar a una labor dogmática que hoy se centra de manera evidente en legitimar la acción en el contexto socioeconómico y en consensuar conceptos que permitan establecer límites claros a la acción estatal[82].

El Derecho penal liberal hacía frente mayormente a una criminalidad individualizada; pero las formas de de-

---

actual regulación del Derecho penal económico constituye el máximo exponente del proceso vicio de regulación de algunos tipos en dónde no se buscan bienes jurídicos que, como tales, necesiten protección penal, sino que en la práctica legislativa actual se localizan conductas que provocan disfunciones en el ámbito socioeconómico o respecto a la cual existen (o no) mandatos, generalmente de instituciones comunitarias o internacionales, para intervenir, construyéndose un tipo penal abstrayéndose del bien jurídico y quedando el esfuerzo de determinar cuál es el interés protegido en manos de la doctrina.

81 Por todos, Ibid., p. 15 y ss.

82 CASTRO MARQUINA, G., *La necesidad del derecho penal económico*, cit., p. 11 y SS.

lincuencia moderna y económica exigen formas nuevas de combate y aquí surge el debate sobre si los instrumentos clásicos del derecho penal son válidos o si el empleo de alguno de ellos, como la tipificación de delitos de peligro abstracto, son los apropiados para abordar este tipo de criminalidad económica[83].

La realidad de los primeros años del siglo XXI nos ha dado sobrados ejemplos de fraudes económicos que han generado un tremendo daño a la sociedad mundial (la quiebra del sistema hipotecario) y de situaciones que han provocado un daño sostenido en el tiempo para enormes grupos de población (explosión de centrales nucleares japonesas gestionadas por la empresa privada TEPCO), por lo que no toda actuación del Derecho penal en el ámbito económico debería quedar constreñida al momento de la constatación del daño[84].

Los delitos de peligro son, desde luego, un instrumento ampliamente empleado en defensa de los bienes jurídicos colectivos[85], como medio de protección de intereses económicos, bien porque se entiende por el legislador que los tipos penales clásicos no alcanzan a proteger debidamente realidades delictuales nuevas (o nuevos modos de hacer lo de siempre); o bien porque se dan situaciones en las que es difícil concretar el bien jurídico protegido y, por ende, para determinar cuándo el mismo puede considerarse lesionado[86].

Se cuestiona la legitimidad de los delitos de peligro por suponer un excesivo adelanto de la intervención penal y

---

83 MUÑOZ CONDE, F., *Derecho penal. Parte especial*, 22.ª ed., Tirant lo Blanch, Valencia, 2023.

84 CASTRO MARQUINA, G., *La necesidad del derecho penal económico*, cit., p. 88.

85 FEIJOO SÁNCHEZ, B.J., *Seguridad colectiva y peligro abstracto. Sobre la normativización del peligro*, en Homenaje al profesor Dr. Gonzalo Rodríguez Mourullo, Editorial Civitas, 2005, p. 308.

86 PAREDES CASTAÑÓN, J.M., *Los delitos de peligro como técnica de incriminación en el derecho penal económico: bases político-criminales*, en Estudios de derecho penal económico, 2002, pp. 45-122, 2002, p. 99.

una manifestación, en muchos casos, del derecho penal simbólico. Y dicho cuestionamiento se produce también por extensión en relación con su aplicación en el ámbito del Derecho penal económico, donde se pone de manifiesto otra de las críticas hechas a esta técnica legislativa, como es el de su ineficacia para atajar la criminalidad de empresa. Especialmente crítica es la referencia a los delitos de peligro en su modalidad de peligro abstracto[87] en los que se identifica el bien jurídico con la *ratio legis* que impulsó al legislador a tipificar tal conducta

La realidad económica y la imperfección del sistema de economía de mercado —sin entrar en la discusión acerca de la intervención que el Estado debiera tener en este tipo de economía[88]— servirían para justificar la intervención del Derecho en su modalidad penal. Pero junto a esos defectos estructurales existe también una palmaria afectación a bienes jurídicos individuales constatable con una serie de conductas (la infidelidad en la gestión; la desigualdad en las relaciones negociales; el enriquecimiento sin causa y la ineficacia provocada de las obligaciones contraídas) que merecen ser combatidas para reducir su habitualidad[89].

Como decíamos, dichas conductas contrarias al patrimonio, la propiedad y el orden económico han estado tipificadas en nuestros Códigos penales históricos y se hace oportuno un análisis histórico de la concepción del bien jurídico para intentar entresacar claves interpretativas para

---

87 Dentro de la categoría de delitos de peligro se distinguen los de peligro concreto, equiparados a los de resultado por la dogmática, y los de peligro abstracto; si bien existe una tercera clase que se denomina «de aptitud para la producción de un daño». Vid. sobre el particular ESCRIVÁ GREGORI, J.M., La puesta en peligro de bienes jurídicos en derecho penal, Editorial Bosch, 1976.

88 ALONSO-MARTÍNEZ, C.B., *Mercado, Estado y Economía Mundial*, Revista de economía mundial, 1, 1999; C. R. DEL RÍO, "El papel del Estado en una economía de mercado", en La política económica en el horizonte del siglo XXI: homenaje a José Jané Solá, 1998, 7, pp. 35-46, Universidad de Málaga (UMA), 1998.

89 PAREDES CASTAÑÓN, J.M., *Los delitos de peligro como técnica de incriminación en el derecho penal económico*, cit., p. 102.

adoptar posición sobre el bien jurídico protegido en el delito de insolvencia punible.

II. EL BIEN JURÍDICO DESDE UNA PERSPECTIVA HISTÓRICA

Desde nuestros Códigos penales del siglo XIX se prevé la punición de los delitos de alzamiento de bienes, de las insolvencias punibles y de las quiebras fraudulentas, por tanto, el recurso nuestra historia legislativa del siglo XX ha de servirnos para establecer indicios acerca de cuál es el bien jurídico protegido en el delito de insolvencia punible.

El Código Penal de 1870 recoge la tradición de códigos anteriores y ordena este tipo de delitos dentro de una Sección llamada de "Alzamiento, quiebra, e insolvencia punibles", ubicada en el Capítulo de "Defraudaciones" en el Título denominado "De los delitos contra la propiedad" del Libro II.

Esta organización se mantendrá hasta el Código de 1995, sin cambios especialmente significativos en su ubicación y sistemática, a través de los códigos de 1928, 1932, 1944, 1963 y 1973.

Es el Código penal de 1995 el que viene a cambiar de modo notable esta ordenación, toda vez que las defraudaciones pasan a ubicarse en el Capítulo VII "De las insolvencias punibles", en los artículos 257-261, dentro del Título XIII de los "Delitos contra el patrimonio y contra el orden socio-económico", siempre dentro del Libro II del Código[90].

---

90 GARCÍA RIVAS, N., *Reflexiones sobre responsabilidad penal en el marco de la crisis financiera*, en El proyecto de reforma del código penal de 2013 a debate, Ratio Legis, 2014, p. 166 En la tramitación parlamentaria se optó por mantener el delito atendiendo sobre todo a razones de política criminal europea, dado que su derogación habría obstaculizado los instrumentos de reconocimiento mutuo con países de la unión europea que mantienen una tipificación equi-

No se trató sólo de cambios nominales, sino que el Código de 1995 supuso en este terreno la introducción de tipos delictivos antes desconocidos, como determinados tipos específicos de alzamiento de bienes —art. 257.1.2º sobre la provocación de insolvencia en un procedimiento ejecutivo y el artículo 258 CP sobre la insolvencia generada para evitar cumplir la responsabilidad civil derivada de un delito—, el favorecimiento de acreedores una vez dictado el auto de apertura de concurso, sin respetar las normas de prelación de créditos de éste (art. 259 CP); y el delito de presentación de documentación contable irregular en procedimiento concursal (artículo 261 CP). Se ampliaba así la esfera punitiva incluyendo conductas criminales relacionadas con la situación de insolvencia[91].

No fue pacífica la denominación del Título XIII al no especificar cuál de sus figuras delictivas debían considerarse atentatorias del patrimonio y cuáles del ámbito socioeconómicos, o si podría considerarse que los mismos tenían una naturaleza mixta[92]. Del mismo modo fueron igualmente criticados determinados tipos por considerar que las conductas ya se encontraban recogidas en el tipo básico del artículo 257[93], o representaban excepciones a reglas de impunidad, como el artículo 261 CP con relación a las falsedades ideológicas[94].

---

valente (CUGAT MAURI, GONZÁLEZ CUSSAC). Si se acometiese algún día dicha despenalización habría que cubrir posibles áreas de impunidad mediante una reforme acorde del delito de alzamiento de bienes (CUGAT MAURI en contra de MARTINEZ-BUJÁN) que se convertiría así en el auténtico delito de insolvencia.

91 SOUTO GARCÍA, E.M., *Los delitos de alzamiento de bienes en el Código penal de 1995*, 2008, Universidad de Coruña, La Coruña, p. 19.

92 HUERTA TOCILDO, S., *Bien jurídico y resultado en los delitos de alzamiento de bienes*, en El nuevo Código Penal: presupuestos y fundamentos: (libro homenaje al profesor Doctor Don Ángel Torío López), 1999, pp. 791-812, Comares, 1999, p. 794.

93 RAMOS RUBIO, C., *Las insolvencias punibles en el Código Penal de 1995*, Partida doble, 69, 1996; En este sentido, VIVES ANTÓN, T.S.; GONZÁLEZ CUSSAC, J.L., Los delitos de alzamiento de bienes, Tirant lo Blanch, 1998.

94 MARTÍNEZ BUJÁN, C., *Derecho penal económico y de la empresa.* Parte general, cit., p. 135; C. RAMOS RUBIO, "Las insolvencias punibles en el Código Penal de 1995", cit., p. 37.

> El propio delito de insolvencia fraudulenta (art. 260 CP) se redefinió completamente, abandonando la redacción del delito de quiebra propia de los Códigos vigentes en el siglo XX con referencias extensas a las normas mercantiles (ley penal en blanco) y enumeración de conductas consideradas delictivas; al tiempo que se mantuvo en el texto legal a pesar de que fue considerado un delito superfluo en los trabajos legislativos, al existir ya un tipo de alzamiento, e inoperativo en la práctica forense, planteándose el legislador su retirada del Código penal en el año 1995, si bien motivos no del todo explícitos llevaron a su mantenimiento en el texto penal y su confirmación en la reforma que el mismo sufrió en el año 2003[95]. Parece ser que se trataba en la práctica de no dificultar la convergencia legislativa penal con Europa, varios de cuyos países sí contemplan este delito[96], o los gravísimos escándalos financieros sucedidos en los años 90 en Estados Unidos que incitaban a contar con todas las armas necesarias para hacer frente a crisis empresariales grandes[97].

En cualquier caso, la redacción del artículo 260 CP parecía indicar el fin de la estrecha vinculación entre el Derecho mercantil y el Derecho penal, que si bien se redujo de forma significativa, no llegó a desaparecer, pues a pesar del tenor literal del apartado 4 de dicho artículo —"en ningún caso, la calificación de la insolvencia en el proceso civil vincula a la jurisdicción penal"— seguía siendo requisito necesario la previa declaración del concurso para apreciar la existencia de la insolvencia fraudulenta[98]. En esa misma línea de separación de los dos órdenes se hizo desaparecer la prejudicialidad mercantil en el orden penal, que obligaba a esperar la calificación de la quiebra como fraudulenta

---

95 Sobre los avatares del delito de concurso fraudulento en la tramitación legislativa de la Ley Concursal, vid. CABALLERO BRUN, F., *Insolvencia punibles*, Iustel, Madrid, 2008, p. 40.

96 MONGE FERNÁNDEZ, A., *El Delito Concursal punible tras la reforma penal de 2015*, Tirant lo Blanch, Valencia, 2016, p. 33.

97 ARIZA COLMENAREJO, M.J.; GALÁN GONZÁLEZ, C., *Reflexiones para la reforma concursal*, 2010, p. 93.

98 SOUTO GARCÍA, E.M., *Los delitos de alzamiento de bienes en el Código penal de 1995*, cit., p. 26.

o culpable por el juez mercantil y la remisión completa de la norma anterior a la legislación mercantil para concretar las conductas típicas de carácter penal[99].

Si de la mente del legislador pretendiésemos concluir cuál ha de ser el bien jurídico común a todos los delitos regulados bajo el Título XIII, debería ser o la propiedad —el derecho de gozar y disponer de una cosa sin más limitaciones que las establecidas en las leyes, como dice el Código Civil— o el patrimonio, y ello porque así se ha denominado dicho título durante el siglo XX: desde 1870 hasta 1973 el Título ha variado su número entre el XIII y el XIV, pero ha mantenido sin modificación su nombre de "Delitos contra la propiedad"; sólo el Código penal aprobado en 1995 modificó el nombre del título, como ya hemos dejado dicho, llamándolo de los "Delitos contra el patrimonio y contra el orden socioeconómico".

Los Capítulos también han permanecido inalterados en su referencia a las defraudaciones hasta el Código de 1995, en el que el Capítulo VII del Título XIII pasó a denominarse "De las insolvencias punibles" con un contenido diferenciado entre el delito de alzamiento de bienes (perjudicar la ejecución; eludir la responsabilidad civil derivada del delito...) y los delitos vinculados al concurso de acreedores (favorecimiento de acreedores; generación o agravación de la insolvencia; falsedades contables...), quedando reservado el título "De las defraudaciones" al Capítulo VI y a los delitos de estafa, apropiación indebida y defraudaciones de fluido eléctrico y análogas, por lo que puede decirse que el legislador ha señalado como bien protegido en los delitos contenidos en el Capítulo VII del Código de 1995 el patrimonio[100].

---

99 El artículo 521 del Código penal de 1944, tras su reforma de 1973, seguía remitiendo al contenido del artículo 888 del Código de comercio para identificar las causas de culpabilidad de la insolvencia.

100 En los Códigos penales vigentes en el siglo XX se consideraba una defraudación cualificada, pues se hace especialmente forzado en este tipo apreciar un engaño o fraude previo en todos los casos de

Por razón de su posición sistemática, tras la aprobación y entrada en vigor de éste Código en 1996, puede entenderse que dado que dicho Capítulo VII entra dentro de aquellos delitos que se ven afectados por la excusa absolutoria de parentesco del artículo 268 CP, apartado 1[101], el bien jurídico debía ser el patrimonio, pues la ubicación de dicho artículo parecía marcar una frontera divisoria en la sistemática del Código.

La realidad es que dicho artículo 268 CP no contiene definición alguna en torno a la naturaleza jurídica de los delitos a los que afecta, y aunque se amparaba bajo esa excusa los capítulos I a IX del Título XIII, no puede ser suficiente para considerar que el bien jurídico protegido en las insolvencias punibles es exclusivamente el patrimonio.

Puede decirse que el legislador no tiene un especial interés en intervenir en el debate ordenando o clasificando de forma distinta los tipos o concretando más los títulos de las Secciones y Capítulos, pues éste ha dejado pasar tal posibilidad reforma tras reforma, por lo que esta última tampoco supone un cambio de relevancia en relación con el bien jurídico[102].

Esto no es algo exclusivo de nuestro legislador del Código penal de 1995, sino que ya en 1960 se solicitaba en la doctrina una reforma de los delitos del Título XIII del Código penal de 1944, que sería reformado en 1963, para acomodar los tipos al contexto social y empresarial entonces vigente: *"Es necesario volver a meditar sobre la ordenación legal de estos delitos. Acometer su reforma de acuerdo con las necesidades y fenómenos económicos actuales, teniendo en cuenta las profundas transformaciones que ha sufrido el concepto mismo del derecho de propiedad, expresadas en la formulación de los principios del Esta-*

---

concurso fraudulento A. MONGE FERNÁNDEZ, El Delito Concursal punible tras la reforma penal de 2015, cit., p. 36.

101 El artículo 268 se ubica dentro del Capítulo X del citado Título XIII con el nombre de *Disposiciones comunes a los capítulos anteriores*".

102 GONZÁLEZ CUSSAC, J.L. Y OTROS, *Comentarios a la reforma del Código Penal de 2015*, Tirant lo Blanch, Valencia, 2015, p. 791.

do Español de 17 de mayo de 1958 (II), que ya no es la propiedad romana y liberal del siglo XIX. Una reforma acorde con las ineludibles exigencias de la técnica jurídica y con las enseñanzas que se desprenden de la Criminología, en la que los antecedentes históricos proporcionarán poco más que la nomenclatura... "[103].

El nuevo nombre dado a algunos Capítulos y Secciones del Título XIII no ayuda en cuanto a la determinación concluyente del bien jurídico protegido. En el caso de los Capítulo VII y VII bis, en el que el contenido de los tipos recogidos allí no permite una nítida conexión con el título bajo el que se recogen, nos obligan a la hora de determinar el bien jurídico protegido a acudir, necesariamente, a su contenido a fin de poder determinarlo.

El Código penal del año 1995, como hemos explicado, asumía las innovaciones que se venían incorporando en otros códigos europeos desde hacía años, especialmente en el campo de la delincuencia económica, si bien ninguno de ellos había superado la dificultad de definir nítidamente el objeto de protección de este tipo de delitos y tampoco de concretar el concepto de patrimonio, como bien jurídico aceptado por la mayoría de la doctrina como el propio de este tipo de delitos, cuestión ésta que sí podría quedar fijada para mayor seguridad jurídica, pues dentro del lógico entendimiento de que el legislador buscará la protección no sólo de bienes individuales, sino también de bienes supraindividuales o colectivos en determinadas circunstancias, por lo que sería adecuado al principio de legalidad, y a la exigencia de taxatividad de la norma penal restrictiva de derechos, que dichos bienes jurídicos pudiesen quedar perfectamente delimitados dentro de los diferentes tipos[104].

---

103 RODRIGUEZ DEVESA, J.M., *Consideraciones generales sobre los delitos contra la propiedad,* Anuario de derecho penal y ciencias penales, vol. 1 enero-marzo, 1960, p. 40.

104 CORCOY BIDASOLO, M., *Delitos de peligro y protección de bienes jurídico-penales supraindividuales: nuevas formas de delincuencia y reinterpretación de tipos penales clásicos,* Tirant lo Blanch, 1999.

El mismo RODRÍGUEZ DEVESA explicaba cómo la historia de estos tipos delictivos es la historia de un debate empírico no finalizado, pues todos los delitos del Título XIII se resienten de su ascendencia civilística romana, lo que provoca la mayor parte de las incongruencias consideradas dentro del sistema legislativo penal[105].

La ayuda que el legislador podría prestar en la interpretación de la norma con su labor de sistematización en el Código es negada una y otra vez. Negada la posibilidad de una "interpretación auténtica" del legislador y la falta de una sistematicidad clara en el Código, provoca que se ceda la determinación del bien jurídico a la doctrina y a la jurisprudencia, pues del Código mismo no puede extraerse una nítida diferenciación de la protección de bienes jurídicos patrimoniales individuales de aquellos otros tipos con una clara orientación protectora de intereses socioeconómicos.

Para nuestro objeto de estudio la ubicación sistemática —histórica y actual— del artículo es un referente más, pues tampoco el legislador, en las reformas más extensas y profundas del Código penal como han sido las de 2003, 2010 y 2015, ha hecho por solventar la discusión doctrinal, y si bien en esta última reforma se ha modificado la numeración y ubicación de determinados artículos del Título XIII, en todo caso, añade esto un motivo más de comentario a la dificultosa determinación del bien jurídico protegido en estos tipos.

III. LOS BIENES JURÍDICOS EN EL TÍTULO XIII DEL CÓDIGO PENAL: PROPIEDAD Y PATRIMONIO

Acudiendo ahora al contenido de los tipos analizados, es fácil notar en la evolución histórica de nuestro Código penal en el siglo XX que el legislador ha incluido en las

---

105 RODRIGUEZ DEVESA, J.M., *Consideraciones generale*", cit., pp. 39-40.

definiciones de los delitos económicos, patrimoniales o socioeconómicos, lo que plantea el problema de la autonomía del Derecho penal frente al resto del ordenamiento: son los conceptos traídos de otras disciplinas del Derecho, especialmente del ámbito civil y del civil-mercantil lo que ha llevado a los autores a plantearse si debe asumirse en la norma penal, de forma general, la definición propuesta en aquella otra rama de la que el mismo proceda; si esto ha de decidirse caso a caso, o, como tercera posibilidad, si habría de incorporarse al ordenamiento penal con una definición propia.

Durante todo el siglo XX fue tema de desarrollo doctrinal la interacción del Derecho civil con otras ramas del ordenamiento, considerando a aquel tronco de todas ellas y planteándose si la identificación de conceptos existía y era deseable; si los paradigmas civilistas conservaban su contenido dentro de la rama penal o si requerían un enfoque y conceptualización distintos; para acabar planteando una necesaria diferenciación entre ambas ramas.

El concepto mismo de delito pone de manifiesto la conexión de este orden jurisdiccional con el Derecho civil, pues los *delicta* romanos fueron modalidades del derecho civil (*furto, iniuria*...) que hoy sólo existen en el derecho penal[106].

El origen histórico de estos delitos se enmarca, aunque por un periodo breve de tiempo en Roma, dentro del derecho civil, siendo así que hoy día algunas de esas figuras no tienen más que una valoración penal y la discusión sea casi circular: valorar cualquier alternativa no penal (civil o administrativa, principalmente) para la sanción de determinados comportamientos que por su naturaleza, autor o cuantía podrían considerarse "bagatelas" para el Derecho penal. Soluciones que no deben perder de vista que la privatización del Derecho penal en el civil, al estilo del "mer-

---

106 SILVA MELERO, V., *Relaciones entre el derecho civil y el derecho penal*, Anuario de derecho penal y ciencias penales, vol. 1, 1948, p. 248.

cader de Venecia", o la sanción administrativa sin consideración práctica a los principios puramente penales cuando se trata de daños pequeños y penas también menores[107].

De dicho origen civilista de los delitos de índole económica ha bebido nuestra legislación hasta el mismo siglo XX con la regulación de la prisión por deudas, a las reformas penales, un fantasma que amenazaba con volver en el ámbito de la prevención y represión de la delincuencia económica.

Puede parecer que el Derecho civil necesita al penal para tener una verdadera aplicación práctica, que necesita su fuerza coercitiva para hacer valer sus disposiciones y que el derecho penal no tendría apenas espacio de actuación si no se ocupase de la protección de los bienes jurídicos regulados por el Derecho civil, aunque en realidad el derecho civil tiene vida propia fuera del ámbito penal y del ámbito procesal judicial.

No puede decirse que se trate de decidir entre supremacía y subrogación de una u otra rama, sino más bien de que el penalista sienta la necesidad de *"columbrar los problemas desde la altura de la teoría general del Derecho, y a la ciencia del Derecho punitivo, en una posición bastante más airosa dentro del campo jurídico, de la que suele atribuírsele por los que creen que aparece enucleada de los conceptos generales; aislándola de la linfa vital y conduciéndola a resultados estériles"*[108].

Aunque no puede hablarse de una primacía y una subordinación de uno sobre otro, o una repulsión como la mezcla de agua y aceite, como decimos, no han faltado quienes han promovido una especie de liberación del derecho penal con respecto al derecho civil, las posiciones clásicas se dividen entre la *monista,* también llamada civilista, de la correspondencia o de la identidad, por entender que el

---

107 CUELLO CONTRERAS, J., *Presupuestos para una teoría del bien jurídico protegido en Derecho penal,* cit., p. 476 y ss.

108 SILVA MELERO, V., *Relaciones entre el derecho civil y el derecho penal,* cit., p. 252.

derecho sancionatorio sólo viene a endurecer las sanciones civiles previas y, por tal razón, asumen los conceptos empleados en estas como propios, además de que mantener el significado de tales conceptos sería necesario por razón de la "unidad de ciencia del derecho"; y la tesis *autonomista* o de la independencia, que entiende que los conceptos penales han de ser propios de esta rama del derecho, pues su finalidad obliga a diferenciar sus conceptos de los civiles[109].

Se criticó a ambas posiciones el ser apriorísticas, intransigentes y no acercarse a la realidad de la regulación, en la que pueden encontrarse conceptos, como el caso de la "prenda", cuyo significado no puede ser otro que el que le otorga el derecho civil y, en nuestro caso, la "quiebra" o el "concurso" no son cosa distinta de la que se establece en el Código de Comercio y en la Ley Concursal.

Es esta posición intermedia o realista la que nos permite acercarnos con mayor facilidad al bien jurídico protegido en el Título XIII y en nuestros artículos 259 y 259.bis CP.

Son ineludibles las referencias civiles que este Título del Código Penal contiene y no han de ser obviadas, pues las relaciones entre las ramas del Derecho son muchas, y han sido objeto de estudio durante todo el siglo XX en la doctrina italiana, alemana, suiza y española[110].

De entre los conceptos civiles más relevantes para esta parte del Código que estamos analizando, y de los más discutidos, han estado siempre el de "propiedad" y el de "patrimonio" al ser no sólo las palabras empleadas en el *nomen iuris* del Título en que se encuadran los delitos de alzamiento de bienes, sino conceptos básicos del Derecho civil que vienen a ser protegidos desde la perspectiva penal y que han tenido un desarrollo conceptual parejo al desa-

---

109 RODRIGUEZ DEVESA, J.M., *Consideraciones generales*, cit., pp. 45-46.

110 Con referencias a las distintas posturas de las doctrinas extranjeras, vid. V. SILVA MELERO, *Relaciones entre el derecho civil y el derecho penal*, cit., p. 247.

rrollo social, que también ha afectado de manera directa a la tipificación de los delitos de quiebra o concurso.

De hecho la quiebra aparece como una institución de difícil ubicación en el sistema penal en toda esa evolución: surge al mismo tiempo que el comercio pasa a convertirse en el sinónimo de la prosperidad de los Estados; por tanto, puede decirse que es un producto de los primeros siglos del Estado moderno, si bien se la relega a un segundo plano en la segunda mitad del siglo XIX, en que el comerciante cede su puesto al empresario al que se aplicará un derecho económico más amplio que el puro Derecho mercantil o que el Código de comercio, para, por último, acomodar ese concepto de quiebra a la actividad empresarial del siglo XX que adopta la velocidad y el alcance —beneficioso y perjudicial— propio del desarrollo de las herramientas de la comunicación digital e informática[111].

Por tanto, se hace necesario como cuestión previa al debate sobre el alcance micro o macro —social o económico— del bien jurídico protegido, establecer, en la medida de lo posible el contenido y el alcance de qué se entiende por patrimonio y si la propiedad, en su acepción civil, ha de ser considerada parte del bien jurídico protegido, pues casi parece consustancial al concepto su definición cambiante según el país, la escuela, la cátedra o el autor que se acerque a su estudio.

Desde el siglo XIX y hasta el año 1995 el Título XIII ha tenido el nombre de "Delitos contra la propiedad", pero con el Código penal "de la democracia" se hizo necesario meditar sobre la ordenación legal de estos delitos teniendo en cuenta las transformaciones que había sufrido la economía y los conceptos de propiedad y patrimonio. Más aún cuando bajo el Título XIII se recogían conductas tipificadas penalmente cuando recaían sobre los propios bienes, por lo que no podía decirse que el bien jurídico protegido

---

111 Así lo expresa BUSTOS RAMÍREZ, J.J., *Política criminal y bien jurídico en el delito de quiebra*, cit., pp. 30-32.

fuese la propiedad en el sentido privatista, lo que obligaba o bien a acoger un concepto más amplio de propiedad, lo que podría justificarse por los matices especiales del Derecho penal con respecto al civil, o buscar otro que de por sí fuese más vasto en su significado[112].

La primera opción sería una cuestión de valoración caso a caso por el Derecho penal, y la segunda fue la que llegó a nuestro derecho a través de la influencia de Italia y Alemania, donde ya en el siglo XX existía la denominación de la clase de delitos que se acogen bajo nuestro Título XIII como "Delitos contra el patrimonio".

El concepto no presenta más facilidades de definición que el de propiedad, pues requiere igualmente buscar un sentido suficientemente amplio para abarcar todas las conductas y, al mismo tiempo, que permita matizarlo en cada caso para atender al fin del artículo concreto sin vulnerar los principios del ordenamiento penal.

Dejando de lado el análisis que en el lenguaje común se pueda dar a un término con tantos posibles entendimientos (Patrimonio Nacional; patrimonio del incapaz; patrimonio hereditario; patrimonio social…) y partiendo de la definición de nuestro diccionario de la lengua española[113], sólo la cuarta entrada de esta tiene un carácter jurídico: "*Conjunto de bienes pertenecientes a una persona natural o jurídica, o afectos a un fin, susceptibles de estimación económica*". Más ampliamente, la definición contenida en el diccionario jurídico de RIBÓ, podemos decir que el patrimonio es el *conjunto de bienes, de cualquier clase que sean, que componen el haber o hacienda de una persona. La afectación de dicho bienes a la referida persona ha de ser consecuencia de alguno de los nego-*

---

112 MUÑOZ CONDE, F., *El bien jurídico protegido en el delito de alzamiento de bienes*, Cuadernos de derecho judicial, 10, 1998, pp. 202-203.

113 Patrimonio: "1. m. Hacienda que alguien ha heredado de sus ascendientes. 2. m. Conjunto de los bienes y derechos propios adquiridos por cualquier título. 3. m. patrimonialidad. 4. m. Der. Conjunto de bienes pertenecientes a una persona natural o jurídica, o afectos a un fin, susceptibles de estimación económica".

cios jurídicos que generan un título suficiente para permitir el uso, disfrute o disposición de los bienes referidos al que es su titular patrimonial. Dichos bienes han de ser valorables económicamente[114].

Destacamos en la definición transcrita el uso reiterado de los conceptos de "bien" y "persona" y la relación entre ellos por medio de un título jurídico suficiente, pues sobre estas ideas gira la discusión doctrinal civil y penal sobre el particular.

En la doctrina clásica civilista no es un concepto unívoco y no hay acuerdo sobre su naturaleza jurídica, contenido o clases. El análisis del concepto de patrimonio en el ámbito civil agrupa diversas cuestiones relativas a la persona que sea titular suyo, a los bienes o masa de bienes, a los actos del titular en orden a estos bienes y a las normas, los principios patrimoniales; en último término, son los confines del derecho positivo del derecho positivo los que definen el campo del patrimonio[115].

DORAL, citando a DE CASTRO, entiende que el patrimonio será la masa de bienes (debe y haber) con valor económico —incluidos determinados derechos económicos pero no "comerciales", como el derecho al crédito o al honor profesional— afectada y caracterizada por su atribución y modo de atribuírsele a quien sea su titular, pues la condición de persona influye sobre la condición de patrimonio y viceversa, sin que este concepto sea inocuo a las leyes y normas que le atribuyen derechos, funciones y caracteres especiales, que son quienes verdaderamente lo definen[116].

Así como otros tipos pueden considerarse suficientemente concretados con el empleo del concepto civilístico

---

114 RIBÓ DURÁN, L., *Diccionario de derecho*, 4, Bosch, Barcelona, 2012, p. 789.

115 Así introduce DORAL su estudio sobre el patrimonio en DORAL GARCÍA DE PAZOS, J.A., *El patrimonio como instrumento técnico jurídico*, Anuario de derecho civil, vol. 36, 4, 1983, p. 1270.

116 Ibid., p. 1282.

con su sentido privativo exacto, por ejemplo "depósito", otros, como el caso del artículo 259 CP, son excesivamente amplios e inconcretos para las exigencias del derecho penal y ha de entenderse que afectan perjudicialmente al principio de legalidad.

En la doctrina penal es necesario discutir si efectivamente el derecho penal ha de proteger únicamente los bienes con un valor económico reconocible; si se protege el patrimonio como *universitas iuris* o partes de él; si las deudas están o no incluidas; o si se protegen también las expectativas derivadas o asociadas a la tenencia de ese bien del que se ha visto privado el sujeto pasivo del delito o el valor sentimental que pudiera unir al sujeto con el objeto, aunque esto no sea económicamente cuantificable.

Esta situación de falta de concreción del contenido del concepto de patrimonio, tanto desde la perspectiva de considerarlo un presupuesto objetivo del tipo; como desde el tenor jurídico privativo, tiene consecuencias directas sobre el tipo, pues obliga a la doctrina penalista a tratar de componer un concepto que responda a las necesidades del Derecho penal, sin rechazar necesariamente la ayuda de otras ramas del Derecho y, como ya decíamos, siempre desde un sentido realista y teleológico del mismo[117].

Compartimos la posición que entiende que en el Derecho penal no se protege el patrimonio como unidad, sino que se defienden concretos elementos integrantes de éste, entre los que se discute si debería incluirse la defensa de bienes con un nulo valor económico, pero que como pertenecientes a un sujeto titular de esos bienes y que desea conservarlos serían merecedores de cierta protección[118].

---

[117] MUÑOZ CONDE, F., *El delito de alzamiento de bienes*, Bosch, Barcelona, 1999, p. 43.

[118] STS 329/2015, de de 2 de junio de 2015: "El perjuicio puede considerarse como una desvalorización del patrimonio, ocasionada por cualquier causa. Es importante a estos efectos determinar el concepto de patrimonio al que se debe atender.

Para el alzamiento de bienes del Código Penal de 1995, del que la quiebra punible era tipo gregario, el perjuicio a los acreedores debía entenderse como económico, pues se exigía también que la relación entre acreedor y deudor tuviese también un carácter patrimonial y que ésta fuese legítima y protegible por el ordenamiento jurídico, lo que casa con la perspectiva económica del concepto de patrimonio, entendido como todos aquellos bienes que tienen un valor económico, estén o no protegidos por el Derecho, lo que provoca un claro conflicto en determinadas situaciones como bienes poseídos en conflicto de interés; en contra de la ley o sin título alguno.

Si sólo se criminalizasen los objetos con valor económico quedarían fuera del ámbito de protección penal muchos objetos y derechos sin apenas valor, además de las deudas. Así pues, desde una concepción jurídica del concepto de patrimonio, este puede decirse que este incluirá todo lo que el Derecho reconozca como derecho subjetivo patrimonial, independientemente de su valor económico[119].

Para definir un poco más ajustadamente el contenido del concepto de patrimonio recogido en el artículo 259 CP hay que acudir, como decimos, a criterios teleológicos o sistemáticos propios del Derecho penal, pues la amplitud del concepto impide una determinación *per se* del límite del acotamiento del desvalor. Y así la mayor parte de la doctrina española entiende que la ya citada teoría realista de

---

(...) recientemente, STS nº 201/2014, de 14 de marzo, se afirmaba con relación al perjuicio patrimonial, que "...es cierto que tiene lugar cuando se produce una disminución patrimonial lesiva para el perjudicado, pero la jurisprudencia ha manejado un concepto objetivo individual de patrimonio que obliga a tener en cuenta la finalidad económica de la operación realizada por el titular a los efectos de identificar la existencia del perjuicio patrimonial".
Por lo tanto, podrá apreciarse la existencia del perjuicio típico cuando mediante la conducta imputada se impida al titular del patrimonio afectado el ejercicio de sus facultades para la disposición ordinaria del mismo a la que tenía derecho, en orden al cumplimiento de las finalidades decididas por aquel titular" (F.J. 2º).

119 MUÑOZ CONDE, F., *El delito de alzamiento de bienes*, cit., p. 46.

acercamiento entre los conceptos civiles y penales, permite igualmente afirmar la oportunidad de la definición de patrimonio contenido en llamada teoría jurídico-económica, que lo entiende constituido *"por el conjunto de todos los bienes con valor económico de que dispone una persona y respecto de los cuales posee algún reconocimiento jurídico"*, pues dicha concepción intenta superar las posiciones extremas económicas y jurídicas extremas, pues "frente a la concepción jurídica, esta teoría supone la limitación de los bienes patrimoniales a aquellos que poseen un valor económico (estén o no concretados en derechos subjetivos), mientras que frente a las teorías económicas, supone una importante restricción al considerar bienes patrimoniales únicamente aquellos que el sujeto posee en virtud de una relación jurídica"[120].

Se ha considerado la llamada "teoría personal del patrimonio" como un intento de superación de ciertas limitaciones de que adolece la teoría jurídica-económica cuando no existe una afectación al haber contable de un patrimonio, pues en las situaciones en que un bien sale de un patrimonio pero entra su correspondencia en otro bien de valor similar o su contraprestación en dinero, esta teoría mixta no entiende que haya afectación del derecho del acreedor[121]. Cabría pensar que esta teoría podría tener su aplicación en relación a los nuevos delitos de perjuicio de un bien entregado en depósito, pues una contraprestación económica puede no suplir las posibilidades de desarrollo personal que el bien facilitaba a su dueño (recibir dinero a cambio de un vehículo que, por viejo que estuviese, era útil para desplazamientos y trabajos de carga); pero no sería

---

[120] HUERTA TOCILDO, S., *Protección penal del patrimonio inmobiliario*, 1980, p. 35 y ss.; Lo define F. MUÑOZ CONDE, El delito de alzamiento de bienes, cit., p. 46 como «la suma de aquellas cosas que tienen un valor económico objetivo, en tanto estén protegidas por el Derecho».

[121] CABALLERO BRUN, F., *Insolvencia punibles*, cit., p. 66 y ss. Cita la STS de 23 de abril de 1992 (aceite de colza) como ejemplo de la aplicación de esta teoría personal del patrimonio en nuestra jurisprudencia: «no cabe duda que la contraprestación ha resultado inservible en relación al fin contractualmente perseguido».

lógico aplicar dicha teoría al alzamiento de bienes, pues supondría una inmovilización no deseada del patrimonio del deudor y una limitación extensa al derecho de propiedad reconocido a los individuos.

Por último, conviene citar dos teorías de cuño alemán sobre el patrimonio. La teoría de la vinculación jurídico-económica del patrimonio, según la cual, "si el ordenamiento jurídico veda o prohíbe la disposición sobre un bien, o no dispensa ninguna protección al titular de este, tampoco puede reconocerse protección penal a los elementos integrantes del patrimonio como valores protegidos"[122]. Y junto a ésta, se encontraría la teoría que entiende el patrimonio no como *universitas iuris,* sino como conjunto o suma de bienes, cuestión que por superflua ha sido criticada en nuestra doctrina[123].

Tratándose aquí de ahondar en la figura concreta del artículo 259 no podemos dejar de considerar como sujeto del patrimonio a la sociedad mercantil y las peculiares características del haber contable de la misma, pues en él es evidente que las deudas sí tienen un valor (permitirán la deducción de parte de los beneficios y el pago de una menor cantidad en el Impuesto sobre Sociedades o podrán enajenarse onerosamente a terceros que quedarán como titulares de dichos créditos), pero también lo tienen bienes intangibles de muy difícil valoración económica como patentes, marcas, fondo de comercio, cartera de clientes, empleados de alta cualificación, modelo de negocio, *know-how*...

El concepto de patrimonio protegido en el Derecho penal, según MUÑOZ CONDE, ha de incluir no sólo la posesión, que aquí tendrá un ámbito más amplio que en el Derecho civil acogiendo en ocasiones la protección de

---

122 MONGE FERNÁNDEZ, A., *El delito concursal punible: ¿una solución penal a un problema mercantil?*: (análisis del artículo 260 CP), Tirant lo blanch, Valencia, 2010, p. 66.

123 MUÑOZ CONDE, F., *El delito de alzamiento de bienes*, cit., p. 43.

ciertas expectativas de derecho[124], sino también las deudas, pues el tipo de trata de proteger el cumplimiento de determinadas obligaciones que, a fin de cuentas, son deudas. E igualmente habrá de proteger la obligación del deudor de soportar la acción de sus acreedores en los términos del artículo 1911 CC, por lo que habrá de existir una relación obligacional previa con un contenido económico en la que se protegerá no sólo el bien en su valor, sino también en el uso que pueda tener para la persona perjudicada[125].

Como partes integrantes del mismo se han señalado: (i) todos los derechos subjetivos patrimoniales de valor económicos (usufructo, posesión, derechos inmateriales…)[126]; (ii) el incremento económico con vistas de futuro (reservas de propiedad, derecho de tanteo, ofertas vinculantes…); (iii) las expectativas fácticas de derecho, siempre que sean negocios con expectativa de ganancia y que tengan reconocimiento jurídico, pues no es lo mismo lo que el titular del

---

124 MUÑOZ CONDE, F., *El delito de alzamiento de bienes*, cit., p. 43. 172 En la práctica forense, por vía de responsabilidad civil se dará cobertura a las consecuencias indeseadas del injusto y se castigará éste acorde a la concurrencia de dolo o imprudencia, incluyendo la satisfacción del lucro cesante siempre que el tipo lo permita, pues en la frustración de la ejecución es mayoritaria la jurisprudencia que entiende que no se podrá satisfacer por vía de responsabilidad la deuda cuya ejecución se ha impedido, sino exclusivamente el perjuicio padecido por la obstaculización del proceso de ejecución, apremio o embargo.

125 MUÑOZ CONDE, F., *El bien jurídico protegido*, cit., p. 212.

126 El conflicto se genera a la hora de decidir si la posesión que tiene su origen en un acto ilícito o nulo puede ser protegida por el Derecho penal. Frente a quienes como MUÑOZ CONDE, F. entienden necesario un título que suponga un reconocimiento y una protección jurídica, hay quienes defienden que sí puede gozar de protección, pues el despojo de la posesión implica para el propietario la obligación de acudir a los cauces adecuados para recuperarla y, además, el poseedor podrá ejercer la defensa interdictal frente a terceros del bien ilícitamente poseído, lo que es beneficioso para su legítimo propietario y su expectativa de recuperar el bien. Como ejemplo el caso de la usurpación de bienes inmuebles, en el que el propietario no podrá recuperar la posesión por la fuerza y los ocupantes gozarán de los derechos propios del inquilino precarista.

patrimonio pretendía hacer con ese bien, que la verdadera proyección económica que dicho bien posee; (iv)las pretensiones inválidas, siempre que tengan un valor económico cuantificable[127].

Si desglosamos las características que a nuestro juicio debe reunir el concepto, desde luego que el concepto penal de patrimonio ha de referirse a un objeto votado de valor económico para ser considerado delito; pero no necesariamente han de protegerse únicamente la relación jurídica reconocida entre la persona y la cosa, pues las posesiones sin título o el dominio ejercido en conflicto de intereses serán suficientes para justificar la adscripción del bien a un patrimonio, siempre.

Junto a ello incluimos la posesión y las obligaciones como parte integrante del patrimonio, que adquiere así una dimensión más amplia que lo estrictamente económico, dejando las expectativas como un legítimo objeto de indemnización a través de la responsabilidad civil derivada del delito, pero no como parte del concepto de patrimonio desde la perspectiva formal.

Entendemos igualmente incluidos aquellos activos contables que sin un derecho de propiedad o un título habilitante para justificar su posesión, en el sentido civilístico del término, proporcionan una ventaja o beneficio a la sociedad haciéndola sujeto de derechos o merecedora de privilegios, como el acceso al crédito o una valoración financiera superior.

En conclusión, podemos afirmar que el concepto de patrimonio, extensamente tratado en la dogmática civil y no tanto por la penal, tiene unos límites en su contenido flexibles y amplios, lo que se justifica por razones de política-criminal y la necesidad de abarcar con él todas las conductas descritas dentro del Título XIII y dentro de cada tipo penal. Tal concepto amplio y flexible parece necesario

---

127 MONGE FERNÁNDEZ, A., *El delito concursal punible*, cit., p. 72 y ss.

para dar un cierto contenido y orientación común a estos delitos, pero el conflicto con el principio de legalidad es evidente, por lo que se hace necesario estudiar si el concepto de "orden socioeconómico" ayuda a la concreción del de patrimonio con carácter general y cuál habrá de ser el propio del delito de alzamiento de bienes.

Podría decirse que la indefinición que adolecen los tipos de este Título bebe directamente del nombre de este, pues si ya resulta costoso concertar un contenido común al concepto de patrimonio, el orden socioeconómico se presta a una flexibilidad aún mayor al carecer de perfiles definidos, dando todo ello la razón a quienes advierten que la ubicación sistemática del tipo no tiene porqué condicionar su verdadero contenido y razón de ser.

Sin entrar en este punto en el debate histórico sobre esta cuestión, nuestra Constitución de 1978 contiene disposiciones de índole económica que permiten la aplicación de un programa económico de cualquier índole, razón por la cual se la ha calificado de "neutral", dado el juego existente entre la necesidad de cubrir ciertos intereses generales por la actividad pública del Estado, que no permite un liberalismo económico puro y radical, y el reconocimiento de la libertad de empresa (art. 38 CE)[128].

Con el Código penal de 1995 se introdujo en la rúbrica del Título XIII el concepto de orden socioeconómico junto al más aceptado y conocido concepto de patrimonio. Llegó al Código de 1995 tras pasar por los Proyectos y Anteproyectos de 1980, 1983, 1992 y 1994 sin terminar de definirse como un título autónomo y compartiendo finalmente su regulación con la de los delitos clásicos contra el patrimonio, del que indudablemente derivan, pero no coinciden exactamente[129].

---

128 BAJO FERNÁNDEZ, M.; BACIGALUPO-SAGGESE, S., *Derecho penal económico*, cit., pp. 17-19.

129 MUÑOZ CONDE, F., *El delito de alzamiento de bienes*, cit., p. 50.

Por "orden" puede entenderse "orden público". La noción artificial de orden público aplicada a lo económico viene a imponer, a través de diversa legislación de defensa de los consumidores y prohibiciones de afectación de la competencia, limitaciones a la autonomía de la voluntad que las partes tienen reconocida en el artículo 1255 CC. Pero no sólo las leyes, sino también las buenas costumbres y la moral se imponen a dicha previsión legal[130].

"Las referencias hechas en los Códigos al orden público, a las buenas costumbres o a la moral tienen una importancia central en los ordenamientos jurídicos: sirven de medio de comunicación entre el sistema jurídico positivo y los valores éticos y de justicia (el buen orden jurídico), facilitando su positivación, al mencionarse en la Ley. El intérprete y el juez se encuentran con ello expresamente autorizados para desentenderse de la letra de la ley y, considerando el todo del ordenamiento jurídico (leyes, principios general del Derecho) y la misma naturaleza del Derecho; negar amparo a situaciones contrarias a los criterios propios de la moral o de la justicia"[131].

Es reconocido, tanto en la doctrina civilística como en la penal, que el derecho de propiedad de un ciudadano sobre su patrimonio no es omnímodo como pudiera deducirse de la lectura del Código civil y que existe un orden público económico digno de protección[132]; y así como el Derecho civil limita determinados actos de disposición sobre el mismo por razón de orden público al defender determinados valores y sujetos (entre otros, la libre competencia y los consumidores), el derecho penal viene a establecer una garantía reforzada sobre tales limitaciones para aquellos

---

130 DE CASTRO Y BRAVO, F., *Notas sobre las limitaciones intrínsecas de la autonomía de la voluntad*, Anuario de derecho civil, vol. 35, 4, 1982, p. 1014 y ss.

131 Ibid., p. 1037.

132 Como explica Ibid., p. 1046 el concepto de «orden público económico» se introdujo en España en la Exposición de Motivos de la Ley sobre Represión de las Prácticas Restrictivas de la Competencia, asumiendo esta elaboración conceptual traída de Francia.

casos de mayor intensidad del ataque injusto a esos valores sociales de índole económica.

El orden público económico existe, dice MUÑOZ CONDE, y es digno de protección penal en algunas de sus vertientes, pero cuál es el contenido del concepto "orden socioeconómico" ha de delimitarse aún en el derecho civil y, por ende, en el penal[133].

La distinción delito económico-delito patrimonial, es decir, estricto y amplio, no se hace sobre la base del perjuicio económico producido, sino sobre la base del orden normativo concretamente infringido: el orden público económico en sentido amplio regula las relaciones económicas entre los particulares y el estricto la intervención del Estado en determinados sectores económicos.

También se puede hablar de un derecho penal económico en sentido estricto como el conjunto de normas jurídico-penales que protegen el orden socioeconómico entendido como regulación jurídica del intervencionismo estatal en la Economía, en donde el objeto de protección sería el orden económico, pero concretado en el interés específico del Estado expuesto en cada tipo penal, que será el bien jurídico en sentido técnico. Esto podría compararse con un concepto más amplio del mismo como el conjunto de normas jurídico-penales que protegen el orden socioeconómico entendido como regulación jurídica de la producción, distribución y consumo de bienes y servicios, concepto que amplía los límites al aparecer el orden económico como un bien jurídico mediato detrás de cada una de las figuras delictivas y de sus bienes jurídicos específicos[134].

El orden económico a que se refiere el Derecho penal económico puede ser también categorizado como estricto, cuando se refiere a la regulación jurídica del intervencio-

---

133 MUÑOZ CONDE, F., *El delito de alzamiento de bienes*, cit., p. 59.

134 BAJO FERNÁNDEZ, M; BACIGALUPO SAGGESE, S., *Derecho penal económico*, cit., pp. 11-14; MARTÍNEZ BUJÁN, C., *Derecho penal económico y de la empresa*. Parte general, cit., p. 102.

nismo del Estado en la economía, o como amplio, si hace referencia a la producción, distribución y consumo de bienes y servicios[135].

Existe consenso en cuanto a que, hoy día y con relación al Título XIII, en dicho concepto no se incluyen por el Legislador las actividades del Estado en el ámbito de la economía conforme a lo prevenido en los artículos 128.2 y 131.1 de la Constitución, pues para la protección de este orden económico están los delitos contra la Hacienda Pública y con la Seguridad Social, así como los relativos a la falsificación de moneda, el fraude de subvenciones, etc.

Cuando se ha definido el orden económico como "la regulación jurídica de la producción, distribución y consumo de bienes y servicios" la amplitud del concepto facilitaba la clasificación, pero perdía notablemente precisión, pues la propiedad privada protegida en el hurto y el robo definidos en el Título XIII, no afecta a la economía en este sentido tan amplio[136].

Ante la ausencia de una definición más limitativa del alcance de lo que ha de entenderse en Derecho penal por "económico", cabe preguntarse si un daño mayor cuantitativamente hablando podría ser motivo para clasificar una determinada conducta como una actividad típica afectante al orden socioeconómico del país. En los primeros años de este siglo XXI hemos leído en la prensa como los concursos de grandes y pequeñas empresas traían consigo la quiebra y la bancarrota de otras empresas subsidiarias o colaboradoras. De igual modo la riqueza es un concepto relativo y la basura de un hombre puede ser el tesoro de otro. Por tanto, la idea de que a partir de una determinada cuantía podría considerarse un tipo "clásico" del Título XIII como expresamente vulnerador de la economía nacional no parece adecuada, pues en el ámbito de las personas físicas

---

135 BAJO FERNÁNDEZ, M.; BACIGALUPO SAGGESE, S., *Derecho penal económico*, cit., p. 15.

136 MUÑOZ CONDE, F. *El bien jurídico protegido*, cit., p. 217.

la frontera cuantitativa de los 400 euros para considerar, por ejemplo, un hurto como delito es un límite más que razonable y objetivable con relación a variables económicas muy estudiados como el sueldo mínimo y medio[137].

Decir que hay estafas, robos, hurtos y alzamientos de escasa cuantía que hacen pensar en si verdaderamente merecen la atención del Derecho penal, es perder de vista la necesidad de que el ordenamiento atienda todas las realidades vigentes en una sociedad[138]; ignorar la perspectiva de relatividad que implican las magnitudes objetivas y obviar que la gran masa de delincuentes económicos realizan sus injustos actos en cuantías no muy elevadas, por lo que podríamos decir aquello de que un grano no hace granero, pero…

No hay enemigo pequeño, ni delito patrimonial pequeño, por lo que rechazamos que el objeto de protección sea exclusivamente supraindividual, que se ve no sólo en lo expuesto, sino en la configuración de los tipos de este Título que contienen requisitos de procedibilidad[139] y no se configuran como delitos de peligro, lo cuál sería lógico si el bien protegido fuese supraindividual, pues poco interesarían los daños provocados en los particulares[140], como más adelante desarrollaremos.

---

137 El salario bruto anual medio por trabajador en España fue de 27.558,68 euros en 2024, lo que supone un incremento del 3,9 % respecto al año anterior, cuando el salario medio anual alcanzó los 28.049,94 euros. Estas cifras equivalen, aproximadamente, a 1.963,48 euros mensuales en 14 pagas o 2.296,56 euros mensuales en 12 pagas (año 2024).
En "Encuesta Anual de Estructura Salarial (EAES). Año 2023. Datos Definitivos", Instituto Nacional de Estadística (INE), publicada el 28 de mayo de 2025.
Fecha de consulta: 10 de julio de 2025, disponible en: https://www.ine.es/dyngs/Prensa/EAES2023.htm

138 CUELLO CONTRERAS, J., *Presupuestos para una teoría del bien jurídico protegido en Derecho penal*, cit., p. 478.

139 CUELLO CONTRERAS, J., *Presupuestos para una teoría del bien jurídico protegido en Derecho penal*, cit., p. 478.

140 MUÑOZ CONDE, F., *Derecho penal. Parte especial*, cit., p. 235.

La magnitud del daño ha sido considerada en los Códigos penales del siglo XX —excepto en el del 95 que no contenía en el artículo 260 CP ninguna referencia a la magnitud del daño ni distinción alguna por dicho motivo— como agravante del injusto tipificado, pero no como cualidad definitoria del tipo[141].

Es decir, el Código sí permite hacer una distinción entre un delito patrimonial como el hurto y el delito leve correspondiente por razón de la cuantía estafada; también una estafa delictiva de unos miles de euros y una que afecta a la generalidad de la sociedad por un valor de millones (no son tan distantes los escándalos financieros de las sociedades de inversión en bienes muebles FORUM y AFINSA) tienen una diferencia de tratamiento claramente establecida en el Código penal; pero la insolvencia descrita en el Código de 1995 y vigente hasta la reforma de 2015 no contenía previsión alguna.

Tras la LO 1/2015 se puede afirmar que las magnitudes del delito tienen ya una relevancia como agravantes en el artículo 259 bis, pero no como elemento diferenciador del alzamiento de bienes como un delito socioeconómico distinto en esencia al resto de delitos patrimoniales.

No se puede desconocer que existe una gran inseguridad a la hora de identificar los delitos que deben ser incluidos en la categoría de delitos socioeconómicos, pero no hay duda de que todos los delitos incluidos bajo la rúbrica

---

141 El Código penal de 1870 introdujo el artículo 539 con el siguiente tenor literal: "En los casos de los dos artículos precedentes, si la pérdida ocasionada á los acreedores no llegare al 10 por 100 de sus respectivos créditos, se impondrán al quebrado las penas inmediatamente inferiores en grado á la señalada en dichos artículos. Cuando la pérdida excediere del 50 por 100 se impondrán en su grado máximo las penas señaladas en los dos mencionados artículos". Dicho artículo y su contenido agravatorio se eliminó en el Código de 1928 y se recuperó en el de 1932, manteniéndose como artículo 527 en el de 1944 hasta su sustitución en 1995.

analizada comparten características y objetivos similares en cierto sentido[142].

No hay que dejar de recordar que aunque el legislador de 1995 ha dejado claro únicamente qué acciones considera atentatorias del orden socioeconómico y del patrimonio particular, no ha incluido en este Título todos los tipos que puede considerarse que atentan contra dicho orden, pues quedan fuera los delitos contra la Hacienda Pública, la Seguridad Social, el medioambiente, los delitos de contrabando o la protección financiera de la Unión Europea.

Concluimos, después de todo lo dicho, que los conceptos de patrimonio y orden socioeconómico no son categorías definitivas que ayuden a la clasificación y definición clara de los delitos incluidos en el Título XIII, ni tampoco que tras la reforma de 2015 sean los únicos bienes[143], por tanto, será necesario analizar cada delito para entender si nos encontramos ante un injusto propio socioeconómico o patrimonial[144], o si estamos ante otro tipo distinto de bien protegido.

---

142 MUÑOZ CONDE, F., *El delito de alzamiento de bienes*, cit., p. 53 Entiende que los delitos que se encuentran tipificados en los Capítulos I a IX son delitos contra el patrimonio; mientras que los tipificados en los Capítulos XI a XIV serían delitos contra el orden socioeconómico, sin que pueda mantenerse esta distinción rígidamente, pues los delitos patrimoniales en sentido estricto pueden tener incidencia en intereses socioeconómicos; también hay delitos con estructuras similares que deberían estudiarse conjuntamente (daños patrimoniales y daños en cosa propia); y se incluyen en el Título delitos puramente socioeconómicos como el Capítulo VIII.

143 Véanse los artículos 258 y 258 bis CP cuyo objeto de protección será el procedimiento de ejecución.

144 En este mismo sentido MUÑOZ CONDE, F., *El delito de alzamiento de bienes*, cit., p. 54.

IV. EL BIEN JURÍDICO EN EL DELITO DE CONCURSO FRAUDULENTO

1. *Las posiciones patrimonialista y metrapatrimonialistas*

Como hemos tenido ocasión de analizar, son muchas las posibilidades de categorizar los bienes jurídicos en el ámbito del Derecho penal económico, muy marcados por los tipos delictivos incluidos bajo el paraguas de dicha categoría económica[145], siendo la insolvencia punible un tipo nuclear en este ámbito, p. La dificultad de que la interpretación doctrinal incida en la vida práctica del tipo, en la práctica forense, provoca el serio riesgo de que el Juez, sea cuál sea su categoría, antigüedad y experiencia, se convierta en creador de Derecho y legislador, tanto positivo como negativo, afectando a los principios de taxatividad y, especialmente, de seguridad jurídica. Así sucedió tras la promulgación de la LC en el año 2003, en que se publicaban en revistas especializadas comentarios y análisis de resoluciones (autos en el mejor de los casos) de los Juzgados de lo Mercantil de toda España; años en los que los jueces mercantiles eran (y son) conocidos por su nombre y apellido; una época en la que hasta el año 2016 los jueces, abogados y administradores concursales se reunían anualmente en congresos para debatir y concluir cuál debía ser la aplicación e interpretación de determinado artículo o situación concursal, dejando de lado el tenor gramatical de la norma y optando por elementos lógicos, sistemáticos, analógicos, o sociológicos para imponer una concreta interpretación judicial. Algo parecido podría suceder con la reforma del Código Penal realizada en el año 2015, si bien en el ámbito penal no faltan las garantías de taxatividad, seguridad jurídica y orden público que habrían de hacerse valer en caso de interpretaciones sui generis de los operadores jurídicos.

---

145 MARTÍNEZ BUJÁN, C., *Derecho penal económico y de la empresa.* Parte general, cit., p. 145.

El artículo 259 CP viene a sustituir al artículo 260 CP del Código de 1995[146] y establece un elenco de nueve conductas en su apartado primero que vendría a dar, según la peculiar mente del legislador, mayor seguridad jurídica al tipo, cuando en realidad consigue lo contrario. Tras describir ocho conductas concretas referidas al respeto al deber de diligencia y a las obligaciones contables, cierra con una cláusula abierta[147] que hace ineficaz el intento de concreción del contenido del injusto, como tendremos ocasión de desarrollar en este apartado.

Pareciera que el legislador no sólo da cumplimiento a las exigencias político-criminales europeas e internacionales, sino que presta oídos a la crítica de la doctrina acerca de la excesiva laxitud del tipo y de ser éste una norma penal en blanco; pero todo el esfuerzo de ajustar la definición del tipo a las exigencias constitucionales y a los principios rectores del derecho penal —si es que ello estuvo en la *mens legislatoris*— queda vacío con la inclusión de cláusulas excesivamente abiertas e indefinidas que no permiten conocer el concreto bien jurídico protegido ni el objeto material del mismo.

Ese antiguo artículo 260 CP siempre ha estado muy condicionado por su cercanía al alzamiento de bienes, de quien la doctrina siempre ha entendido que era gregario[148]. Así cuando se trataba de definir el bien jurídico era lugar muy común que se señalase la falta de una diferencia sustancial con el delito de alzamiento, lo que facilitaba la traslación de los comentarios generales de uno a otro tipo delictivo,

---

146 Que en su breve regulación establecía: "El que fuere declarado en concurso será castigado con la pena de prisión (...), cuando la situación de crisis económica o la insolvencia sea causada o agravada dolosamente por el deudor o persona que actúe en su nombre".

147 "Realice cualquier otra conducta activa u omisiva que constituya una infracción grave del deber de diligencia"

148 Por todos, QUINTERO OLIVARES, G. (DIR.); MORALES PRATS, F. (COORD.), *Comentarios a la parte especial del derecho penal*, 7a, Aranzadi SA, Pamplona, 2008.

categorizándolos conjuntamente[149]. Así lo recogía la Exposición de Motivos del Código Penal de 1932: *"El epígrafe de la sección primera, Capítulo IV del Título XIII (ahora XIV) del segundo libro del Código, decía: "Alzamiento, quiebra e insolvencia punibles". Se ha introducido en la rúbrica el "concurso", porque no siendo la quiebra (cuya independencia es muy discutible) más que una modalidad del concurso (como se comprueba en nuestra ley de Enjuiciamiento, que es de las que conservan la división bipartita, llamada a desaparecer), el enunciado de la primera no comprende al segundo, que es de mayor importancia, como se confirma en este mismo capítulo del Código, que consagra más extensión al concurso que a la quiebra"*[150].

A la hora de concretar el bien jurídico protegido en la insolvencia punible ha de tenerse en cuenta que pueden ser varios los conceptos que, abstractamente considerados, pueden ser calificados como bienes jurídicos propios del tipo. Estos tendrán una mayor o menor proximidad a la conducta incriminada y tendrán también relevancia a la hora de considerar el tipo como de peligro o lesión, pues dependerá en gran medida de dónde se sitúe el objeto de tutela y la proximidad de la acción ilícita al bien jurídico penal; sólo los bienes jurídicos inmediatos son válidos para servir de referente al juicio de ofensividad, pues el mediato se asemeja en la práctica a la "*ratio legis*", la finalidad objetiva de la norma, por lo que, dada su distancia a la acción típica, difícilmente puede tener verdadera capacidad ofensiva como para formar parte del tipo de injusto[151].

La definición del bien jurídico protegido es relevante porque incide directamente en la extensión del ámbito de aplicación del tipo. De ello es ejemplo claro la noción de

---

[149] MARTÍNEZ-BUJÁN PÉREZ, C., *El delito de insolvencia del artículo 260 CP, tras la nueva ley concursal*, en Homenaje al profesor Dr. Gonzalo Rodríguez Mourullo, Aranzadi, Cizur Menor (Navarra), p. 1556.

[150] Gaceta de Madrid, núm. 310, de 5 de noviembre de 1932, pp. 818 y ss.

[151] FARALDO CABANA, P., *Los Delitos Societarios*, Tirant lo Blanch, Valencia, 2015, p. 21 a 23; FERNÁNDEZ TERUELO, J.G., *Instituciones de derecho penal económico y de la empresa*, cit., p. 57 a 65.

patrimonio que, como bien jurídico de varios delitos, se ve sometido a los cambios de la realidad y de la creación de nuevos tipos, que hacen necesario matizarlo para que sirva de herramienta interpretativa, no siendo indiferente el que se defina desde una perspectiva jurídica o económica como veremos.

El delito analizado no puede escapar del contexto concursal ni a la evolución de la legislación mercantil, pues se trata de un delito que se ha recogido de manera constante en los Códigos penales españoles vigentes durante el siglo XX.

Así, en la normativa concursal vigente se establece que la declaración judicial de concurso puede ser solicitada tanto por el deudor como por cualquiera de sus acreedores, siempre que se acredite la concurrencia de alguna de las causas legales de insolvencia. Estas se recogen actualmente en el artículo 2.4 del Texto Refundido de la Ley Concursal (TRLC) —aprobado por Real Decreto Legislativo 1/2020, de 5 de mayo—, el cual contempla, entre otras, el sobreseimiento general en el pago corriente de las obligaciones, la existencia de embargos que afecten de forma general al patrimonio del deudor, la liquidación apresurada o ruinosa de bienes, y el incumplimiento generalizado de obligaciones tributarias, laborales o con la Seguridad Social.

Es por razón de la necesaria llamada de conceptos y artículos extrapenales a este ámbito que siempre se ha planteado la doctrina si el concurso que se declara culpable o fraudulento debía considerarse delictivo o bastaba con la sanción civil-mercantil del mismo[201], como podría suceder con determinadas situaciones incardinables en el alzamiento de bienes pero que pueden ser perfectamente defendidas en el ámbito civil por medio de, entre otras, acciones rescisorias o reivindicatorias.

En el año 2003 la LRC llevaba en su Proyecto la derogación del artículo 260 CP, si bien se afirma que se optó por mantenerlo para no perjudicar la política criminal europea y evitar la obstaculización del reconocimiento de sentencias de otros países europeos que sí tipifican la conducta. De hecho es esta influencia internacional la que ha de darnos las claves del por qué de determinados comportamientos de nuestro legislador penal en el ámbito de los delitos del Título XIII.

A pesar de haberse mantenido históricamente en el Código Penal, el delito de concurso fraudulento ha coexistido con una legislación concursal que, según una parte de la doctrina penalista, tendría por finalidad principal la salvaguarda del derecho de crédito de los acreedores, mediante un procedimiento ordenado de satisfacción de sus legítimas expectativas202. Esta idea, sin embargo, parece más una traslación de las finalidades típicamente penales —centradas en la protección del crédito como bien jurídico— que una descripción fiel de la evolución normativa en materia concursal.

En realidad, la Ley Concursal de 2003 ya fue concebida desde sus inicios como un mecanismo de reorganización o liquidación ordenada del patrimonio del deudor, y no como un instrumento dirigido a garantizar directamente la recuperación de los créditos.

Esta tendencia se ha acentuado aún más con el Texto Refundido de la Ley Concursal de 2020 (TRLC) y sus sucesivas reformas, que han configurado un procedimiento eminentemente estructural, enfocado en la gestión racional del desequilibrio patrimonial y en la optimización del valor de la masa activa.

En consecuencia, resulta difícil sostener que el procedimiento concursal —al menos en su formulación legal actual— tenga como objetivo principal la protección efectiva del derecho de crédito. Más bien se trata de articular, bajo criterios de proporcionalidad y eficiencia económica, una distribución ordenada de pérdidas que minimice el impacto colectivo de la insolvencia.

Sentado lo anterior, la generación de una comunidad de pérdidas entre los acreedores del concursado ha evolucionado a imagen de la legislación concursal anglosajona hacia un procedimiento de conservación y valoración de los activos del deudor, con el fin de dar una mejor salida a los perjudicados por la quiebra de una sociedad, bien mediante un cobro de mayor parte de su deuda, bien mediante el reflotamiento de la empresa por medio de un acuerdo o convenio.

En la mente del legislador de 2015 está la idea de que la realidad y eficacia del crédito han de ser defendidas, por tanto, no es despreciable la defensa en vía penal de ese conjunto de comportamientos preconcursales y concursales que no se atendían antes de la reforma, evitando así que los perjudicados por la crisis económica de su deudor común que podrían llevarle a adoptar decisiones precipitadas con respecto a la actividad, activos, derechos, etc. de la empresa o defraudatorias de sus derechos como acreedores.

Tal variedad de posturas doctrinales parece estar originada e impregnada de la misma falta de claridad y precisión existente en la regulación penal, pues no podemos decir que sea claro el objetivo de la reforma del Código Penal de 2015, que con la excusa incumplida de una mejora técnica, lo cierto es que impulsa un adelantamiento de la intervención unido a una extraordinaria ampliación de la intervención punitiva que obviamente conduce a un endurecimiento penológico y no aclara cuál es el verdadero objeto de protección de este delito frente al dispensado por el clásico del alzamiento, ahora llamado de la frustración de la ejecución. La confusión es evidente[152].

Es esa misma LO 1/2015 la que señala en su Preámbulo lo que está en la mente del legislador, que con esa reforma trata de "facilitar una respuesta adecuada a los supuestos de realización de actuaciones contrarias al deber de diligencia en la gestión de asuntos económicos que se producen en el

---

152 GONZÁLEZ CUSSAC, J.L.; VVAA, *Delitos contra el patrimonio y el orden socioeconómico (VIII): frustración de la ejecución e insolvencias punibles*, en Derecho penal parte especial, 4 actualizada a la LO 1/2015, Tirant lo Blanch, Valencia, 2015, p. 448.

contexto de una situación de crisis económica del sujeto o empresa y que ponen en peligro los intereses de los acreedores y el orden socioeconómico".

Ha sido una opinión muy mayoritaria en doctrina y jurisprudencia la de que el bien jurídico protegido en el concurso punible es igual al del antiguo alzamiento de bienes (frustración de la ejecución ahora) y que éste consistiría en el derecho de los acreedores a la satisfacción de sus créditos[153]; pero no es baladí la opción por esta concepción patrimonialista del bien jurídico digno de protección, optar por entender que lo defendido es el orden socioeconómico o abrazar aquellas otras posturas que afirman que dicho bien jurídico es algo más que el patrimonio personal (posturas "metapatrimonialistas" que entienden que en dicho Título XIII se protegen también, aunque sea indirectamente, otros bienes jurídicos, como sucede en los artículos 261 y 262 CP, que se decía protegía *"el interés de los acreedores en la ordenada satisfacción de los créditos en los procedimientos concursales"; "la correcta formación de la voluntad de los órganos del concurso"*; o *"el conocimiento de la verdadera situación contable del deudor"*[154]), pues ello afectará a nuestra trabajo en la determinación de la naturaleza, ubicación, contenido del injusto, la posibilidad de estimar la tentativa, en el delito de concurso punible[155].

---

153 BAJO FERNÁNDEZ, M.; BACIGALUPO SAGGESE, S., *Derecho penal económico*, cit., p. 444. Según STS 771/2006, de 4 de julio: "Sigue siendo el derecho personal de crédito, con la concurrencia de un interés difuso de naturaleza económico-social que se sitúa en la confianza precisa para el desarrollo de las operaciones financieras, en aras a la consecución de un desarrollo económico". En parecidos términos, STS 690/2003, de 14 de mayo: "El bien jurídico protegido es el mismo en todas las modalidades de insolvencia punible: la garantía de que goza todo acreedor de ejecutar y hacer efectivo su crédito, caso de incumplimiento, contra el patrimonio del deudor conforme dispone el art. 1911 del Código Civil".

154 Más extensamente CABALLERO BRUN, F., *Insolvencia punibles*, cit., p. 60 y ss.

155 LAMARCA PÉREZ, C., *Manual de derecho penal: parte especial*, Colex Editorial, Madrid, 2001, p. 301.

2. *Los distintos bienes jurídicos valorados en la doctrina como propios de este delito*

Tras la reforma de 2015 la tensión entre todas esas posturas sigue vigente, pues el legislador no adopta una línea definitiva en su trabajo y la norma parece hablar de dos bienes puestos en peligro —los intereses de los acreedores y el orden socioeconómico— que ya se discutían y se intuían con anterioridad a esta reforma[156], por lo que los estudios realizados en el pasado guardan vigencia en gran parte de sus planteamientos, especialmente aquellos referidos a la protección de bienes mediatos e inmediatos[157], si bien a los efectos de este trabajo no consideramos el orden socioeconómico como un bien jurídico en sentido estricto.

Dentro del análisis del tipo nos encontramos con los mismos problemas que ya hemos indicado: la vinculación de sus conceptos esenciales al Derecho civil; la dificultad de diferenciación del incumplimiento civil del comportamiento antijurídico penal y, una vez determinado el carácter penal del incumplimiento, si este afecta al patrimonio, a la esfera general del orden socioeconómico o si realmente es otro el bien jurídico protegido, lo que determinará en gran medida la configuración de los restantes elementos del tipo.

Ciertos autores identifican dicho bien con el derecho de crédito que ostentan los acreedores con el alcance tan extenso que les reconoce el artículo 1911 CC[158], vinculan-

---

156 CABALLERO BRUN, F., *Insolvencia punibles*, cit., p. 177.

157 MARTÍNEZ BUJÁN, C., *Derecho penal económico y de la empresa.* Parte general, cit., p. 156.

158 Por todos, GONZÁLEZ CUSSAC, J.L., *Los delitos de quiebra,* Tirant lo Blanch, Valencia, 2000, pp. 21-27. Y en la página 141: "Pero como ya comprobamos, la doctrina mayoritaria rechaza esta idea (que el bien jurídico sea el sistema de crédito), manteniendo su configuración como delitos patrimoniales de carácter individual. Por consiguiente, como coincido plenamente con esta opinión, entiendo que el objeto de protección de todas estas figuras se concreta exclusivamente en el derecho de crédito de los acreedores a realizar en el patrimonio del deudor".

do el tipo a la protección del patrimonio frente a aquellos otros autores que entiende que se protege el correcto funcionamiento del sistema crediticio[159]. Y entre ambas posturas se encuentra la de MARTÍNEZ-BUJÁN[160] señalando que nos encontraríamos ante delitos que protegen el patrimonio, que sería el bien jurídico en sentido técnico, y de forma mediata se tutelaría un bien jurídico supraindividual identificado con el orden socioeconómico.

Para quienes entienden el artículo 259 CP como protector del patrimonio individual, los delitos de alzamiento de bienes y de concurso punible han protegido históricamente el crédito de los acreedores singulares y en el concurso o quiebra punible el derecho de crédito de los acreedores colectivos, no frente al mero incumplimiento, que gozará de la protección civil-mercantil correspondiente, sino cuando en dicho incumplimiento el deudor haya actuado fraudulentamente o de forma engañosa con ánimo de perjudicar a sus acreedores[161].

También hay quienes entienden que protegiéndose directamente el derecho de los acreedores a la satisfacción de sus créditos se protege indirectamente el derecho al ordenado pago de los acreedores concursales; la Economía

---

159 Por todos, QUERALT JIMÉNEZ, J.J., *Derecho penal español. Parte especial*, Tirant lo Blanch, Valencia, 2015, p. 1148. Tradicionalmente concebidos como infracciones contra la propiedad, o contra el patrimonio desde el año 1995, no queda suficientemente resaltada su dimensión colectiva, especialmente en lo que afecta al funcionamiento del sistema socio-económico, pues no interesa tanto el daño concreto como la quiebra de las relaciones económicas, por lo que cabe sostener que el bien jurídico protegido es la exigencia del sistema de crédito que se basa en la fluidez de las operaciones y en la confianza en el buen éxito de las mismas. Con cita de sentencias del Tribunal Supremo a favor y en contra de esta postura.

160 MARTÍNEZ-BUJÁN, C., *Derecho penal económico y de la empresa*. Parte especial, Op. cit., p. 157.

161 BAJO FERNÁNDEZ, M.; BACIGALUPO SAGGESE, S., *Derecho penal económico*, cit., p. 402; GONZÁLEZ CUSSAC, J.L., Los delitos de quiebra, cit., p. 26 y 142. Con esta línea mayoritaria coincide también el planteamiento de la jurisprudencia acerca del bien jurídico protegido.

pública que se vería perjudicado por los "concursos en cadena"[162]; el sistema financiero o el conjunto de la economía[163]; o la economía crediticia[164].

El sistema económico crediticio se recoge por una doctrina minoritaria como el bien objeto de protección de las insolvencias punibles[165], pero se enfrenta al problema de su excesiva extensión e indefinición, pues no se especifica qué aspecto de dicho sistema crediticio es el que quedaría perjudicado, si los derechos de los acreedores individualmente considerados o la economía crediticia y financiera en su conjunto, que se vería afectada por el "efecto espiral" que las insolvencias provocan y que traen como consecuencia las reacciones en cadena (concursos en cadena) y la restricción del acceso al crédito. Pero se ha dicho que dichas consecuencias negativas, aunque de carácter macrosocial, no pueden ser objeto de protección del Derecho penal ya que sólo conducirían a la disolución del concepto de bien jurídico en conceptos superiores como la funcionalidad del sistema[166].

Por último, conviene señalar la existencia de propuestas dogmáticas que clasifican el bien jurídico protegido en el artículo 259 como bienes ajenos al concepto de patrimonio.

Así, en nuestro derecho histórico se defendió que las insolvencias punibles protegían la buena fe o la confianza comercial —en el sentido que BECCARIA otorga a dicho término—; pero esta posición se topa con una crítica primaria en cuanto a la extensión y poca definición de los lí-

---

162 BAJO FERNÁNDEZ, M.; BACIGALUPO SAGGESE, S., *Derecho penal económico*, cit., p. 445.

163 OCAÑA RODRÍGUEZ, A., *El delito de insolvencia punible del art. 260 CP a la luz del nuevo derecho concursal: aspectos penales y civiles*, Tirant lo Blanch, Valencia, 2005.

164 MARTÍNEZ BUJÁN, C., *Derecho penal económico y de la empresa.* Parte especial, 5a, Tirant lo Blanch, Valencia, 2015, p. 30.

165 QUERALT JIMÉNEZ, J.J., *Derecho penal español.* Parte especial, cit., p. 1148.

166 MUÑOZ CONDE, F., *El delito de alzamiento de bienes*, cit., p. 59.

mites de protección de esa idea de buena fe, al tiempo que no explica por qué el no comerciante puede ser también sujeto de las insolvencias punibles[167].

La Administración de Justicia es considerada también por algunos como un bien jurídico protegido por el concurso punible, pues el delito de concurso contempla el derecho de crédito desde un punto de vista colectivo (la masa de acreedores) para conseguir un tratamiento paritario de los créditos, por lo que se protegería este especial tratamiento de la igualdad y el proceso ejecutivo concursal[168]. En nuestra doctrina algunos autores han propuesto que este delito protege normas civiles y penales[169], lo que se pone de manifiesto en los casos de insolvencias parciales o aparentes; pero no se consigue salvar la crítica fundamental acerca de cómo tratar con semejante bien jurídico los actos ilícitos cometidos con carácter previo a la declaración de concurso, pues dichas actuaciones quedarían fuera del ámbito procesal y una situación económica que tal vez en ese momento todavía no podrían calificarse como de insolvencia.

La doctrina alemana se cita también a favor de esta tesis, pero MUÑOZ CONDE explica cómo de forma unánime los autores alemanes entienden, aunque la redacción del tipo pueda resultar confusa, que el objeto de protección de este delito es el derecho patrimonial del acreedor, puesto en peligro por la acción[170].

Cercano a este objeto de protección están tan bien quienes entienden que el bien jurídico objeto de las insolvencias punibles es el propio proceso de ejecución cuya relevancia constitucional puede derivarse del derecho a la tutela judicial efectiva y entenderse que busca el efectivo

---

167 CABALLERO BRUN, F., *Insolvencia punibles*, cit., p. 107 y ss.

168 Lo explica BAJO FERNÁNDEZ, M.; BACIGALUPO SAGESSE, S., *Derecho penal económico*, cit., p. 445.

169 QUINTANO RIPOLLES, A.; GIMBERNAT ORDEIG, E., *Tratado de la parte especial del derecho penal*, Espasa Calpe, Madrid, 1978.

170 MUÑOZ CONDE, F., *El delito de alzamiento de bienes*, cit., p. 62.

cumplimiento sustitutivo de una obligación mediante la intervención de los bienes elementos con valor económico que forman parte del patrimonio del deudor, y la posterior transferencia de estos o de su precio al acreedor[171].

La relación entre los procesos civiles y penales podría fundamentar esta línea de pensamiento, toda vez que las obligaciones civiles declaradas nulas por el juez civil vincularán al juez penal, siendo este independiente para valorar dicha decisión en su ámbito, sobre todo si se trata de una sentencia declarativa[172].

Los delitos contra la Administración de Justicia se recogen en Título distinto y sus elementos típicos impiden conectar éste con el delito concursal. Sí podría entenderse que tendría relación la defensa de la Administración de Justicia con un alzamiento de bienes que hiciese ineficaz una determinada resolución judicial, pero ya el artículo 257.1.2 del CP de 1995 vigente en 2015 contiene un tipo específico para sancionar a "quien con el mismo fin realice cualquier acto de disposición patrimonial o generador de obligaciones que dilate, dificulte o impida la eficacia de un embargo o de un procedimiento ejecutivo o de apremio, judicial, extrajudicial o administrativo, iniciado o de previsible iniciación". Con una redacción igualmente abierta que el resto de delitos que lo circundan, se protege el procedimiento judicial en su perspectiva de hacer cumplir lo juzgado con eficacia real, con consecuencias para el condenado y reparación para el perjudicado, lo que nos lleva a afirmar que el artículo 259 CP no protege la eficacia del procedimiento de ejecución ni la Administración de Justicia como tal.

Al ir entresacando los distintos intereses vinculados de forma más o menos directa al delito concursal pudiera parecer que la protección se dispensa a todos ellos, pero no

---

171 CABALLERO BRUN, F., *Insolvencia punibles*, cit., p. 160.

172 Introduciendo la LECrim la previsión de suspensión del procedimiento hasta que resuelva la cuestión prejudicial, no cabe plantearse si el juez penal debería sustituir al civil en la resolución de una cuestión íntimamente ligada al hecho punible.

puede ser así vista la regulación legal ya que no hay bienes que puedan ser equiparados valorativamente.

Las conductas descritas en el tipo del artículo 259 CP se refieren en su conjunto al incumplimiento del deber de diligencia y de ciertos deberes mercantiles relativos a la documentación que un empresario ha de conservar y contables. A pesar de la pluralidad de conductas descritas no podemos decir que estas respondan al interés de establecer un bien jurídico pluriofensivo, aunque fuese un propósito planteado por parte de la doctrina española desde una perspectiva de *lege ferenda* pues "en estos tipos en que el sustrato económico de los mismos ha sufrido tan serias mutaciones se impone una profunda revisión, ya que su actual redacción, ya centenaria, ha sido pensada para realidades sociales hoy absolutamente periclitadas. Ello traería, en consecuencia, a un primer plano de la cuestión el resultado lesivo de dimensión social, que hoy se ignora desde el plano legislativo, y otorgaría especial trascendencia al detrimento de la economía nacional, por ejemplo"[173]. Toda vez que entiende que junto al derecho de crédito se protege la propia institución crediticia, habida cuenta de que los hechos descritos en el precepto al margen de dañar patrimonios individuales suponen un ataque a la economía crediticia, verdadero bien jurídico inmanente en el delito que nos ocupa NIETO MARTIN, ha defendido que el delito concursal pueda ser considerado como pluriofensivo[174].

Tras este repaso por todas las posturas sostenidas en la dogmática, entendemos que la regulación legal[175] y la situación sistemática llevan a clasificar este tipo entre los de carácter patrimonial, en el que se da la doble vertiente de lucro propio y detrimento ajeno consecuencia de la rela-

---

173 LANDROVE DÍAZ, G., *Las quiebras punibles*, Bosch, Barcelona, 1970, p. 147.

174 NIETO MARTÍN, A., *El delito de quiebra*, Tirant lo Blanch, Valencia, 2000, p. 48.

175 El artículo hace expresa referencia a los acreedores y, por tanto, son los derechos de estos el objeto de protección.

ción jurídica previa existente entre las partes y que puede incluir en el ámbito de protección del precepto cualquier relación obligacional[176] que pertenezca a la empresa concursada[177].

Existen créditos concursales que podrían considerarse bienes jurídicos protegidos por este tipo como son las multas y las costas. Las multas tienen un tratamiento específico en el ámbito de la LC, que las considera créditos subordinados, pero las multas no cobradas por el Erario no se incluyen entre las relaciones que pueden sustentar una relación previa que pueda lugar a este delito o a la frustración de la ejecución, sino a una responsabilidad penal subsidiaria conforme al artículo 91 CP[178]. Por otro lado, las costas merecen también comentario, pues no primero habrá de decidirse si son un crédito que pueda acogerse dentro de las relaciones obligacionales previas que vinculan al sujeto activo y a la víctima del delito, para después decidir si la frustración del cobro de ese crédito puede considerarse delictivo si se produce con anterioridad a la sentencia que las declare. En nuestra opinión, siguiendo a MUÑOZ CONDE, las costas son un crédito entre quien, en los restantes órdenes, tiene la obligación de indemnizarlas y quien ha obtenido el pronunciamiento a su favor, o entre el perjudicado y el autor del delito en el Derecho penal. El dolo del autor, si abarca completamente el conocimiento de la causación o agravación de la crisis económica, con infracción de las normas de gestión ordenada, incluye necesariamente este aspecto menor de las costas, pues quien puede lo más, puede lo menos[179].

---

176 El artículo 1089 del Código Civil establece que: "Las obligaciones nacen de la Ley, de los contratos, y cuasi contratos, y de los actos y omisiones ilícitos o que intervenga cualquier género de culpa o negligencia".

177 MUÑOZ CONDE, F., *El delito de alzamiento de bienes*, cit., p. 74.

178 Las multas en el ámbito del concurso son consideradas créditos subordinados.

179 MUÑOZ CONDE, F., *El delito de alzamiento de bienes*, cit., p. 88.

La doctrina jurisprudencial[180], si bien se mostró proclive a considerar el bien jurídico protegido por el tipo penal es el patrimonio en su aspecto jurídico económico (STS 8

---

[180] Como hemos señalado, la vinculación entre el estudio de la figura del alzamiento de bienes y del concurso fraudulento ha sido constante desde la aprobación del Código penal en 1995, por eso resulta interesante destacar que en la jurisprudencia dominante, el bien jurídico en los delitos de alzamiento de bienes es el patrimonio. Así con anterioridad al Código Penal de 1995 y la Reforma de 2015 la STS de 2 de abril de 1976 dice que "este delito de alzamiento de bienes tiene como bien jurídico protegido el interés del acreedor a satisfacer su derecho de crédito en el patrimonio del deudor y lesiona su posible satisfacción y también su mismo patrimonio que decrece"; posteriormente, en esa línea la STS 23 de marzo de 1991 (BACIGALUPO) afirma que el delito de alzamiento de bienes atenta al patrimonio: "El delito de alzamiento de bienes es un delito contra el patrimonio. Por lo tanto, es preciso establecer en qué resulta afectado el patrimonio por el alzamiento. En la opinión mayoritaria de la doctrina el patrimonio protegido por los delitos contra el patrimonio (básicamente estafa y alzamiento de bienes) constituye un concepto mixto jurídico-económico. El alzamiento, en la medida en que frustra el cumplimiento compulsivo de la obligación no afecta al aspecto jurídico del patrimonio, (…) Por el contrario en el alzamiento el patrimonio se ve afectado económicamente, pues un crédito incobrable es una expectativa de nula significación económica. El alzamiento, por lo tanto priva al crédito de su valor económico, toda vez que deja al acreedor una acción sin perspectiva de realización económica". La STS de 26 de diciembre de 2000: "el delito de alzamiento de bienes constituye un tipo delictivo pluriofensivo que tutela, de un lado, el derecho de los acreedores a que no se defraude la responsabilidad universal prevenida en el art. 1911 del Código Civil, y de otro el interés colectivo en el buen funcionamiento del sistema económico crediticio. En la misma línea SSTS 27 de noviembre de 2001, 15 de abril de 2002 y la de 8 de marzo de 2002, que señala que "se han adelantado las barreras de protección jurídica en esta materia de protección a los derechos de crédito, y a tal aspecto no será ocioso recordar que el art. 38 de la Constitución reconoce la libertad de empresa en el marco de la economía de mercado, y que en este contexto la protección del crédito es pieza esencial de la estabilidad del mercado". Si bien no han faltado sentencias aisladas que sostuvieron criterios distintos al expresado por razón del caso concreto. Las SSTS 7 de diciembre de 1967, 20 de febrero de 1970 y 8 de noviembre de 1975 entienden que el bien jurídico protegido es el ejercicio de la pretensión ejecutiva del acreedor y, por tanto, la obligación recogida en el título válido.

de noviembre de 1989), en cambio, en nuestros días se ha abierto paso un criterio más ecléctico en el que se da entrada al sistema económico crediticio y a la protección del crédito en clave macrosocial[181].

V. APLICACIÓN DE LA EXCUSA ABSOLUTORIA DEL ARTÍCULO 268 CP

Conforme a la regulación de 1995, un sector doctrinal considera aplicable la figura del artículo 268 CP a este artículo 259, no sólo como consecuencia de considerarlo un delito patrimonial, sino como fundamento y justificación para considerarlo así, por lo que los Capítulos I a IX serían delitos contra el patrimonio y los restantes Capítulos del Título XIII lo serían contra el orden socioeconómico[182].

No es indiferente la inclusión de un determinado tipo delictivo antes o después del artículo 268, pues éste exime de responsabilidad criminal a determinados parientes "por los delitos patrimoniales que se causaren entre sí"[183]. Pudiera parecer que los delitos anteriores en orden numeral a ese artículo han de ser considerados patrimoniales y los posteriores de naturaleza socioeconómica, pero como dice DEL ROSAL BLASCO, "el argumento carece, no obstante, de suficiente entidad. Sin embargo, la mera ubicación sistemática del precepto no basta para resolver su aplicabilidad

---

181 JORGE BARREIRO, A., *El delito de alzamiento de bienes. Problemas prácticos*, Cuadernos de derecho judicial, 2, 2003, p. 197.

182 CABALLERO BRUN, F., *Insolvencia punibles*, cit., p. 60; G. QUINTERO OLIVARES (DIR.); F. MORALES PRATS (COORD.), Comentarios a la parte especial del derecho penal, Aranzadi Editorial, Pamplona, 1999; Comentarios a…, cit., p. 721 a 739.

183 STS 4643/2023, de 29 de marzo, ponente: Julián Sánchez Melgar. El Tribunal Supremo declara que no cabe aplicar la excusa absolutoria del art. 268 CP cuando la denuncia es interpuesta por una sociedad mercantil, aunque esté formada por miembros de una misma familia, ya que ello supondría desconocer su personalidad jurídica. Rechaza que el levantamiento del velo pueda utilizarse para restringir el ejercicio de la acción penal por parte de la persona jurídica.

al artículo 259 CP. Como advierte la doctrina más rigurosa, la verdadera clave está en la relación entre las personas implicadas y el tipo de bien jurídico protegido, no en la posición ordinal del artículo dentro del Título XIII.

A este respecto, la jurisprudencia más reciente ha precisado que no procede aplicar la excusa absolutoria del artículo 268 CP cuando el denunciante es una sociedad mercantil, aunque esté integrada por familiares, ya que ello implicaría desconocer su personalidad jurídica. En la STS 4643/2023, de 29 de marzo, el Tribunal Supremo descartó de forma expresa que la naturaleza familiar de una empresa permita trasladar automáticamente a la persona jurídica los efectos de la excusa.

Como se afirma en dicha resolución, el levantamiento del velo no puede utilizarse para restringir derechos procesales, ni para impedir el ejercicio de la acción penal por parte de una entidad jurídica autónoma. Así, si es la sociedad la que formula la denuncia, no puede operar la excusa absolutoria entre personas físicas, aunque exista parentesco entre sus miembros.

Por una parte, porque no da explicación alguna sobre la que, en el fondo, es la cuestión más importante; a saber: sobre qué base sustantiva el legislador de 1995 ha considerado los delitos recogidos en los capítulos precedentes al capítulo X como patrimoniales y los regulados en los capítulos ulteriores como socio-económicos. Pero es que, por otra parte, aceptar tal razonamiento sería ir mucho más allá de lo que cabalmente es admisible deducir del texto del art. 268. Porque, a lo sumo, lo que de dicho texto se podría extraer es que para el legislador de 1995 los delitos de los capítulos anteriores al capítulo X del título XIII son de naturaleza patrimonial, pero ello no prejuzga la naturaleza de los delitos recogidos en los capítulos ulteriores, que podrá ser patrimonial o socio-económica"[184].

---

184 DEL ROSAL BLASCO, B., *Los nuevos delitos societarios en el Código Penal de 1995*, Universidade da Coruña, 1998, p. 84.

Y la jurisprudencia establece que no cabe apreciarla en el ámbito de la empresa familiar bien por no existir ya el vínculo familiar exigido (matrimonio que ya ha presentado demanda de divorcio o separación), bien porque no denuncia el familiar sino la propia sociedad como víctima, eludiendo la limitación del artículo 103 CP.

La doctrina del levantamiento del velo, aunque reconocida como técnica útil para desactivar estructuras societarias artificiales creadas con fines defraudatorios, debe ser aplicada con criterios restrictivos y no puede convertirse en un instrumento que, bajo la apariencia de transparencia, sirva para limitar o anular garantías constitucionales. En particular, su uso no puede legitimar restricciones al ejercicio de la acción penal por parte de sujetos que ostentan personalidad jurídica propia y diferenciada del supuesto obligado. El hecho de que una sociedad mercantil esté integrada por miembros de una misma familia no autoriza a diluir su autonomía jurídica ni a trasladar, de forma automática, los efectos de la limitación procesal prevista en el artículo 103 de la LECrim a esa persona jurídica.

Este precepto, que impide la acusación entre determinados parientes salvo denuncia expresa, no puede ser invocado para paralizar la persecución penal de hechos delictivos cuando quien actúa como denunciante no es un familiar, sino una sociedad mercantil autónoma, incluso si esa sociedad tiene carácter familiar o está conformada por cónyuges. Como ha recordado expresamente la jurisprudencia, una interpretación que pretenda extender esa limitación procesal a entidades jurídicas distintas del familiar implicado exigiría desconocer la personalidad jurídica de la sociedad, lo que supondría una aplicación indebida del levantamiento del velo[185].

---

185 STS 4643/2023, de 29 de marzo, ponente: Julián Sánchez Melgar. El Tribunal Supremo niega la aplicabilidad de la excusa absolutoria del art. 268 CP cuando el denunciante es una sociedad mercantil, incluso si tiene carácter familiar, reafirmando que la personalidad jurídica no puede disolverse por el parentesco entre socios ni limitar el ejercicio de la acción penal mediante un uso indebido del levantamiento del velo.

Por tanto, un proceso concursal fraudulento, aunque sea en el ámbito de una empresa familiar, perjudicaría a terceros que siempre podrían denunciar y sostener una acusación en forma dentro del proceso; lo que, siguiendo la jurisprudencia citada, también podría hacer la propia empresa por medio de sus representantes o propietarios.

Capítulo III
El tipo subjetivo

I. ANTECEDENTES LEGISLATIVOS CONCURSALES Y PENALES

La regulación de las consecuencias penales de las situaciones de insolvencia fraudulenta ha estado tradicionalmente muy vinculada a la evolución económica del país, siendo por ello objeto de frecuentes modificaciones legislativas. La Ley Concursal 22/2003, de 9 de julio, representó un hito en la configuración moderna del derecho concursal, y fue sucesivamente reformada en múltiples ocasiones —más de una veintena— hasta su derogación y sustitución por el Texto Refundido de la Ley Concursal (RDLeg 1/2020). En el plano penal, el tipo de insolvencia punible introducido por la Ley Orgánica 10/1995, de 23 de noviembre, también ha sido objeto de revisiones, particularmente en las reformas de 2003 y 2015. A lo largo de estos años, el legislador ha llegado a plantearse tanto la posibilidad de su destipificación[186] como la de ampliar su ámbito de punibilidad[187], en un debate doctrinal que refleja la tensión entre la mínima intervención penal y la

---

[186] Vid. LO 1/2015.

[187] Por ejemplo, la propuesta de modificación del Código Penal que acompañaba el Anteproyecto de Ley Concursal de 1995 consideraba innecesario recurrir al ordenamiento penal para dirimir las conductas que aglutina el concurso, incluso desde el prisma de la prevención general: «La sanción civil de la inhabilitación temporal y la eventual condena a los administradores y liquidadores de la persona jurídica deudora a la cobertura total o parcial del déficit patrimonial se consideran instrumentos más eficaces, y también de mayor capacidad disuasoria, que la apertura de un procedimiento penal de incierto resultado». Sin embargo, tras su incorporación en la exposición de motivos de la Ley Concursal, n.º 22/2003, de 9 de julio, esta tendencia destipificadora no ha llegado a cristalizar.

necesidad de una protección efectiva del crédito en contextos de crisis económica.

Se propuso en dos oportunidades, en sendos proyectos de reforma del Código Penal Español, la posibilidad de mejorar la redacción de este tipo penal, dada su escasa aplicabilidad y la compleja, por poco concreta, redacción de este. En esos proyectos, se trajo la redacción del Código Penal Alemán a nuestra legislación[188], si bien, finalmente la reforma de 2015 ha avanzado en la fijación de los límites y elementos tipificadores del delito de concurso, yendo a sus causas previas, penando la imprudencia en la configuración de ese estado de insolvencia, al ser el hecho promotor de la apertura de un proceso concursal susceptible de ser declarado culpable o fraudulento. Por ello, estamos en presencia de la modificación más sensible de este cuerpo normativo con relación a la insolvencia punible, dando como resultado un delito que puede calificarse como complejo.

El Legislador penal ha querido facilitar una respuesta penal adecuada a las actuaciones contrarias al deber de diligencia realizadas en el contexto de una situación de crisis económica, donde se maximiza la prevención del riesgo del empresario y se eleva, sin duda, el riesgo de condena, con el consiguiente peligro de dejar de lado principios penales clásicos y esenciales de legalidad, culpabilidad, mínima intervención[189].

La reforma penal de 2015 buscó dar mayor precisión a los límites y conductas punibles del tipo, sin dejar de ampliar el catálogo de las que se recogen específicamente en respuesta a la realidad social y de crisis económica de los años anteriores a la reforma, realidad que se manifiesta cambiante, dinámica, y que requiere de una respuesta por

188 Art. 283 del StGB de Alemania. Esta tendencia se encuentra en sintonía con las directrices marcadas por Europa en cuanto a la persecución de la unificación penal europea, pues el concurso punible podría considerarse parte integrante del catálogo de euro delitos.

189 PRADO SALDARRIAGA, V., *Constitución, derecho y principios penales*, Derecho PUCP: Revista de la Facultad de Derecho, 43, 1990, p. 267.

parte de nuestra comunidad empírica, lo que hace oportuno el análisis de este tipo y la valoración del tipo subjetivo en la nueva redacción.

Ha quedado claramente establecido que la figura penal que estudiamos no ha tenido una relevancia central en la legislación penal ni en la doctrina debido a la conexidad que tiene con las figuras propias del alzamiento o la administración desleal y, en especial, con la regulación sobre concursos y quiebras[190]. Pero es, en palabras de FEIJOO SÁNCHEZ, con la entrada en vigor de la Ley Orgánica 10/1995 y la posterior aprobación de la Ley concursal 22/2003, sustituida actualmente por el Texto Refundido aprobado por Real Decreto Legislativo 1/2020, de 5 de mayo, que se renuevan profundamente los tipos penales referentes a delitos ocurridos en ocasión de quiebra o concurso y se marca un auténtico punto de inflexión en la materia[191].

En efecto, ya que a partir de la aprobación de la última ley mencionada es que podemos realmente hablar de cambios trascendentales en el aspecto concursal y penal[192]. QUINTERO OLIVARES consecuentemente se expresó so-

---

190 QUINTERO OLIVARES, G. (DIR.); MORALES PRATS, F. (COORD.), *Comentarios a la parte especial del derecho penal,* 7a, Aranzadi SA, Pamplona, 2008, p. 723 y 724 Antes de 1995 el Derecho español contemplaba tres tipos de delitos relacionados con la quiebra: el alzamiento de bienes, la quiebra y el concurso de acreedores. Eran figuras inoperantes, salvo la primera. Las razones jurídicas de esa inoperancia, salvadas las evidentes contribuciones de una cultura social poco sensible a la importancia de estos problemas, pueden situarse en una serie de defectos estructurales que afectaban a todo el Capítulo. La remisión total al Código Comercio (ley penal en blanco) y la proximidad entre el alzamiento de bienes y la quiebra por alzamiento de bienes, eran también motivos de inoperancia.

191 FEIJOO SÁNCHEZ, B.J., *Crisis económica y concursos punibles,* Revista Jurídica LA LEY, mayo de 2009, pp. 2 y ss. con ulteriores referencias.

192 En el dilatado proceso de reforma de la legislación concursal española, el Derecho Penal concursal no puede permanecer impasible ante la consecución de modificaciones que se han ido produciendo en dicha legislación. El Derecho Penal ha de tener en cuenta todas estas decisiones y modificaciones en la legislación concursal española, con las valoraciones y funciones específicas propias del orden

bre la temática[193] mencionando que, en nuestra doctrina, es claramente evidente, en el delito concursal fraudulento, por ejemplo, que la idea de contar solamente con las normas penales, o concursales, prescindiendo de los demás recursos y fuentes de carácter extrapenal o extraconcursal resultaría disfuncional, en especial si se presta atención a la idea de integración que posee el derecho, y que no puede ser soslayado[194]. Lo mencionado, no quiere decir que nos encontramos tras la reforma en presencia de una norma penal en blanco, o que el derecho penal no goce de autonomía respecto a las demás ramas del derecho, sino que al ser dos naturalezas distintas las que configuran el tipo delictivo, es necesaria una mirada palmaria y completa del ordenamiento jurídico integralmente considerado, puesto que todo el derecho se relaciona de manera armónica, o al menos debe hacerlo[195].

En la exposición de motivos del Texto Refundido de la Ley Concursal, aprobado por Real Decreto Legislativo 1/2020, de 5 de mayo, se expresa que “la Ley opta por los principios de unidad legal, de disciplina y de sistema”. Con ello, queremos traer a colación que para la explicación de los delitos que se integran con el derecho penal, se requiere de un presupuesto objetivo claro, como es, en este caso, el de la insolvencia. Dicho presupuesto, recogido en el artículo 2 del TRLC, establece que la declaración de concurso debe producirse en caso de insolvencia del deudor común,

---

penal; respetando que las mismas han de guardar en todo momento coherencia con las de la LC y no resultar disfuncionales.

193 QUINTERO OLIVARES, G., *Comentarios al nuevo Código Penal*, 3ª ed., Navarra, 2004, pp. 713 y ss.

194 De hecho, es manifiestamente relevante tener en consideración esta interdependencia cuando se trata de la intervención del Derecho Penal concursal frente a los responsables de una situación de crisis económica o insolvencia en una gran empresa.

195 RODRÍGUEZ RAMOS, L., *Secundariedad del Derecho penal económico*, Madrid, 2001, pp. 23 y ss.; RODRÍGUEZ RAMOS, L., en MARTÍNEZ-CALCERRADA y GÓMEZ (Coord.), Homenaje a Hernández Gil, A, Autonomía y dependencia del Derecho, vol. 3, Madrid, 2001, pp. 3219-3226.

dando así inicio al proceso concursal de índole universal. Aunque es conocido que, con carácter previo a esta regulación, el régimen del concurso de acreedores se hallaba disperso entre el Código de Comercio de 1829 y 1885, la Ley de Suspensión de Pagos de 1922 y otras disposiciones complementarias, actualmente todos esos elementos han sido unificados bajo un único cuerpo legal que regula tanto los aspectos sustantivos como procesales. Hoy dichos cuerpos normativos se han unificado en uno sólo, que se encarga de la regulación de los aspectos tanto de fondo como de forma.

El punto de partida para comprender la evolución histórica del concepto de insolvencia del deudor se sitúa en la Baja Edad Media[196], momento en el que comienza a configurarse de forma precisa esta idea y se desarrollan los primeros procedimientos dirigidos a su tratamiento jurídico.

Aunque el Derecho concursal tiene sus raíces en el Derecho Romano, que a lo largo de casi trece siglos conoció diversos mecanismos destinados a permitir la actuación conjunta de los acreedores sobre un patrimonio insuficiente —en aplicación del principio de *par conditio creditorum*—, tales como la venta en pública subasta de los bienes (*bonorum venditio*)[197], la cesión de bienes (*cessio bonorum*) o la distracción de bienes (*distractio bonorum*), lo cierto es que el tratamiento sistemático de la insolvencia del deudor se consolida posteriormente en el derecho estatutario italiano durante la Baja Edad Media[198].

Desde Italia, esta regulación se extendió a la Península Ibérica, introduciéndose primero en los territorios de la Corona de Aragón y, más tarde, en el resto de España. En

---

196 ROJO, A.; BELTRÁN, E., en MENÉNDEZ, A. y ROJO, A. (Dirs.)/ APARICIO, M.L. (Coord.), *Lecciones de Derecho Mercantil*, 10ª ed., Madrid, 2012, pp. 403 y ss.

197 PÉREZ ÁLVAREZ, M.P., en ARIZA COLMENAREJO, M. J./GALÁN GONZÁLEZ, C. (Coord.), *Reflexiones para la Reforma Concursal*, Vol. 2, Reus, Madrid, 2010, pp. 115 y ss.

198 ROJO, A./BELTRÁN, E., cit. p. 406.

Cataluña, ya en el año 1299, una Ley de Cortes hacía referencia a banqueros y comerciantes e incorporaba menciones explícitas a la quiebra o bancarrota, expresiones tempranas del fenómeno de la insolvencia.

Durante el siglo XVIII, las alusiones legales a esta materia se multiplicaron. Destacan las Ordenanzas del Consulado de Bilbao de 1737, que otorgaron a la quiebra o bancarrota un tratamiento más elaborado y sistemático. Su influencia fue notable: no solo se consolidó como normativa de referencia en el ámbito nacional, sino que también se proyectó hacia América, acompañando la expansión colonial española.

No obstante, el presupuesto objetivo de la quiebra —esto es, la constatación del estado de insolvencia— generó una intensa controversia doctrinal. Dos posturas principales marcaron el debate. La primera, conocida como tesis de la insolvencia, entendía que el presupuesto esencial del procedimiento concursal era precisamente la insuficiencia patrimonial del deudor para satisfacer las deudas vencidas, sin que ello implicara una carencia absoluta de bienes, sino una imposibilidad material de atender sus obligaciones exigibles.

La segunda corriente, en cambio, concebía la bancarrota como una especie de sobreseimiento general de pagos, caracterizado por un estado irreversible de cesación de pagos que hacía inalterable la situación del deudor frente a sus acreedores. En esta interpretación, la quiebra representaba la constatación definitiva de la impotencia patrimonial del deudor, cuyo pasivo superaba de modo notorio al activo[199].

Este debate, lejos de ser pacífico, dejó una huella persistente en la legislación española. Prueba de ello es que el

---

199 FARALDO CABANA, P., *Los delitos de insolvencia fraudulenta y de presentación de datos falsos ante el nuevo derecho concursal y la reforma penal*, Estudios penales y criminológicos XXIV, Santiago de Compostela, 2003, pp. 118 y ss.

Anteproyecto de Ley Concursal de 1959 se inclinó inicialmente por la tesis de la insolvencia, aunque la reforma no llegó a aprobarse debido a las discrepancias doctrinales y las divergencias de criterio manifestadas durante los trabajos parlamentarios.

En 1983, en el Anteproyecto de Ley Concursal, su art. 9 abogaba por la expresión "situación de crisis económica", que definió como "un estado patrimonial que lesione o amenace gravemente el interés de los acreedores a la satisfacción normal y ordenada de los créditos" y que debía exteriorizarse por medio de la existencia de algún "hecho revelador" en expresión propia de dicho proyecto.

Ya con el Anteproyecto de Ley Concursal del año 1995 se vuelve a la idea de insolvencia del deudor común, brindando elementos un tanto más objetivos y de mayor recepción en la doctrina y opinión especializada, sirviendo así como base para el Anteproyecto del año 2000. Así, la definición legal del "estado de insolvencia" se configura en 2003 diciendo que se encuentra en dicho estado aquel deudor que ha caído en una situación objetiva tal que no puede hacer frente con la totalidad de su patrimonio a sus deudas contraídas, vencidas y exigidas. Esta noción ha sido incorporada en la actualidad al artículo 2.3 del Texto Refundido de la Ley Concursal, aprobado por Real Decreto Legislativo 1/2020, que mantiene como presupuesto objetivo del procedimiento concursal la existencia de una insolvencia actual o inminente del deudor. La realidad de la aplicación de estos delitos venía poniendo de manifiesto la insuficiencia de su regulación, impidiendo la persecución eficaz de aquellas conductas de vaciamiento patrimonial ilícito llevadas a cabo por los deudores en situación de aparente solvencia antes de declararse en concurso, o por los deudores que causaban ésta con su actuación.

La nueva regulación de los delitos de concurso punible o insolvencia, dice la Exposición de Motivos, "conjuga una doble necesidad: la de facilitar una respuesta penal adecuada a los supuestos de realización de actuaciones contrarias al deber de diligencia en la gestión de asuntos económicos que se producen en el contexto de una situación de crisis económica del sujeto o empresa y que ponen en peligro los intereses de los acreedores y el orden socioeconómico, o son directamente causales de la situación de concurso; y la de ofrecer suficiente certeza y seguridad en la determinación de las conductas punibles, es decir, aquéllas contrarias al deber de diligencia en la gestión de los asuntos económicos que constituyen un riesgo no permitido"[200].

En el ámbito de la conducta típica, merecen destacarse de nuevo algunas de las sustanciales diferencias operadas por la Ley Orgánica 1/2015 con respecto a la legislación anterior, pues la nueva redacción del delito concursal punible no supera las críticas sobre falta de concreción y vaguedad del tipo, sino antes al contrario, suscita mayor imprecisión e indefinición. Conforme con la reforma, el apartado primero del nuevo artículo 259 CP castiga al deudor que se encuentra en una situación de insolvencia actual o inminente y realiza una serie de conductas contrarias a la "gestión ordenada en la gestión de asuntos económicos".

Así, el art. 259 contempla ahora conductas realizadas por el autor, en una situación de insolvencia actual o inminente[201], tales como: ocultar, destruir, causar daños o realizar cualquier otra actuación no ajustada al deber de diligencia en la gestión de asuntos económicos; realizar determinados actos de disposición; realizar operaciones de venta o prestaciones de servicio por precio inferior a su costa de adquisición o producción; simular créditos de terceros o reconocimiento de créditos ficticios; participar en negocios especulativos; incumplir el deber legal de llevar contabilidad o llevar doble contabilidad; etc.

---

200 Exposición de Motivos de la Ley Orgánica 1/2015.

201 DEL ROSAL BLASCO, B., *Las insolvencias punibles a través del análisis del delito de alzamiento de bienes en el Código Penal*, Anuario de Derecho penal y Ciencias Penales, 1994, pág. 79.

"El nuevo delito de concurso punible o bancarrota —añade la Exposición de Motivos— se configura como un delito de peligro, si bien vinculado a la situación de crisis (a la insolvencia actual o inminente del deudor) y perseguible únicamente cuando se declara efectivamente el concurso o se produce un sobreseimiento de pagos; y se mantiene la tipificación expresa de la causación de la insolvencia por el deudor".

En el año 2013, se plantea en la reforma del Código Penal[202], la modificación con un objetivo modernizador, para avanzar en la fijación de los supuestos de hecho y en la taxatividad de la descripción de los elementos del delito, haciéndolos metodológicamente funcionales. El proyecto conllevaba la modificación del (ahora ex) art. 260 del CP, cuya última reforma databa del año 2003, y que fue finalmente derogado y sustituido por la nueva regulación del artículo 259, en su apartado segundo, conforme a la Ley Orgánica 1/2015.

El apartado segundo tipifica la conducta de causar —de manera dolosa— la situación de insolvencia, con la previa realización de acciones constitutivas de insolvencia, coincidiendo sustancialmente con la conducta descrita en el anterior artículo 260 CP. En la propuesta de anteproyecto, el art. 259.2 agravaba la pena, pudiendo llegar a los seis años de prisión, cuando el autor, mediante las conductas previstas en el apartado primero, causa su situación de insolvencia, siempre que se cumplan alguna de las dos condiciones objetivas de perseguibilidad recogidas en el apartado cuarto del artículo para el caso de que "el deudor haya dejado de cumplir regularmente sus obligaciones exigibles o haya sido declarado su concurso"[203].

---

202 El 20 de septiembre de 2013 fue aprobado por el Consejo de Ministros, para su remisión a las Cortes, el proyecto de ley orgánica por la que se modifica la Ley Orgánica 10/1995, de 23 de noviembre, del Código penal.

203 Proyecto de ley orgánica por la que se modifica la Ley Orgánica 10/1995, de 23 de noviembre, del Código penal

Conforme con ello, el apartado primero tipifica el nuevo tipo básico de insolvencia punible, complementado con el apartado segundo que mantiene la esencia del antiguo delito concursal[204], aunque limitado a la causación —dolosa— de la situación de insolvencia. Como presupuesto del delito se exige que el autor se encuentre en una situación de insolvencia actual o inminente (apartado 1) y realice una serie de conductas dirigidas (dolosamente) a perjudicar a sus acreedores y contrarias a la "gestión ordenada en los asuntos económicos", bien perjudicando el propio patrimonio del deudor, bien dificultando la información del acreedor sobre la situación patrimonial de la empresa[205], o realizando conductas que supongan una infracción grave de los deberes de diligencia.

En el segundo epígrafe del art. 259 del Código Penal se castiga al deudor que causa su insolvencia, de manera deliberada y mediante alguno de los hechos reveladores de quiebra que ya se enumeraron, lo que engarza con el epígrafe número 4 del mismo artículo, que requiere como condición necesaria para la perseguibilidad del autor, que el mismo haya sido declarado en concurso con carácter previo ya que este delito de resultado, requiere el auto que admite a trámite la solicitud de concurso del deudor ante juez competente previo a la categorización de concurso fraudulento.

Este tipo delictivo, se verá agravado mediante el mecanismo del art. 259 bis, determinando el aumento de las escalas penales en atención al número de acreedores damnificados por la acción típica, pues se contempla la agravación para la hipótesis en la que la mayor parte

---

[204] ROCA AGAPITO, L., *Los delitos de alzamiento de bienes (examen de los artículos 257 y 258 del Código Penal)*, Anuario de derecho concursal, 2010, pp. 89-97.

[205] MORENO VERDEJO, J., *El nuevo Código Penal y su aplicación a empresas y profesionales*, Vol. II, Diario Expansión, Madrid, 1996, pp. 127/134.

del crédito defraudado corresponda a deudas frente a la Hacienda Pública y la Seguridad Social, además de otras agravaciones para los supuestos en los que se causan perjuicios económicos de especial gravedad valorados por el número de personas afectadas o por el montante de lo defraudado (art. 259 bis). Y, finalmente, se amplía la protección de acreedores mediante la tipificación de acciones no justificadas de favorecimiento a acreedores determinados llevadas a cabo, antes de la declaración del concurso, pero cuando el deudor se encontraba ya en una situación de insolvencia actual o inminente (art. 261)[206].

En síntesis, el nuevo injusto típico no consigue una delimitación más precisa, a nuestro modo de ver, entre el ilícito penal contemplado en el artículo 259 CP y los ilícitos civiles previstos en la Ley Concursal mercantil (vid. TRLC, art. 443.2. 1º y 2º) para declarar como culpable el concurso de la sociedad[207]. A su vez, sí se avanza en la configuración de los elementos subjetivos determinante de estas conductas[208].

El tercer apartado del art. 259[209] se refiere a la comisión imprudente del delito. Mediante una interpretación

---

206 MORENO VERDEJO, J.; *El tratamiento de las Insolvencias en el nuevo Código Penal.* Ed. Recoletos Cía. Editorial, S.A.; (Expansión), 1996. Universidad Internacional de Andalucía, 2013, pp. 101 y ss.

207 Se ha dicho que la reforma del CP en 2015 supuso más derecho penal con la ampliación de la tipificación (anticipando la intervención del derecho penal, alargándola hasta un momento postdelictual y determinando supuestos nuevos de organización criminal), más intenso en las penas propuestas y más reglamentista, detallando conductas y tipos hasta el detalle, pero que no consigue otorgar mayor seguridad al tipo, sino que parece recordar a la regulación administrativizada y refleja una especie de desconfianza en la interpretación judicial que pudiera hacerse de los tipos. SÁNCHEZ-OSTIZ GUTIÉRREZ, Pablo, "Una 'nueva' reforma del Código penal", Actualidad Jurídica Thomson Reuters, 2015, pp. 3 y ss.

208 Así en el Informe al Anteproyecto de Ley Orgánica por la que se modifica la Ley Orgánica 10/1995, de 23 de noviembre, del Código Penal elaborado por el CGPJ.

209 "Cuando los hechos se hubieran cometido por imprudencia, se impondrá una pena de prisión de seis meses a dos años o multa de

a sensu contrario podría entenderse que los delitos específicamente enumerados en el resto del articulado han de ser considerados dolosos. La modalidad imprudente en este tipo delictivo que se refiere a la actividad empresarial, ya de por sí riesgosa y difícil, exigirá delimitar cuáles son las conductas propias de la naturaleza empresarial y la adecuada asunción de riesgos, para evitar asumir dentro de la categoría de delito típico imprudente conductas cuya peligrosidad es la propia del giro normal de mercado.

El apartado cuarto del artículo 259 CP[210] establece un requisito de perseguibilidad, igual y distinto del de la redacción del anterior artículo 260, pues aunque sigue considerando requisito de perseguibilidad la declaración de concurso previa, tras la reforma de 2105 sitúa temporalmente la condición de perseguibilidad incluso antes de la declaración de concurso ("cuando el deudor haya dejado de cumplir regularmente sus obligaciones exigibles") y sin necesidad de declaración judicial de concurso[211], en línea con la idea del legislador de adelantar las barreras de protección penal ya citadas.)

La declaración de concurso necesaria para la aplicación del precepto penal no forma parte del tipo objetivo, sino que constituye una condición objetiva de perseguibilidad, y consecuentemente, no requiere haber sido alcanzada por el dolo del autor en el momento de realizar la acción típica[212]. En la redacción anterior del artículo,

---

doce a veinticuatro meses".

210 "Este delito solamente será perseguible cuando el deudor haya dejado de cumplir regularmente sus obligaciones exigibles o haya sido declarado su concurso".

211 BAJO FERNÁNDEZ, M.; BACIGALUPO SAGGESE, S., *Derecho penal económico,* 2ª ed., Madrid, 2010, p. 79 y ss.

212 STS Sala 2ª, DE 12/02/1997.- Casa y revoca una Sentencia de la Audiencia Provincial, en los siguientes términos: "La Audiencia al excluir el dolo, sin embargo, ha razonado considerando implícitamente, que la declaración de quiebra y de las circunstancias mercantiles que la generaron son un elemento del tipo penal y por ello, ha atri-

se colocaba un claro límite a la apreciación y persecución de delitos anteriores a la declaración de quiebra. Es decir que no podía penarse previamente la existencia de un proceso fraudulento de insolvencia, por ejemplo, que fuera tipificado realmente por el Código. Es entonces que el Proyecto de reforma propuso una calificación de tal situación, previa a la existencia de concurso, pues el "preconcurso" actualmente regulado en el Libro segundo del Texto Refundido de la Ley Concursal (arts. 583 y ss.), permite concebir una idea de conservación de la actividad del deudor, si bien no una garantía de una actividad lícita y atípica, pues dicho periodo puede ser empleado con fines espurios en perjuicio de los acreedores del deudor común y en contradicción relativa con el objetivo marcado por las directrices europeas en materia mercantil[213], centradas en la obtención de una pronta solicitud voluntaria de concurso, que animan a la inclusión de mecanismos que permitan la pronta solicitud de concurso previo voluntario, en consonancia con lo previsto en la Directiva (UE) 2019/1023, sobre marcos de reestructuración preventiva, exoneración de deudas e inhabilitaciones.

El art. 259 se encarga de castigar al deudor que se encuentra en insolvencia, y antes de existir una declaración de concurso, lleva adelante alguno de los hechos enumerados en sus apartados 1 y 2, sin que se puedan justificar dichos actos ni siquiera por razón del preconcurso declarado en el ámbito mercantil. Entonces, con la consumación de alguno de los "hechos reveladores" que se enumeran, se estaría en presencia de un tipo delictivo previo al de concurso punible y, tal vez con probabilidad, causa o agravación de éste cuando "se cree el peligro de

---

buido importancia al hecho que cuando se realizaron las acciones de detrimento injustificado del activo social nada hacía presagiar la bancarrota en la que finalmente se caería".

213 ROJO, A., *Insolvencia*", en BELTRÁN, E./GARCÍA-CRUCES, J. A. (Dirs.), Enciclopedia de Derecho concursal, Tomo II, Navarra, 2012, pp. 213 y ss.

causar un perjuicio patrimonial relevante para una pluralidad de personas", un indicio más de que el bien jurídico protegido son los derechos individuales de los acreedores de cobrar su deuda contra el patrimonio económico del deudor.

En su nueva redacción los arts. 259 y 259 bis ofrecen taxativamente tanto un listado de hechos que han de considerarse como de insolvencia punible que se podrían sistematizar en dos grupos. En primer lugar, se tipifican conductas que determinan la disminución efectiva del patrimonio del deudor (C.P., art. 259.1.1º 2º, 3º y 4º) o que supongan un riesgo de pérdidas económicas injustificadas (C.P., art. 259.1.5º). En segundo término, se castigan las acciones que supongan una infracción de los deberes legales contables, obstaculizando el concurso futuro, bien por haber infringido los deberes contables, bien por ocultar o destruir documentación relativa a la situación económica real del deudor[214]. Finalmente, se tipifica una "cláusula de cierre", donde se contemplan acciones que suponen la infracción del deber de diligencia en la gestión de asuntos económicos[215] exponiendo que quien "realice cualquier otra conducta activa u omisiva que constituya una infracción grave del deber de diligencia en la gestión de asuntos económicos y a la que sea imputable una disminución del patrimonio del deudor o por medio de la cual se oculte la situación económica real del deudor o su actividad empresarial", liquidando con esta generalidad la intención de taxatividad exhibida en los anteriores apartados del artículo y pudiendo ser considerado autor de esta modalidad cualquier deudor que haya incurrido en una grave infracción del deber de diligencia que, al tiempo, cause una disminución real o ficticia del patrimonio sujeto al pago de deudas.

---

214 C.P., art. 259.1.6º, 7º y 8º.
215 C.P., art. 259.1.9º.

II. DELITO IMPRUDENTE

Tanto la conducta dolosa como la imprudente[216] o culposa operan como elemento subjetivo del delito[217]. La tipificación de la imprudencia representa una destacada novedad con respecto a la regulación anterior a la reforma de 2015, puesto que el antiguo delito concursal, introducido en el CP de 1995, solo castigaba la conducta dolosa[218]. La acción (u omisión) será dolosa, obviamente, cuando el deudor dirija su conducta a la consecución de su estado de insolvencia, y que dicha situación genere un perjuicio patrimonial en el acreedor o acreedores. Ante esta situación, claramente, estaríamos en presencia de un dolo de carácter directo, pero en el tercer epígrafe del artículo, se menciona que "cuando los hechos se hubieran cometido por imprudencia, se impondrá una pena de prisión de seis meses a dos años o multa de doce a veinticuatro meses". Desde la reforma de 2015 no hay duda acerca de que este delito puede ser consumado mediante el elemento volitivo de la imprudencia, que puede ser tanto grave como simple[219].

---

216 Este concepto necesariamente debe poseer una acción, un actuar positivo, no una omisión, una comisión; una actuación material en el mundo de lo fáctico que se realiza de manera temeraria. Todo individuo está obligado a poseer una conducta tendente a observar los reglamentos y las medidas mínimas de seguridad, en todas las circunstancias de la vida. Esas condiciones mínimas, bajo las cuales resulta compatible la conducta realizada, deben dirigirse a los cuidados y diligencias necesarias en tal sentido y a emplearse los medios necesarios en tal medida, para contrarrestar cualquier resultado perdidoso para los individuos que puedan verse entrometidos en una conducta delictual, como víctimas, claramente. La conducta que resulte contraria a este obrar y deber mínimo de cuidado resultaría, entonces, imprudente.

217 MORENO VERDEJO, J.; *El tratamiento de las Insolvencias en el nuevo Código Penal.* Ed. Recoletos Cía. Editorial, S.A.; (Expansión), 1996. Universidad Internacional de Andalucía, 2013, pp. 123 y ss.

218 MARTÍNEZ BUJÁN, C., *Derecho penal económico y de la empresa.* Parte especial, 5a, Tirant lo Blanch, Valencia, 2015, p. 217.

219 La creación de tipos imprudentes se ha circunscrito tradicionalmente, en toda lógica, a los delitos de resultado. Ante la producción de un resultado típico, consistente en la lesión de un bien jurídico merecedor de especial protección, el legislador penal establece un

La imprudencia que resulta punible debe observar tres elementos estructurales para su configuración típica: en primer lugar, una acción u omisión voluntaria, que no obedezca a un propósito malicioso —pues en tal caso estaríamos ante una conducta dolosa—; en segundo lugar, la producción efectiva de un resultado dañoso y concreto; y, por último, la existencia de un vínculo de causalidad necesario entre la conducta desplegada y el resultado lesivo generado. En este sentido, la jurisprudencia ha sostenido que la generación del estado de insolvencia debe derivar de actuaciones cuya reprobación jurídica esté claramente establecida, subrayando que una mera gestión económica inadecuada o calificada como arriesgada resulta insuficiente para integrar el tipo penal contemplado en el artículo 259 del Código Penal[220].

Como decimos, el nuevo código no solo plantea los delitos desde la esfera del dolo[221], sino que la imprudencia, también juega un papel, puede incluso afirmarse que es una de las más importantes novedades en la materia, puesto que raramente el CP ha contemplado la imprudencia en el contexto de los delitos económicos[222] y porque el delito insolvencia punible era abarcado tanto por la regulación mercantil concursal (presupuestos de culpabilidad del con-

---

castigo también cuando la conducta no está bañada por la intencionalidad, bastando con que haya contravenido la diligencia debida. Así ocurre, por ejemplo, con el homicidio, las lesiones y el aborto.

220 ATS 836/2021, de 16 de septiembre.

221 La introducción de la modalidad imprudente en el artículo 259 resulta llamativa, pues no había sido objeto de debate jurídico, pero más sorprendentes resultan todavía los términos de su introducción. El legislador finalmente ha optado por no requerir de forma expresa que la conducta imprudente deba superar un determinado umbral de gravedad para resultar típicamente relevante, bastando con que los hechos se cometan imprudentemente.

222 Con la salvedad hecha de los delitos de blanqueo de capitales y los delitos contra la Hacienda Pública de la Unión Europea BACIGALUPO SAGGESE, S., "*La reforma de los delitos de insolvencias punibles en el anteproyecto de reforma del Código penal de 2012*", Revista de derecho concursal y paraconcursal: Anales de doctrina, praxis, jurisprudencia y legislación, 18, 2013, p. 3.

curso en la Ley Concursal), como por otras conductas típicas (alzamiento y administración desleal especialmente) y no tanto por el tipo específico del antiguo 260 CP, siendo así que también se consideró por el legislador lo referente a otras acciones o conductas potencialmente dañinas previas al propio concurso que por razón del principio de subsidiariedad penal no se definieron típicamente, pues no configuraban un actuar delictivo que requiriese de una regulación efectiva que movilizase el *ius puniendi* estatal, ya sea por la valoración de la conducta en sí, por el riesgo que se crea, o por el bien jurídico que se ve afectado[223].

La actividad económica, mercantil y empresarial va de la mano necesariamente con la cuestión del riesgo en los negocios, por ello la tipificación de este tipo de delitos puede llegar a vulnerar el principio de libertad de empresa[224], pues como ya hemos explicado, la mejor protección civil del crédito puede ser la forma adecuada de proteger a los acreedores a fin de evitar una excesiva expansión del derecho penal. Así, la criminalización es eficaz a la hora de demarcar los contornos de la imputación subjetiva.

La realización imprudente de operaciones económicas que afectan al patrimonio de una sola persona, además de implicar una hiperprotección del acreedor, puede llegar a desincentivar la actividad mercantil, favoreciendo una gestión conservadora de la empresa y poco rentable. Si bien es cierto que las reformas de la legislación penal del siglo XXI han modificado enormemente los delitos de índole económica para proteger mejor al acreedor damnificado por una actividad desleal de su deudor, con lo que de manera implícita —aunque, a nuestro juicio, muy explícita— se despre-

---

223 RIVERA, J.C., *Instituciones de Derecho Concursal.* Rubinzal Culzoni. 2° ed. 2003 t. I., Rosario, Argentina, pp. 34 y ss.

224 CABALLERO BRUN, F., *Insolvencia punibles*, Iustel, Madrid, 2008, p. 389 Aceptar la relevancia típica del dolo eventual no significa abrirle la puerta a una intervención penal ilimitada, pues la teoría del riesgo permitido y sus elaboraciones en el ámbito mercantil han posibilitado la creación de la idea del riesgo empresarial, que resulta eficaz a la hora de demarcar los contornos de la imputación subjetiva.

cia la respuesta civil[225] frente a la más "visual" (simbólica) respuesta penal y se limita así la asunción de riesgos[226].

Toda vez que la actividad económica empresarial es de por sí una actividad de riesgo, la introducción del elemento "imprudencia" en el plano de las actividades riesgosas propias del comercio y actividad económica resulta de muy difícil valoración, no sólo porque haya que establecer las fronteras del dolo eventual e imprudencia[227], sino también porque el riesgo inherente a ellas ha de ser factor de moderación en la aplicación del tipo y no un elemento gravoso. Así parecía recogerse en la legislación mercantil cuando se diferenciaba la quiebra culposa —sin ánimo de perjudicar a los acreedores— de la fraudulenta en la que sí existía este ánimo.

La principal línea de crítica al legislador por la introducción de imprudencia en este tipo delictivo se refiere a la in-

---

225 QUINTERO OLIVARES, G. (DIR.); MORALES PRATS, F. (COORD.), Comentarios a...., cit., p. 726. Por último, la preferencia de la jurisdicción civil para conocer del hecho concursal en todas sus dimensiones daba lugar a que los delitos adicionales o mediales que hubiera podido cometer el deudor (falsedades, estafas, apropiaciones indebidas) (...), se confundían en el proceso civil, no podían ser perseguidos por separado, y a la postre (...) disfrutaban de una incomprensible e injustificado beneficio de impunidad...

226 Cfr. COBO DEL ROSAL, M.; *Cuadernos de Política Criminal Número 106*, I, Época II, abril 2012, pp. 251-260.

227 Si bien el artículo 259 CP no gradúa la imprudencia típicamente relevante, una lectura del CP conforme con los postulados doctrinales más asentados implicaría la exigencia tácita de culpa grave, pues en principio solo esta puede dar lugar a la comisión de un delito. Ello es coherente, al tiempo, con la orientación dada por el legislador penal a las faltas de lesiones imprudentes bañadas de imprudencia leve. Al contrario de lo que sucede en los delitos concursales, el tipo de homicidio y de lesiones del CP (i) requiere que el resultado típico sea causado por imprudencia grave, y (ii) establece criterios de valoración de la gravedad de la imprudencia, que gravitan alrededor de la entidad del riesgo creado en el contexto en el que se desarrolló la conducta activa.
Con ello, no todo resultado imprudente debe ser relevante a los efectos del Código Penal, y éste establece los mecanismos necesarios para distinguir las conductas imprudentes típicas de las impunes.

certidumbre que pesa sobre su necesidad, pues la jurisdicción civil-mercantil[228] ya contempla medidas contundentes contra las actuaciones imprudentes de los administradores que provocan la declaración de concurso. También parece que, al no distinguir entre la imprudencia grave y la leve, cualquiera de ellas podría cumplir con los requisitos del tipo y fundamentar una condena, lo que implica una extraordinaria ampliación del ámbito de aplicación del delito de concurso. El legislador sólo expresa en dicho artículo 259 que existirá el delito y se penará con prisión de 6 meses a dos años o multa de doce a veinticuatro meses "cuando los hechos se hubieren cometido por imprudencia", por lo que deberíamos entender, entonces, que no importaría a los fines del tipo penal, la característica de la imprudencia (leve o grave), lo que significa una extensión del ámbito de aplicación de la figura penal que resultaría un poco abusiva[229], con afectación de los principios de legalidad, razonabilidad, ultima ratio y proporcionalidad penal.

El artículo 259 plantea problemas de proporcionalidad, pues hace difícilmente deslindables las conductas dolosas eventuales, imprudentes e impunes, lo que maximiza el riesgo de proceso y asegura la creación de un debate interpretativo intenso. Aunque en una interpretación sistemática de la LO 1/2015 hemos de concluir que se exige una imprudencia grave, toda vez que se han suprimido las faltas del Código Penal y se exige la imprudencia grave para los

---

228 QUINTERO OLIVARES, G. (DIR.); MORALES PRATS, F. (COORD.), Comentarios a…, cit., p. 725 Para muchos la clave de la reconocida inoperancia tradicional de los delitos de quiebra fue la prejudicialidad civil, que desarrollaba sus efectos en dos órdenes de consecuencias: el procedimiento civil de quiebra o concurso era necesariamente precedente a la intervención penal, la cual, por su parte, solamente era posible si el Juez civil calificaba la quiebra o concurso como delictivos, si bien eso no significaba que el Juez penal tuviera que imponer una condena. Los delitos de insolvencia fraudulenta (salvo el alzamiento de bienes) no podían ser perseguidos nunca directamente por el acreedor que se sintiera burlado.

229 MARTÍNEZ-BUJÁN PÉREZ, C., *El delito societario de administración fraudulenta, estudios penales y criminológicos* XXIV, 1994, pp. 88-96.

nuevos delitos de homicidio y lesiones imprudentes, pues de lo contrario quedarán para la jurisdicción civil, ello se presenta como un problema en la actual redacción, y expone a la reforma y al tipo penal imprudente a múltiples críticas y futuras nuevas interpretaciones jurisprudenciales[230].

Una más de las grandes críticas al delito de insolvencia punible es la inseguridad jurídica que produce debido a su redacción abierta y la falta de precisión sobre el tipo objetivo, pero con la reforma se ha hecho un esfuerzo taxativo señalando las conductas concretas por las cuales puede realizarse el delito tipo. Dichas conductas están muy cercanas a los incumplimientos meramente mercantiles, por lo que en realidad se acaba fiscalizando por la jurisdicción penal (como ya sucediera en el delito de administración desleal) el deber de diligencia del empresario, sin que concurra el principio de proporcionalidad e ignorando el principio de ultima ratio del derecho penal[231].

Bajo el apartado tercero del artículo pueden englobarse aquellos casos en que el sujeto tiene un deber de cuidado que le exige conocer, prever o impedir la insolvencia, pero en la mente del legislador ha estado la justificación histórica de la sanción del "excesivo optimismo" de ciertos empresarios que aceptaban en una euforia no medida ciertas conductas en la infundada esperanza de recuperar la situación de solvencia de la empresa; dicha idea no es válida para las grandes y medianas empresas que adoptan

---

230 La adecuación del tipo penal a través de la inclusión de parámetros de determinación de la imprudencia —grave— típicamente relevante en los delitos concursales punibles sería muy beneficiosa para la seguridad jurídica. Otra cosa supone que el análisis de racionalidad, negligencia o dolo de la actuación del deudor será realizado por el juez penal situándose en la posición que tenía el deudor en el momento de actuar, lo que supone también disponer de la misma información de que este disponía y conocer las opciones reales que se encontraban a su alcance. Solo así se escapará al riesgo de juzgar la acción por el resultado.

231 VIVES ANTÓN, T. S.; GONZÁLEZ CUSSAC, J.L., *Los delitos de alzamiento de bienes*, Valencia, 1998, pp. 202 y ss.

sus decisiones apoyadas en datos y en el criterio de técnicos, además de estar sometidas en muchos casos a controles de auditoría ajenas a la propia sociedad, por tanto, dicha idea no es válida para justificar la sanción de la modalidad imprudente del tipo[232].

La nueva tipificación de la modalidad imprudente no resulta satisfactoria, pues como señalada acertadamente BACIGALUPO ZAPATER, el artículo 259.3 CP tipifica una especie de "cláusula general de imprudencia" que se aplica no sólo a todos los tipos de conductas descritas, sino a cualquier otra que pudiera darse, por lo que no se entiende porque alude el legislador expresamente a la infracción del deber de diligencia y se exige que éste sea grave[233]. Con el fin de limitar esta llamativa extensión SÁNCHEZ DAFAUCE ha considerado adecuado aplicarlo a los casos en que la conducta presuponga una causación o agravación de la insolvencia[234].

III. ESPECIAL ELEMENTO SUBJETIVO DEL INJUSTO

Se ha discutido acerca de si es o no necesario o exigible un "ánimo de perjudicar a los acreedores" como un elemento subjetivo distinto del dolo, lo que podía suponer categorizar este delito como de "tendencia interna", y así lo expresaba QUINTERO OLIVARES exigiendo la presencia del citado elemento, excluyendo, en consonancia con tal postura, la posibilidad de apreciar dolo eventual[235], en esta

---

232 MONGE FERNÁNDEZ, A., *El delito concursal punible: ¿una solución penal a un problema mercantil?*: (análisis del artículo 260 CP), Tirant lo blanch, Valencia, 2010, p. 260.

233 BACIGALUPO ZAPATER, E., *Insolvencia y delito en el Proyecto de Reformas del Código Penal de 2013*, Diario La Ley, 8303, 2014, p. 6.

234 SÁNCHEZ DAFAUCE, M., en F. J. Á. GARCÍA; J. D. GÓMEZ-ALLER, *Estudio Crítico Sobre el Anteproyecto de Reforma Penal de 2012*, Tirant lo Blanch, 2013, p. 755 y ss.

235 QUINTERO OLIVARES, G. (DIR.); MORALES PRATS, F. (COORD.), Comentarios a…, cit., p. 724.

línea, se ha venido entendiendo que el tipo penal exige que la causación o agravación de la situación de insolvencia sea fruto de una conducta dolosa, y no meramente negligente o imprudente, en tanto que debe haber conciencia y voluntad dirigidas no solo al acto generador de la insolvencia, sino también al perjuicio que esta situación supone para los acreedores. Este elemento se puede considerar el más diferenciador del delito de insolvencia punible con respecto a la prisión por deudas[236].

Existía un grupo de autores[237] que apoyados en el tenor literal del antiguo artículo 260 CP exigían un dolo reforzado que excluía la posibilidad de considerar el dolo eventual o la imprudencia como configuradores del elemento subjetivo del tipo, lo cual tuvo su refuerzo en algunas de las sentencias que ya hemos citado y también en la STS 1465/2025, de 20 de marzo, el Tribunal Supremo mantiene una interpretación restrictiva del elemento subjetivo del delito de insolvencia punible, afirmando que la finalidad de perjudicar a los acreedores no puede presumirse sin más de la existencia de deudas ni de una determinada organización patrimonial. Así, para que el tipo penal se configure correctamente, resulta indispensable que el sujeto actúe con una voluntad inequívoca de frustrar el legítimo derecho de los acreedores a la satisfacción de sus créditos, lo que excluye aquellas conductas en las que el deudor, aun generando deudas, conserva bienes suficientes para responder a ellas, o desarrolla decisiones empresariales en el marco de una gestión orientada al sostenimiento de la actividad. En definitiva, el tipo requiere una intención deliberada y directa de perjudicar el interés del acreedor, no bastando con una simple insolvencia de hecho ni con la adopción de medidas que, aunque discutibles desde una perspectiva económico-financiera, carezcan de esa concreta voluntad defraudatoria.

---

236 STS 756/2014, de 28 de octubre.

237 Por todos, vid. RODRÍGUEZ MOURULLO, G., *Acerca de las insolvencias punibles*, en Dogmática y ley penal: libro homenaje a Enrique Bacigalupo, Vol. 2, 2004, pp. 1153-1174, Marcial Pons, 2004, p. 1156.

BAJO FERNÁNDEZ entendía también que en la anterior redacción (art. 260 CP de 1995) se exigía el ánimo de perjudicar a los acreedores, aunque dicha intención sólo apareciese recogida en el artículo 890 del Código de Comercio[238]. Esta postura coincide, como acabamos de señalar, con parte de nuestra jurisprudencia anterior a la reforma de 2015, que ha exigido probar suficientemente esa intención, sin que bastase deducirla de las presunciones legales, que sí podían servir como indicio[239].

No faltan autores ni jurisprudencia en el sentido contrario de entender que tal requisito no es exigible y que basta la apreciación del dolo en la realización de la conducta para castigarla[240]. Esto es, basta que el autor desee causar la situación de insolvencia mediante determinadas conductas de bancarrota e infringiendo los deberes de una ordenada gestión, en la idea de que el elemento del perjuicio a los acreedores quedaría absorbida en el dolo típico[241], si bien podrá ser considerado como un elemento de graduación de la pena tal y como recoge el artículo 259 bis, recogiendo con más detalle lo que ya se hacía constar en el apartado segundo del anterior artículo 260 CP. Para la mejor protección del patrimonio del o los acreedores, y la consideración

---

238 BAJO FERNÁNDEZ, M., *Manual de derecho penal. Parte especial, delitos patrimoniales y económico*, Centro de Estudios Ramón Areces, Madrid, 1993, pp. 196 y ss.

239 STS de 6 de junio de 2006 en su FJ QUINTO: "… exige que la insolvencia o su agravación hayan sido causadas dolosamente por el autor; este elemento subjetivo del tipo penal es precisamente el elemento caracterizador del tipo penal destinado a impedir una tipicidad basada en la prisión por deudas"

240 Es suficiente la voluntariedad de la conducta causante de la insolvencia, pues nadie quiere intencionadamente su propia ruina A. OCAÑA RODRÍGUEZ, *El delito de insolvencia punible* del art. 260 CP a la luz del nuevo derecho concursal: aspectos penales y civiles, Tirant lo Blanch, Valencia, 2005, p. 83 y ss.; C. MARTÍNEZ-BUJÁN, *Derecho penal económico y de la empresa.* Parte especial, 4a, Tirant lo Blanch, Valencia, 2013, p. 119; A. NIETO MARTÍN, *El delito de quiebra*, Tirant lo Blanch, Valencia, 2000, p. 180.

241 MARTÍNEZ BUJÁN, C., *Derecho penal económico y de la empresa.* Parte especial, cit., p. 118.

del alcance del daño para graduar la pena[242]. Como ha señalado Martínez-Buján Pérez, la inclusión del perjuicio a los acreedores en el art. 259 bis CP cumple una función de agravación punitiva en atención al daño causado, reforzando así el principio de proporcionalidad[243].

IV. EL DOLO EN LA INSOLVENCIA PUNIBLE DEL ARTÍCULO 259 CP

La redacción anterior a la reforma de 2015 sólo contemplaba la modalidad dolosa[244] sancionando el "causar o agravar dolosamente la situación de crisis económica o la insolvencia".

La tradicional discusión relativa al contenido del dolo y si es el conocimiento o la voluntad su elemento característico, lleva a considerar en concreto el problema de los límites entre el dolo eventual y la imprudencia consciente[245]. Culpa y dolo han sido tratados por las diferentes teorías del derecho entre las cuales destacamos, por ejemplo, la del Causalismo clásico, el que se integra de vertientes que

---

242 SUÁREZ GONZÁLEZ, C. J., *Comentarios al Código Penal, Madrid,* 1997, pp. 220 y ss.

243 En la legislación concursal ya se ha afrontado la reforma de la calificación del concurso en diversas ocasiones. Si acudimos, por ejemplo, a la regulación vigente contenida en los artículos 443 y siguientes del Texto Refundido de la Ley Concursal (TRLC), aprobado por Real Decreto Legislativo 1/2020 y reformado por la Ley 16/2022, observamos que se clarifican las dudas existentes sobre el tratamiento en la Sección de Calificación en torno al término "clase", respecto a propuestas de convenio no gravosas. De este modo, la formación de la sección sexta se ordenará para depurar las responsabilidades derivadas de la situación de insolvencia en la misma resolución judicial por la que se apruebe el convenio, el plan de liquidación o se ordene la liquidación, salvo que se apruebe un convenio en los términos previstos.

244 Algunos autores proponían la punición de la imprudencia como cuestión de «lege ferenda», así A. MONGE FERNÁNDEZ, *El delito concursal punible*, cit., p. 260.

245 NIETO MARTÍN, A., *El delito de quiebra*, Tirant lo Blanch, Valencia, 2000, p. 180.

pueden ser naturalistas o valorativas. Bajo el orden de pensamiento de estas corrientes, la estructura del delito se integra con un elemento volitivo que puede ser de naturaleza culposa o dolosa. Según el Causalismo, los delitos de tipo culposo y doloso verán afectada su "intensidad" o grado de acuerdo con una relación causal[246]. El elemento subjetivo en los delitos de carácter doloso se integrará (dentro de la Teoría del Delito) por un elemento de carácter intelectual, previsor, o cognoscitivo, sumado a un elemento volitivo[247].

Un sector de la doctrina, representado por FEIJOO, sostuvo que el dolo descrito en el tipo del antiguo artículo 260 CP no debía interpretarse como "dolo penal", sino que debía entenderse equivalente a "insolvencias culpables derivados de disminuciones patrimoniales indebidas o déficits de informaciones debidas" que impiden conocer la verdadera situación del deudor[248].

Quizá la reforma de más calado en el concurso o insolvencia punible tiene que ver con el requisito objetivo de perseguibilidad, pues con la redacción anterior la jurisdicción penal no podía intervenir hasta que el sujeto pasivo se declarase en concurso, más concretamente hasta que el auto de admisión del concurso fuese dictado por el juez de lo mercantil; pues bien con la reforma se suprime este requisito de perseguibilidad y se crea la noción de delito ante hechos reveladores previos a la declaración de concurso cuando en una situación previa al concurso el sujeto pasivo realice alguna de las conductas de bancarrota[249], así entonces, estará cometiendo el tipo objetivo que enumera el art. 259; de esta forma el legislador de

---

246 ZAFFARONI, E.R., *Derecho Penal, Parte General*, Editorial EDIAR, Año 2002, p. 526. Este esquema de pensamiento también se utiliza en el Derecho Civil. Las teorías causalistas y la relación causal son necesarias para la estructura de la conducta antijurídica.

247 VALLEJO JIMÉNEZ, G.A., *Aproximación al concepto de imprudencia*, Nuevo derecho, vol. 5, 6, 2010.

248 FEIJOO SÁNCHEZ, B.J., *Crisis económica y concursos punibles*, Diario La Ley, 7178, 2009, p. 24.

249 PAJARDI, PIERO. *Derecho Concursal*. Ed. Abaco. 1991. t. I, Buenos Aires, p. 111.

la reforma desincentiva a que los empresarios en dificultades económicas soliciten el concurso voluntario yendo en contra del espíritu de la propia Ley Concursal que pretende conservar la actividad profesional del concursado. Todo ello sin que en ningún caso esté justificado de la óptica del derecho penal semejante ampliación del tipo penal.

De esta forma la noción de delito por hecho reveladores previos queda configurado como un delito de mera actividad que va a ser castigado tanto en la modalidad dolosa como en su modalidad imprudente. Ahora bien, la cuestión del dolo resulta un elemento de cierta importancia y de necesario estudio, debido a ciertas cuestiones que ya hemos mencionado respecto a esta cuestión y a la de la imprudencia como integrantes del delito en sí mismo.

La acción del deudor en fraude de sus acreedores es el núcleo típico del delito, que bien podrá apreciarse en el hecho de causar o agravar la situación de crisis económica de la mercantil concursada[250]. Atento a las complicaciones que se dieron con la redacción anterior del art. 260, en cuanto a la inseguridad jurídica causada por la falta concreta de definición de cómo o cuáles deben de ser considerados hechos de insolvencia, el legislador penal ofrece un elenco de hechos tasado, pero sigue sin determinar qué clase de dolo es el que se exige en el artículo 259 CP, ni si se da un especial elemento subjetivo de lo injusto.

La discusión sobre el tipo de dolo directo o eventual ha sido amplia en la jurisprudencia anterior a la reforma de 2015[251], que casi siempre exigía dolo eventual y muy poco

---

250 SAP Vizcaya, 26 de julio de 2004.

251 No es suficiente el conocimiento y la aceptación —o la indiferencia— respecto de la posibilidad de que determinadas actividades puedan conducir a dificultades económicas que acaben en una ruina económica (insolvencia), sino que es necesario que se dirija de modo consciente a la insolvencia, con un posterior perjuicio a los acreedores por la imposibilidad de satisfacción de sus créditos. Una arriesgada gestión o una decisión apoyada en un cálculo financiero erróneo, por muy elemental que éste sea, no son suficientes para configurar los elementos del tipo objetivo. Se exige en ocasiones

dolo directo como "propósito reflexivamente formado de ocasionar el resultado descrito en la norma, que consiste en perjudicar a los acreedores, porque lo buscado es, en exclusiva, el propio beneficio del que gestiona"[252]. Las figuras recogidas bajo los apartados 1 y 2 del artículo 259 CP son dolosas y, como sucedía con el antiguo artículo 260 CP, no hay inconveniente en admitir el dolo eventual[253].

El art. 259 ofrece tal enumeración de conductas, y la misma se inspira en legislación comparada como la francesa (Rivera, 2003 t. I p. 59)[254], la italiana[255] o la alemana[256]. Aun así, la reforma del Código Penal, en la exposi-

---

por la jurisprudencia, la presencia de dolo directo, una voluntad dirigida a perjudicar a los acreedores, un "engaño" cercano al de la estafa, una "mala fe" como actitud engañosa tras el nacimiento de las obligaciones en la que una consciente disminución del patrimonio buscará eludir los pagos comprometidos. Bastaría acreditar, eso sí, la conciencia de peligro de la acción en el autor, para apreciar el dolo, sin que sea necesario una exacta representación del resultado.

252 STS 15 de marzo de 2002: "en efecto la insolvencia dice la ley penal, debe haber sido causada o agravada dolosamente (...) sólo cabe admitir los casos de dolo directo, pues sólo estos son los que exteriorizan una voluntad dirigida a perjudicar". Más recientes las SSTS de 12 de enero y 24 de junio de 2015.

253 Vid. por todos P. FARALDO CABANA, *Los delitos societarios: aspectos dogmáticos y jurisprudenciales*, Tirant lo Blanch, Valencia, 2000, p. 296; J. L. GONZÁLEZ CUSSAC, Los delitos de quiebra, Tirant lo Blanch, Valencia, 2000, p. 220.

254 MARTÍNEZ BUJÁN, C., *Derecho penal económico y de la empresa.* Parte especial, cit., p. 127.El sistema concursal francés que mantiene todas estas figuras en el Code de Commerce de 2000, se basa principalmente en la prevención de la crisis de la empresa en insolvencia, permitiendo la continuidad de la empresa a fin de mantener su actividad y el empleo con el único fin de cancelar el pasivo —*la prevention et du reglement amiable des difficultes des entreprises*—. Ver Rivera, Julio C. Instituciones de Derecho Concursal Rubinzal Culzoni 2º ed. 2003 t. I p. 59.

255 Sigue vigente aun en la actualidad en Italia la Legge Fallimentare de 1942 basada en la insolvencia de la empresa e innova con la incorporación al sistema concursal italiano (quiebra y concurso preventivo) de la administración controlada y la liquidación forzosa administrativa.

256 En 1994, se sancionó la Ordenanza de la Insolvenzordnung la cual entraría en vigor a partir del 1º de enero 1999, introduciendo un

ción de motivos de su proyecto, ya iniciaba una propuesta y lo volcaba en la misma[257]. Asimismo, no consideraba ninguna cuestión respecto al tipo subjetivo de ambos delitos tipificados nacientes. Ante ello, la doctrina y quien escribe, avanzan en consideraciones que se acercan a las figuras descriptas, pero desde el punto de vista del dolo directo[258].

Como primera aproximación, debemos valorar el listado de situaciones que se han de considerar para la comisión del delito, para ello, diremos que los hechos de insolvencia descritos en la norma pueden ser clasificados de la siguiente manera:

1) Actos que resultan contrarios a todo deber de diligencia:

    - Por cualquier medio de gestión no diligente, disminuir el valor de los elementos patrimoniales que deban formar parte de la masa del concurso.

---

sistema unitario para la crisis económica de la empresa, es decir un mismo procedimiento para la liquidación y la prevención. No necesariamente el proceso de insolvencia recae sobre una persona sino que puede desarrollarse solamente sobre el patrimonio *in malis*. Existe un equilibrio entre los poderes del juez y la participación de los acreedores, entre ambos, en diferentes momentos, deciden la suerte del procedimiento. Importante es la incorporación que se hace del "plan de insolvencia" que debe contener una especial reglamentación del sistema de continuación de la empresa a los fines de solventar la crisis. La ley alemana vigente resultó ser un adelanto muy importante en la legislación concursal internacional, con un sistema muy moderno, seguido ahora por otras legislaciones contemporáneas.

257 La exposición del proyecto de 2006 exponía que debía existir un «Sistema que sólo es relativamente nuevo —pues recuerda en parte a las derogadas indicaciones de fraudulencia del Código de Comercio— en cuya virtud el delito de concurso punible emerge por la realización antes del concurso de una serie de conductas que no se vinculan a la insolvencia a modo de causas de ésta, lo que sería muchas veces difícil por la posible acumulación de factores, sino que ponen de manifiesto una administración conscientemente desordenada».

258 SANCINETTI, *Teoría del delito y disvalor de la acción*, Buenos Aires, 1991, pp. 97-102.

- Participar de forma no diligente en negocios especulativos, sin que ello tenga justificación económica.
- Simular créditos con terceros o reconocer créditos ficticios.

De esta clasificación se observa que la conducta típica se caracteriza por la falta de diligencia en el actuar. Pero ¿esta falta de diligencia debemos considerarla como "negligencia" (imprudencia) o como un marcado dolo?[259] Desde nuestro punto de vista, debemos considerarlo como dolo y de características directas.

2) Actos que carecen de justificación económica alguna:

   - Realizar actos de disposición patrimonial que no guarden proporción con la situación patrimonial del deudor o sus ingresos, y carezcan de justificación económica o empresarial.
   - Vender o prestar servicios a pérdida, sin justificación económica.

En esta clasificación, podemos observar que la nota distintiva la da la falta de lógica económica de los actos, alejándose de la teoría del riesgo propia de la actividad mercantil y reservándose a actos que, para el legislador penal, denotan un actuar netamente doloso. Los riesgos inherentes a una política de empresa dirigida al beneficio, si bien generan inevitables peligros para la garantía de los

---

259 La exposición del proyecto de 2006 exponía que debía existir un «Sistema que sólo es relativamente nuevo —pues recuerda en parte a las derogadas indicaciones de fraudulencia del Código de Comercio— en cuya virtud el delito de concurso punible emerge por la realización antes del concurso de una serie de conductas que no se vinculan a la insolvencia a modo de causas de ésta, lo que sería muchas veces difícil por la posible acumulación de factores, sino que ponen de manifiesto una administración conscientemente desordenada».

acreedores, no pueden constituir por sí solos el objeto de reproche penal[260].

No bastaría haber realizado "operaciones económicas de riesgo", sino que lo requerido es que el perjuicio pueda asociarse al concreto modo de operar la empresa en el sector en que se desarrolle su actividad[261].

3) Actos en claro incumplimiento a las obligaciones mercantiles[262]:

No llevar la contabilidad, llevar doble contabilidad, llevar la contabilidad de forma tan irregular que no sea posible comprender la verdadera situación financiera del deudor (incluida la destrucción o alteración de los libros contables).

- Realizar las mismas conductas respecto de la documentación que el empresario está obligado a conservar.
- Formular las cuentas anuales o los libros contables de modo contrario a la normativa reguladora, de forma que se dificulte o imposibilite la comprensión de su situación económica, u omita el deber de formular el balance o el inventario dentro de plazo.

El incumplimiento de los deberes mercantiles se traduce en un obstáculo para el conocimiento de la verdad

---

260 CANESTRARI, S., "*«Riesgo empresarial» e imputación subjetiva en el derecho penal concursal*", en Temas de derecho penal económico, 2004, pp. 67-82, Trotta, 2004, p. 80, fecha de consulta 28 marzo 2017.

261 STS de 13 de abril de 2005: "… dolo directo, entendido como el propósito reflexivamente formado de ocasionar el resultado descrito en la norma, que consiste en perjudicar a los acreedores, porque lo buscado es, en exclusiva, el propio beneficio del que gestiona".

262 Estas conductas figuraban en el antiguo Código Penal de 1973 por remisión directa de sus artículos 520 a 522 al entonces vigente Código de Comercio. Se trata de conductas que ligan con el concurso culpable, según la definición actualmente recogida en el Texto Refundido de la Ley Concursal (arts. 441 y ss. TRLC), donde se precisan las conductas que pueden justificar tal calificación.

económica del quebrado o insolvente[263]. Por tal motivo, la cláusula 9ª "de cierre" actúa como un incentivo de los buenos usos y costumbres, que parece casi referido a la moral, pero aplicado al derecho comercial, y que se integra con el derecho penal a los efectos de la tipicidad de las figuras penales de índole económica.

Por tanto, la determinación de dolo eventual se convierte en una averiguación particularizada sobre cuáles son los riesgos razonablemente inadmisibles en una determinada actividad económica. De este modo, serán meros indicios de la culpabilidad del deudor las presunciones legales sobre culpabilidad del concurso recogidas en los arts. 442 y ss. del Real Decreto Legislativo 1/2020, de 5 de mayo, por el que se aprueba el texto refundido de la Ley Concursal (TRLC); y el nivel de endeudamiento, el costo del crédito, las posibilidades de expansión o contracción del mercado, las perspectivas de crecimiento de la demanda, la innovación tecnológica, así como otras muchas variables se volverán absolutamente necesarias en la ponderación global que realiza el juzgador para valorar, desde la concreta posición del deudor, si el riesgo asumido era el racionalmente adecuado o se tornaba excesivo para las condiciones normales del mercado[264].

El deber de diligencia también sigue esa línea de pensamiento, al erigirse como un concepto amplio, de naturaleza principal, como el de buena fe, por ejemplo, y debe ser tomado como una idea que pueda completar vacíos en la ley y pueda ser enlazada con otros conceptos del ordenamiento jurídico[265] Asimismo, se enlaza necesariamente con el concepto de imprudencia dentro del derecho penal,

---

263 MUÑOZ CONDE, F. y MOYA AMAYA, E.I.: *Alzamiento de Bienes*, 1995, p. 434.

264 CABALLERO BRUN, F., *Insolvencia punibles*, cit., p. 389.

265 La fiscalización del deber de diligencia del empresario por la jurisdicción penal, a través de la proyectada criminalización del incumplimiento de obligaciones mercantiles, puede llegar a quebrar principios básicos del ordenamiento penal como son el principio de ultima ratio y el principio de proporcionalidad.

ya que "el tipo penal en el delito imprudente, del mismo modo que en el delito doloso, tiene su fundamento en un bien jurídico que determina su contenido y límites, comprende una situación, esto es, un proceso de vinculación entre personas dentro de un conjunto de circunstancias fácticas y personales que configuran un ámbito social desvalorativo. Por eso, al igual que en el delito doloso, también en el tipo penal culposo es posible encontrar en su estructura típica elementos objetivos y subjetivos, un sujeto activo, un comportamiento desvalorativo, un objeto materia y modos de comisión"[266], y se asocia claramente con el concepto, por qué no, de dolo eventual, el cual resulta ser la forma más difusa de dolo[267].

Entendemos el dolo eventual como aquel del que no tiene la intención última de llevar adelante un plan de acción que lo lleve a configurar una conducta típica, pero que, reconociendo la posibilidad de un resultado dañoso en su obrar, aún así continúa adelante con ello, perfeccionando así este tipo de dolo al perpetrarse el delito[268]. Desde una perspectiva de Política Criminal se puede admitir el dolo eventual en las modalidades dolosas de los apartados 1 y 2 del artículo 259 CP (ya se admitía por algunos autores en relación con el derogado artículo 260 CP, como hemos explicado); pero desde luego unir una redacción tan abierta como la dada por el legislador a este tipo, a la posibilidad de apreciar su comisión con dolo eventual y por imprudencia (art. 259.3), representa una expansión llamativa del ámbito de punición.

Esta ampliación de conductas objetivables en el tipo penal nos lleva a que el concepto de dolo se aborde específicamente en estos supuestos. Ha sido estudiado por la

---

266 BUSTOS RAMÍREZ, J., en *Lecciones de Derecho Penal*, Vol. II, Editorial Trotta, Madrid, año 1999, p. 171.

267 GARIBALDI-PITLEVNIK, *Delimitación del Dolo y la Culpa en el Ilícito Penal*, Ad-Hoc, 2002, p. 53.

268 BATTAGLIA, A. *Algunos Aportes Sobre el Dolo Eventual*, ED Año 2000, Tº 187, p. 1181.

doctrina y la jurisprudencia la conceptualización del dolo, para así tratar de fijar cuál es el elemento subjetivo que requieren estas conductas. Para ello, resumiremos fundamentalmente dos grandes métodos[269]:

El primero engloba a un grupo de autores y jueces, que parten del principio "apriorístico" de que sólo la realización voluntaria o intencionada del tipo merece las penas previstas para los delitos dolosos y, consecuentemente, trata de buscar dicho elemento en todos aquellos casos donde exista pena de dolo. Tradicionalmente se ha denominado a este punto de vista como la teoría de la voluntad.

El segundo no posee definiciones apriorísticas y se analiza simplemente cuáles o qué tipo de hechos se consideran merecedores de las penas previstas, buscando después denominadores comunes entre todos ellos que permitan construir una definición generalmente válida. Ello lleva a una visión objetiva tendente a estandarizar al dolo dentro de los elementos fácticos o redacciones típicas de las conductas.

Sólo el segundo método lleva a entender satisfactoriamente el dolo con relación a los delitos tipificados pues existe una gran dificultad en la prueba del elemento subjetivo (volitivo) del dolo. Por tanto, mayor es la seguridad jurídica si a partir de conductas objetivas realizadas por el autor se puede inferir necesariamente la actuación dolosa[270].

---

269 Para una perspectiva de los autores partidarios de este planteamiento cfr. RAGUÉS I VALLÈS, El dolo…, op. cit., pp. 60-71, 88-97 y 103-105. La discusión entre los partidarios de estos dos puntos de vista a menudo se ha contemplado como un debate circunscrito a la figura del dolo eventual. Sin embargo, dado que el dolo eventual marca la "frontera inferior" del concepto de dolo, en realidad esta discusión afecta a la globalidad de este concepto. En este sentido, FRISCH, Vorsatz und Risiko, Colonia, 1983, pp. 496 ss.

270 Históricamente, estos planteamientos son herederos de la denominada "teoría del consentimiento" creada en Alemania en el siglo XIX y defendida por autores como Robert von Hippel, que la complementaban con la denominada "fórmula de Frank", según la cual un sujeto consentía en la producción del resultado cuando podía

En la práctica estos requisitos "pseudovolitivos", como son el "aceptar", "conformarse" o "resignarse", llevan a la presunción, casi con grado de certeza, de que el sujeto pudo hacerse una imagen y entender que su conducta iba a ser configurada como delictiva, y aún así, no detuvo su actitud, continuó en la misma y consumó el tipo penal. Es decir, en palabras de ZAFFARONNI "...hay una mera posibilidad de conocimiento (un conocimiento potencial), no requiriéndose un conocimiento efectivo, como sucede en el caso del dolo..."[271]. Esta deducción automática del elemento pretendidamente volitivo a partir de la "actuación pese al conocimiento" plantea serias dudas sobre la necesidad conceptual de tal requisito, que, definido en estos términos, carece de un contenido propio que justifique su existencia[272].

La idea del dolo como voluntad se erige como opción en los delitos de resultado. La afirmación de que para el dolo basta con el conocimiento ha sido, precisamente, la conclusión de la mayoría de los partidarios del segundo método (HASSEMER, 1989, pp. 289-309)[273]. Incluso en-

---

afirmarse que habría actuado igualmente de haber sabido con seguridad que dicho resultado se iba a producir. Esta teoría —durante muchas décadas mayoritaria tanto en Alemania como en España— entra en crisis a partir de la década de 1950 con la sentencia del BGH alemán (BGHSt, vol. 7, p. 363 ss) sobre el denominado "caso de cinturón" (Lederriemenfall), aunque es posible todavía encontrarla en algunas resoluciones dictadas por el Tribunal Supremo español en la década de 1980.

271 ZAFFARONI, E.R., en *Tratado de Derecho Penal. Parte General* T. III, p. 408.

272 De entre las numerosas críticas que recibe este punto de vista merece la pena citar, aunque sólo sea por su plasticidad, las formuladas por HERZBERG, Rolf Dietrich, las cuales pueden encontrarse en reseñadas en "Reflexiones Sobre La Teoría Final De La Acción", Revista Electrónica de Ciencia Penal y Criminología, RECPC 10-01 (2008); http://criminet.ugr.es/recpc.

273 Algún autor como ENGISCH, en su *Untersuchungen über Vorsatz und Fahrlässigkeit*, Berlín, 1930 (reimp. 1995, las cuales pueden encontrarse en reseñadas en "Reflexiones Sobre La Teoría Final De La Acción", Revista Electrónica de Ciencia Penal y Criminología, RECPC 10-01 (2008) ¬ http://criminet.ugr.es/recpc), pese a emplear este

tiende ZAFFARONNI que esta teoría tiene aplicación para los tipos de carácter imprudente a la hora de entender lo que en Argentina se entiende como "delito culposo", al afirmar: "...tampoco es cierto que en los tipos culposos no sea relevante la finalidad, porque si bien no se individualiza la conducta por la finalidad, es necesario conocer ésta para poder determinar la tipicidad imprudente...la finalidad es indispensable para averiguar cuál era el deber de cuidado que incumbía al agente, porque no hay un cuidado debido único para todas las acciones..."[274]. Por tal razón suele hacerse referencia a ellos con la denominación de teorías del conocimiento o de la representación.

Según los autores reseñados, para afirmar que se ha obrado dolosamente bastaría, entonces con acreditar que el sujeto activo pudo representarse la concurrencia en su conducta de los elementos objetivos exigidos por el tipo. Por ello, en los delitos de resultado, esta exigencia se concreta en que el sujeto haya obrado con conocimiento del riesgo concreto de producción del resultado[275]. Con ello se

---

método llega a conclusiones distintas, como la afirmación de que para el dolo es necesaria, cuando menos, indiferencia. Sin embargo, su planteamiento no se ha impuesto. Aparentemente también emplean este método los autores que definen el dolo como "decisión contra el bien jurídico" o "asunción de los elementos constitutivos del injusto" (así, Hassemer o Schroth, respectivamente). Sin embargo, en el desarrollo de este planteamiento se constata un cierto apriorismo cuando se afirma que, para que concurra tal decisión o asunción, es imprescindible la presencia de algún elemento volitivo o pseudovolitivo. Algo similar sucede en España con la partidaria de esta perspectiva, DÍAZ PITA, El dolo eventual, Tirant lo Blanch, Valencia, 1994, p. 321. Una crítica al planteamiento de Schroth en SCHÜNEMANN, Hirsch-FS, pp. 368-369.

274 ZAFFARONI, E.R.-ALAGIA, A.-SLOKAR, A., *Derecho Penal, Parte General*, Editorial EDIAR, Año 2002, p. 526.

275 En España se defiende, entre otros, por BACIGALUPO, *Principios de Derecho penal*, 5.ª ed., Madrid, 1998, p. 225; SILVA SÁNCHEZ, Aproximación, p. 401 ss; GIMBERNAT ORDEIG, "*Acerca del dolo eventual*", en ID., Estudios de Derecho penal, 3.ª ed., Madrid, 1990, p. 259; LAURENZO COPELLO, Dolo y conocimiento, dolo", CPC, 65 (1998), pp. 269 ss. En Argentina cabe citar a SANCINETTI, Teoría del delito y disvalor de la acción, Buenos Aires, 1991, pp. 201-202,

consigue un concepto válido tanto para delitos de resultado como para delitos de mera actividad y es posible trazar una delimitación entre dolo e imprudencia que se corresponde con el merecimiento de pena propio de estas formas de imputación subjetiva sin por ello tener que recurrir a datos psíquicos de dudosa existencia práctica[276]. Por todas estas razones, la definición del dolo como conocimiento de la realización típica se ha impuesto en la práctica del Derecho penal y ello pese a que una parte importante de la doctrina y, sobre todo, la jurisprudencia se resista a abandonar la terminología propia de la teoría de la voluntad[277].

En la inmensa mayoría de ocasiones, quienes se declaran partidarios del dolo como intención acaban resolviendo los casos aplicando un dolo definido como conocimiento, de

---

entre los partidarios del dolo como conocimiento.Tirant lo Blanch, Valencia, 1999, p. 245; y FEIJÓO SÁNCHEZ, "*La distinción entre dolo e imprudencia en los delitos de resultado lesivo. Sobre la normativización del dolo*", CPC, 65 (1998), pp. 269 ss. En Argentina cabe citar a SANCINETTI, Teoría del delito y disvalor de la acción, Buenos Aires, 1991, pp. 201-202, entre los partidarios del dolo como conocimiento.

276 En la doctrina actual pretende ir más allá JAKOBS, *Über die Behandlung von Wollensfehlern und von Wissensfehlern,* ZStW, 101 (1989), pp. 530-531 [trad. C.J. Suárez, "Sobre el tratamiento de los defectos volitivos y de los defectos cognitivos" en JAKOBS, Estudios de Derecho penal, Civitas, Madrid, 1997, pp. 128-146], quien considera que ciertos desconocimientos (provocados o debidos a la indiferencia del sujeto) merecen el mismo tratamiento que casos de dolo. Este punto de vista, próximo a la figura anglosajona de la "willful blindness", se acoge en alguna sentencia del Tribunal Supremo, como la STS de 16 de octubre de 2000 (ponente Giménez García), en la que se afirma que, "quien se pone en situación de ignorancia deliberada, sin querer saber aquello que puede y debe saberse, y sin embargo se beneficia de la situación —iba a cobrar un millón de ptas.— está asumiendo y aceptando todas las consecuencias del ilícito negocio en el que voluntariamente participa". El mismo razonamiento se plantea en la STS de 10 de enero de 2000 (ponente Giménez García).

277 Esta idea ya se expresaba en la STS de 23 de abril de 1992 (ponente Bacigalupo Zapater), en la que se reconocía que, bajo los "ropajes" terminológicos de la teoría del consentimiento, las decisiones de este Tribunal se hallaban cada vez más próximas a los postulados de la teoría de la probabilidad, que es una de las variantes más extendidas de la teoría de la representación.

tal modo que, aunque en la doctrina parecen defenderse dos conceptos distintos, en realidad las discrepancias tienen sólo una naturaleza terminológica. Por consiguiente, la idea de dolo como conocimiento de los elementos del tipo objetivo es el enfoque que debe considerarse en el caso de la insolvencia punible.

Claramente, es necesaria la comisión dolosa de este tipo delictivo, y resulta indudable por la propia exigencia del tipo de injusto, "quien, encontrándose en una situación de insolvencia actual o inminente, realice alguna de las siguientes conductas"[278]. No cabe, a nuestro entender, en la primer parte del articulado (art. 259. 1 y su enumeración) la punición imprudente, por lo que cuando la insolvencia[279] se alcance por conducta meramente negligente, no será merecedora de sanción penal, a menos que obedezca a un total desprecio y descuido de las normas de prudencia y diligencia empresarial, lo que nos situaría ante supuestos, quizás, de dolo eventual y, por tanto, reprochables; o en palabras del propio Tribunal Supremo en sentencia de la Sala 2ª, de 12 de febrero de 1997, "el dolo se debe apreciar cuando el autor, al menos, sabe que la realización del tipo por su acción no es improbable".

Es por tanto, necesaria la acreditación de que a tal estado de insolvencia se hubiere llegado a partir de una actividad maliciosa del autor y que se encuadre en la serie

---

278 La STS, Sala 2ª, de 17 de mayo de 1997, que de acuerdo a la vieja redacción del CP, aclara: "Que ese requisito subjetivo del dolo se infiere con total claridad del dato objetivo de que, sin razón justificativa de clase alguna, se descapitalice la sociedad quebrada empleando para ello el mecanismo de constituir una nueva a la que se transfirieron todos los elementos existentes y propiedad de aquéllas, tanto humanos como mecánicos, e incluso de clientela, con la simple sustitución del nombre comercial y el traslado del domicilio social".

279 Según el Texto Refundido de la Ley Concursal (RDL 1/2020), se considera que el deudor se encuentra en estado de insolvencia cuando no puede cumplir regular y puntualmente sus obligaciones exigibles (art. 2.3). Asimismo, se entiende que concurre insolvencia inminente cuando el deudor prevea que no podrá cumplir regular y puntualmente sus obligaciones que vayan a vencer (art. 2.4).

de hecho reveladores de insolvencia a los que se refiere el primer punto del art. 259[280], u otros encaminados a situar a la mercantil en tal estado (Art. 259.1 apartado 9º) o bien, a agravar tal situación en perjuicio de los acreedores (259.2 CP)[281].

---

280 En el mismo orden de ideas la SAP de BARCELONA, Sección 7ª, de 9 de febrero de 2000 para referirnos a este punto: "Tal atendimiento selectivo de deudas sociales no son suficientes para atribuir al acusado un ánimo especial de producir o agravar la situación de insolvencia en que ya venía encontrándose desde fechas anteriores a la instancia de la quiebra formal. Tampoco podemos inferir este propósito específico del hecho constatado de que el acusado no hubiese instado tal declaración Judicial dentro de los plazos dispuestos por la Ley procesal a tales fines, desde el conocimiento de la situación real de insolvencia, pues, tan sólo elemento temporal no viene en absoluto a provocar, ni tampoco a agravar (…). La única actividad en la que podría residenciarse un propósito real de perjudicar la insolvencia vendría determinada por la inclusión de partidas, tanto en el activo como en el pasivo social, que no se corresponden con la realidad".

281 Asimismo, la STS, Sala 2ª, de 15 de diciembre de 1997 se refiere agregando que, tras un reconocimiento de deuda y su garantía real mediante constitución de hipoteca, declara: "Las actuaciones realizadas en la póliza a favor de Bodegas R.A., SA y su cobertura hipotecaria e inmobiliaria sin justificación a deudas anteriores y con ausencia de asientos contables al respecto, agravaron intencional, maliciosa y voluntariamente la crisis económica de la empresa". SAP de Barcelona de 6 de julio de 2000. Aunque en el proceso civil se calificó la quiebra como fraudulenta, sin embargo, absuelve al acusado sobre la base de la ausencia de prueba acreditativa de que la efectiva disminución del activo patrimonial de la empresa del imputado, se debiera a una fraudulenta liquidación del activo de la empresa; en definitiva, no se han probado actos de disposición fraudulentos tendentes a la descapitalización de la empresa.

Capítulo IV

Autoría y participación

Los delitos de fraude en la generación o la tramitación de los procedimientos judiciales concursales son delitos especiales, de los que sólo pueden ser autores ejecutivos quienes sean objeto de un expediente judicial concursal o, en el caso de que la afectada sea una persona jurídica, sus administradores de hecho o de derecho, en los términos establecidos en el art. 31 del Código[282]. Si bien estos delitos admiten a pesar de su especialidad, como sucede en el alzamiento de bienes, la participación de *extraneïi*, que sin ser autores, realizan actos de cooperación necesaria o complicidad con el autor ejecutivo, en los términos de los arts. 28 y 29 del mismo texto legal[283].

El delito concursal, recogido en el 259 CP, exige que el autor de la situación o agravación de la insolvencia sea el deudor de una relación obligacional previa, lo que podría equipararse al alzamiento de bienes, pero en el caso del concurso ha de hablarse del "deudor común".

Como es sabido, el derecho concursal es un procedimiento mercantil-civil que ha sufrido amplias reformas tras la aprobación de la ya derogada Ley Concursal 22/2003, sustituida actualmente por el Texto Refundido de la Ley Concursal aprobado por Real Decreto Legislativo 1/2020, de 5 de mayo. Con carácter previo a esta norma, el procedimiento concursal recogido en el Código Civil, la Ley de Suspensión de Pagos y el Código de Comercio diferenciaba la quiebra, la suspensión de pagos, el concurso de acreedores y la quita y espera. A pesar de su larga vigencia de más de un siglo —seguían vigentes disposiciones de 1829—, el

---

282 LAMARCA PÉREZ, C., *Manual de derecho penal: parte especial*, Colex Editorial, Madrid, 2001, p. 316.

283 Ibid.

sistema era criticado por atomizado, disperso y obsoleto[284], por lo que se aprobó el nuevo régimen concursal en 2003, sin que la reforma supusiese una ruptura con la larga tradición concursal española, pero sí una profunda modificación del derecho vigente, en la que se han incluyeron las aportaciones doctrinales y prelegislativas nacionales, la aportación del trabajo realizado en la legislación comparada y en los instrumentos supranacionales elaborados para la unificación y la armonización del derecho en esta materia.

La normativa concursal vigente asume los principios de unidad legal, de disciplina y de sistema, concibiendo la insolvencia como el estado patrimonial del deudor que no puede cumplir regularmente sus obligaciones exigibles. Esta concepción queda reflejada en el artículo 2.3 del Texto Refundido de la Ley Concursal (Real Decreto Legislativo 1/2020, de 5 de mayo), que establece: "La declaración de concurso procederá en caso de insolvencia del deudor común".

A pesar de la reforma penal de 2015, sigue vigente en el apartado 4 del artículo 259 la necesidad de que con carácter previo a la persecución del delito sea declarado el concurso: "Este delito solamente será perseguible cuando

---

284 La Exposición de Motivos de la LO 22/2003 explica: "Esta ley persigue satisfacer una aspiración profunda y largamente sentida en el derecho patrimonial español: la reforma de la legislación concursal. Las severas y fundadas críticas que ha merecido el derecho vigente no han ido seguidas, hasta ahora, de soluciones legislativas, que, pese a su reconocida urgencia y a los meritorios intentos realizados en su preparación, han venido demorándose y provocando, a la vez, un agravamiento de los defectos de que adolece la legislación en vigor: arcaísmo, inadecuación a la realidad social y económica de nuestro tiempo, dispersión, carencia de un sistema armónico, predominio de determinados intereses particulares en detrimento de otros generales y del principio de igualdad de tratamiento de los acreedores, con la consecuencia de soluciones injustas, frecuentemente propiciadas en la práctica por maniobras de mala fe, abusos y simulaciones, que las normas reguladoras de las instituciones concursales no alcanzan a reprimir eficazmente".

el deudor haya dejado de cumplir regularmente sus obligaciones exigibles o haya sido declarado su concurso".

Sujeto activo del delito solo podrá ser el deudor de varias relaciones obligacionales previas a la insolvencia, que se concibe en el Texto Refundido de la Ley Concursal como el estado patrimonial del deudor que no puede cumplir regularmente sus obligaciones exigibles. Dado que el artículo 259.4 CP permite la persecución del delito tanto si el deudor ha sido declarado en concurso como si ha dejado de cumplir regularmente sus obligaciones, el tipo ha de ser considerado especial propio, lo que plantea problemas específicos en relación a la autoría y la participación, y en especial, al artículo 261 bis CP, en el que se establecen las penas a imponer a la persona jurídica responsable del delito patrimonial del deudor que no puede cumplir regularmente sus obligaciones, pero sólo desde el momento en que se haya declarado el concurso, por lo que el tipo ha de ser considerado especial propio, lo que nos plantea problemas específicos de en relación a la autoría y la participación y en especial, en relación al artículo 261 bis CP en el que se establecen las penas a imponer a la persona jurídica responsable del delito.

En lo que aquí nos concierne, se analizará la autoría y participación que tiene lugar cuando en el delito concursal, que normalmente desencadenará la declaración de concurso culpable, por diversos supuestos como pueden ser no declarar el concurso en plazo, supuestos de alzamiento de bienes, doble contabilidad... Debemos atender aquí a lo establecido en los artículos 443 y siguientes del Texto Refundido de la Ley Concursal, que regulan los supuestos y presunciones legales de culpabilidad del concurso, cuya valoración se realiza en la denominada "sección de calificación" del procedimiento concursal.

Con la reforma del Código Penal operada por la Ley Orgánica 1/2015, el artículo 259 pasó a recoger de forma detallada las conductas constitutivas del delito de insolvencia fraudulenta. En esta nueva configuración, el tipo penal se dirige al deudor que causa o agrava su situación de insolvencia mediante conductas dolosas, sin requerir como presupuesto necesario la previa declaración formal del concurso, ampliando así el ámbito de aplicación respecto a la normativa anterior.

Cuando se realiza un análisis, como en el presente trabajo, de la autoría y las diferentes formas de participación en el delito concursal, a parte del evidente análisis del deudor como sujeto obligado y, como consecuencia, autor del tipo, debemos atender a dos cuestiones, como son, en primer lugar, la participación de un tercero (*extraneus)* y la realización de la conducta típica por una persona que actúe en nombre o por cuenta de la empresa (persona jurídica).La situación de insolvencia actual o inminente.

Quien se encuentra en una situación de insolvencia inminente puede no ser deudor de nadie, como ya hemos tenido ocasión de explicar, pues bien puede ser que los créditos de sus acreedores no sean vencidos ni exigibles o bien que por voluntad propia haya dejado de pagar a sus acreedores a pesar de ser solvente.

Sucede que en la prudente aplicación de las reglas contables estandarizadas a nivel internacional[285], una empresa o un empresario autónomo, deban contabilizar como deudas a aquellas que tengan un vencimiento inferior al año, lo que puede suponer un vuelco en su contabilidad de un día para otro, pero no necesariamente una declaración de concurso o una situación de insolvencia definitiva e inamovible.

---

285 El Plan General de Contabilidad aprobado por R.D. 1514/2007 para adaptar la contabilidad de las PyMES a las exigencias de las NIIF (Normas Internacionales de Información Financiera) elaboradas por la IASB (International Accounting Standards Board) y asumidas por la Unión Europea, define la deuda a corto plazo como: "Las contraídas con terceros por préstamos recibidos y otros débitos no incluidos en otras cuentas de este subgrupo, con vencimiento no superior a un año".

Leyendo el artículo 259, veremos que su apartado segundo hace referencia a quien "cause o agrave su situación de insolvencia", referencia que ha de entenderse dirigida a cualquier sujeto, sea éste una persona física o jurídica, igual que el apartado cuatro del artículo cuando establece que: "Este delito solamente será perseguible cuando el deudor haya dejado de cumplir regularmente sus obligaciones o haya sido declarado su concurso".

Resumiendo, nos encontramos con que el deudor o quien haya actuado en su nombre (259.5); el que esté en insolvencia actual o inminente (259.1) y quien cause o agrave su insolvencia (259.2), sólo podrán ser perseguidos cuando hayan dejado de cumplir regularmente sus obligaciones o hayan sido declarados en concurso (259.4) si han realizado alguna de las ocho conductas que describe el 259.1 o cualquier otra conducta que constituya una infracción grave del deber de diligencia por la que se disminuya su patrimonio o se oculte su situación económica real o su actividad empresarial (259.1.9)[286].

Al encontrarnos en un delito especial propio, de acuerdo con lo establecido en el artículo 259 CP, sólo podrá estar incluido dentro de la categoría de autor, o de coautor en el caso de pluralidad de deudores o sujetos obligados, aquellos que tienen la categoría de deudor. Cuando nos refiramos a terceros, es decir, aquellos sujetos que no se pueden encuadrar dentro del concepto de deudor (*extraneus),* sólo podrán tener la categoría de terceros partícipes.

Pese a estar configurado como un delito especial propio, el delito concursal es un delito de dominio y no un delito de infracción de un deber institucional, en virtud de lo cual el criterio de imputación del hecho al autor será

---

286 Venimos apuntando que el texto del artículo y sus conceptos parecen más propios del derecho concursal y no del derecho penal, tan amplios y difusos que bien puede entenderse que vulneran el principio de legalidad penal con relación a la necesidad de taxatividad de la norma sancionatoria.

el incremento del riesgo no permitido[287]. El riesgo que se crea es aquel en el que se coloca a los acreedores, aunque normalmente, como vamos a hablar de esta conducta como un delito de la empresa, deberemos acudir a la cláusula de extensión de la autoría del artículo 31 CP, puesto que en este caso, quien realice la conducta típica será la persona que actúa en nombre y representación de la misma, razón por la que en este punto donde cobra importancia la figura del administrador de hecho o de derecho.

Con la reforma introducida por la Ley Orgánica 1/2015, se han producido novedades en lo que al delito concursal se refiere con relación a la extensión del tipo y el adelantamiento de la protección. Ambas posiciones hablan a las claras de la intención del legislador de no dejar impunes conductas de los deudores en las situaciones de insolvencia inminente, acudiendo a cláusulas abiertas tal y como ocurría con la anterior regulación del concurso punible antes de esta reforma. Así, por ejemplo, el artículo 259.4 CP expresa el deseo del legislador de que el deudor no responda sólo cuando fuera declarado en concurso, sino que también sea responsable en el momento en que no cumpla de forma regular sus obligaciones exigibles, lo que parece asegurar la exigencia de responsabilidad al deudor temerario, con ello, desaparece la declaración de concurso como condición objetiva de perseguibilidad.

En este escenario se plantean situaciones que exigirán determinar la aplicación de los fenómenos de codelincuencia o la autoría mediata en los delitos especiales propios, en tanto que muchas de las soluciones ofrecidas por las normas generales del Derecho penal habrán de ser matizadas, en especial lo relativo a las formas de participación en un delito especial propio como es éste, y sin perder de vista que el marco legal en que nos encontramos comprende un

287 MARTÍNEZ BUJÁN, C. *Derecho Penal Económico y de la Empresa.* Parte especial. Ed. Tirant lo Blanch, Valencia, 2015, p. 130.

abanico de regulaciones civiles-mercantiles[288] así como el contenido propio del Código penal.

I. AUTORÍA Y COAUTORÍA

La doctrina prácticamente unánime entiende que sólo las personas que posean la condición de deudores de una relación jurídica obligacional previa podrán ser calificados como autores, si bien algún autor ha cuestionado la naturaleza especial del delito al entender que perdió tal categorización con la desaparición de la referencia al comerciante[289]; sin embargo, ha de entenderse que la cualidad de comerciante del sujeto activo no es la auténtica razón por la que se califica de delito especial, sino la existencia de una relación obligacional previa, pues los sujetos de ésta serán los sujetos del delito[290].

Únicamente existirá coautoría si además de la ejecución conjunta y del acuerdo de voluntades, todos los sujetos poseen la condición de deudores (STS 24 de febrero de 1984) y la autoría mediata se dará exclusivamente en los supuestos en los que el sujeto cualificado se sirva de una persona interpuesta no cualificada ("extraneus") como instrumento para realizar el tipo[291].

En el caso de la quiebra fraudulenta, la regulación vigente en el artículo 259.4 CP establece que "este delito solamente será perseguible cuando el deudor haya dejado

---

288 Ley 22/2003, de 9 de julio, Concursal; Real Decreto Legislativo 1/2010, de 2 de julio, por el que se aprueba el texto refundido de la Ley de Sociedades de Capital; Real Decreto de 22 de agosto de 1885, por el que se publica el Código de Comercio.

289 «Sujeto activo. El deudor; pero ya no se trata de un delito especial. En efecto, no se distingue entre comerciante (art. 1 CCom) y particular ni entre persona física ni jurídica art. 1.1 LC)». «Sujeto activo. Cualquiera; también las personas jurídicas» J. J. QUERALT JIMÉNEZ, Derecho penal español., 2015, pp. 1152, 1177.

290 GONZÁLEZ CUSSAC, J.L., *Los delitos de quiebra*, cit., p. 145.

291 Ibid., p. 147.

de cumplir regularmente sus obligaciones exigibles o haya sido declarado su concurso". Esta exigencia de insolvencia efectiva o de previa declaración concursal tiene precedentes en la redacción histórica del artículo 260 CP —vigente hasta la reforma operada por la LO 1/2015—, en la que se hacía referencia expresa al supuesto de "quien fuere declarado en concurso". Aunque la norma actual ha modificado la formulación, persiste la idea de que la condición de deudor concursado o insolvente es indispensable para apreciar la autoría del delito, sin distinción entre personas físicas y jurídicas, conforme a la legislación concursal. Esta configuración plantea la cuestión de si otros sujetos vinculados a la deuda —como fiadores, avalistas o responsables civiles subsidiarios— pueden ser considerados autores, o si, por carecer de la condición de deudores, deberán responder en calidad de partícipes[292].

Por vía del artículo 31 CP puede admitirse la coautoría de sujetos que tengan la cualidad de deudores que, por tanto, pueden ser autores idóneos del tipo y puede también admitirse una coautoría entre el deudor y su administrador (de hecho o de derecho) o administradores.

En el caso de una persona jurídica puede imaginarse que su órgano de administración cuando sea plural (al menos una administración solidaria o mancomunada de dos personas) podrá adoptar unánimemente o por mayoría la ocultación de activos, el traspaso de estos a personas interpuestas, el ficticio incremento del pasivo a través de artificios contables, etc. Por tanto, con una decisión así se cumpliría el primer requisito de la autoría como es el acuerdo común en la realización del delito, aunque podría plantearse el problema de la presencia de los coautores en la fase ejecutiva del delito, lo que se compadece mal con la toma de decisiones en el ámbito de la empresa donde la ejecución de las decisiones adoptadas por el Órgano de Administración se atribuye a otras personas que, en prin-

292 GONZÁLEZ CUSSAC, J.L., *Los delitos de quiebra*, cit., p. 146.

cipio, pueden ser desconocedoras tanto del verdadero fin de la acción que se les encomienda, como de las cualidades jurídicas exigidas por el tipo.

Propone MUÑOZ CONDE para resolver el problema, acudir a un concepto de fase ejecutiva del delito más amplio que el que propiamente se deduce del tenor literal del artículo 28 CP, lo que permitiría abarcar la decisión adoptada en el seno del Órgano de Administración[293], momento en el que aún no se han puesto en marcha las acciones fraudulentas, pues la vinculación del concepto de coautoría a la intervención en la ejecución material del delito está pensada para los delitos clásicos contra la vida o la propiedad, y aún en ellos es discutible hasta qué punto la coautoría requiere una intervención de los coautores en la ejecución misma; pero se hace verdaderamente complejo y casi un sinsentido mantener esos requisitos para la coautoría que se da en el ámbito económico y, especialmente, en el ámbito de la empresa, donde la división del trabajo vertical y horizontalmente, la estructura jerárquica o la delegación de funciones provoca que unos tomen las decisiones y otros las ejecuten a diario. Sería absurdo que los directivos principales fuesen considerados cooperadores necesarios o inductores de la acción que ejecuten los trabajadores precisamente a sus órdenes; pero peor sería que en los delitos especiales propios sólo existiesen cooperadores necesarios y ningún autor, por no reunir los sujetos intervinientes la cualidad exigida por el tipo.

Para evitar esta laguna de punibilidad y esta paradoja, MUÑOZ CONDE propone abandonar el concepto de "coejecución" y sustituirlo por el de "realización conjunta" (recogiendo la referencia que el artículo 28 CP hace la "realización del hecho") basado en un "dominio funcional del hecho", en el que lo importante no es ya o solamente

---

293 MUÑOZ CONDE, F., *Problemas de autoría y participación en la criminalidad organizada*, en FERRÉ OLIVE/ANARTE BORRALLO (eds.), Delincuencia organizada. Aspectos penales, procesales y criminológicos, Universidad de Huelva, 1999, p. 179.

la intervención en la ejecución del delito, sino el control o el dominio que uno o varios sujetos tengan sobre la ejecución del delito; de acuerdo con ello, no es necesaria ni la presencia física, ni la ejecución material de algún acto de la conducta típica, lo que es especialmente útil en el seno de un Consejo de Administración, pues el concierto de quienes deciden y planifican la realización de un delito puede calificarse como coautoría, aunque luego no sean ellos quienes ejecuten la acción delictiva.

Cuestión distinta será la de los ejecutores que actúan con conciencia y voluntad de intervenir en un delito, que, si bien no pueden ser considerados autores en sentido estricto al faltarles la cualidad exigida en el tipo, sí podrán ser categorizados como cooperadores necesarios, pues será difícil categorizarlos como meros cómplices, que es una categoría más propia de agentes subalternos que no tengan conocimientos o atribuciones específicas y, en cualquier caso, ambas figuras sólo serán apreciables si, conforme al principio de accesoriedad de estas formas de participación, se encuentra un autor al menos con las cualidades jurídicas especiales descritas en el tipo.

II. AUTORÍA MEDIATA Y PARTICIPACIÓN

Lo anterior nos coloca ante las puertas de una cuestión esencial en el ámbito de la delincuencia de empresa como es la autoría mediata, que partiendo del artículo 28 CP puede entenderse como la realización de un hecho punible sirviéndose de otro como instrumento.

Ontológicamente la autoría mediata presenta una naturaleza absolutamente diversa a la de la inducción y cooperación. En el primer caso es "autoría" y en los otros "participación en hecho ajeno". Aunque prescindiésemos de esa diversidad ontológica, no podría reconducirse formalmente todos los supuestos a la inducción o cooperación necesaria, sobre todo si se entiende a la legislación penal española el principio de accesoriedad máxima.

La noción de autoría mediata responde a una realidad sustancial: la de que los hombres pueden realizar ciertos hechos a través de otras personas, animales o cosas que actúan como instrumentos. El concepto de autor mediato se reserva exclusivamente para el caso de que el instrumento sea una persona, pues la conducta de este sujeto interpuesto puede tener una valoración jurídico-penal por sí misma y la interposición de este no impide que los hechos aparezcan como obra del hombre que actúa desde atrás[294].

Nuestro Código distingue objetivamente autores y cómplices, por lo que hay que entender que si el instrumento actúa libre y voluntariamente, con pleno conocimiento de la situación, existirá inducción u otra modalidad de participación, pero no autoría mediata[295].

El carácter especial del artículo 259 CP no impide admitir la autoría mediata, pues no se encuentra entre los llamados "de propia mano" que necesitan ser realizados directa y físicamente por su autor, sino que en el caso de las insolvencias fraudulentas el autor puede servirse de otro sujeto.

---

294 RODRÍGUEZ MOURULLO, G., *El autor mediato en Derecho penal español*, Anuario de derecho penal y ciencias penales, vol. 22, 3, 1969, p. 465 y 468 Son conocidas las posturas de los autores alemanes más destacados —ROXIN, WELZEL, etc.— y sus referencias a los «instrumentos dolosos carentes de intención», «instrumentos dolosos no cualificados», «el dominio social de un hecho» entre el autor y la persona intermedia, «la infracción del deber», siendo así que en los delitos especiales propios cabe decir que la teoría de ROXIN equipara a todos los partícipes cualificados como tales autores, sin distinciones, pues quien infringe un deber es siempre autor, cualquiera que haya sido su contribución al hecho, lo que conduce también a un concepto extensivo único de autor, siendo la mayor crítica a esta postura el que la ley prevé la equiparación de autor y partícipe en ciertos tipos especiales, por lo que en aquellos casos en que no lo haga, no cabe apreciar semejante confusión entre ambas figuras.

295 Ibid., p. 474; MUÑOZ CONDE, F., *El delito de alzamiento de bienes*, cit., p. 184 en la que establece que podría existir una «coautoría mediata» si son varias las personas que reciben las órdenes de los verdaderos autores y cooperan en la realización del tipo, reuniendo ellas mismas las características del autor descrito en el delito.

El artículo 28 del Código penal exige que la colaboración del partícipe a la ejecución del autor se haga con actores anteriores o simultáneos y determinar si la misma era o no necesaria atendidas las posibilidades reales del autor en el momento del hecho para determinar si la contribución del partícipe ha sido decisiva; pero su actividad no requiere de ninguna suerte de eficacia causal en el resultado porque el castigo de la complicidad descansa en la contribución, colaboración o cooperación en la ejecución del hecho y, por ende, su responsabilidad es accesoria de la del autor[296].

Dado que la penalidad de cooperador necesario y autor es la misma, se han propuesto por la doctrina diversas fórmulas para mitigar la sanción de los partícipes no cualificados, por ejemplo, considerar todos los actos de participación como actos de simple complicidad, con lo que se castigarían con la pena inferior en grado conforme a los artículos 29 y 63 del Código penal[297] o bien aplicar las normas del artículo 28 castigando como cooperación necesaria aquellas conductas que hayan contribuido decisivamente a la ejecución del hecho realizada por el autor y sancionar las demás conforme al artículo 29 CP[298]. Si bien es la principal solución en la praxis jurisprudencial la aplicación de una atenuante analógica al "*extraneus*", que se justifica por no tener éste la cualidad requerida por el tipo especial.

Los tipos penales económicos especiales requieren frecuentemente que el autor haya infringido un deber exigiendo la descripción de este que tenga una determinada

---

296 GÓRRIZ, 2005-A, Op. cit., p. 364. La participación es contribución en el hecho ajeno; el partícipe no realiza por sí mismo el hecho delictivo, sino que favorece a, o coopera en, la realización ajena.

297 MUÑOZ CONDE, F., *El delito de alzamiento de bienes*, 2ª ed., Bosch, Barcelona, 1999, p. 179.

298 GONZÁLEZ CUSSAC, J.L., *Los delitos de quiebra*, cit., p. 150 En opinión del autor no puede sostenerse, puesto que para aplicar una atenuante analógica, ésta ha de ser de análoga significación a alguna de las descritas en los artículos 20 y 21 del Código penal, lo que no parece razonable visto el elenco allí recogido.

cualificación y contravenga una concreta obligación, cosa que sucede en el artículo 259 CP.

La fundamentación del injusto del partícipe, derivada de lo complejo que resulta hacer compatible accesoriedad y autorresponsabilidad, ha ocupado a la doctrina en los últimos años. Y lo ha hecho especialmente en relación con dos temas; el primero, el de la participación del *extraneus* en los delitos especiales, que tiene que ver especialmente con el alcance del principio de accesoriedad; el segundo, la cuestión de las denominadas "conductas neutrales", que supone el intento de encontrar el elemento clave para la fundamentación de la punición a los partícipes[299].

La jurisprudencia del Tribunal Supremo reconocía la participación del extraneus en los delitos especiales propios, incluso antes de que se incorporara al Código Penal el art. 65.3, entendiendo necesaria la concurrencia en los partícipes de esas cualidades especiales exigidas al sujeto activo por el tipo. También ha tratado el Tribunal Supremo la aplicación de pena al extraneus que en general es castigado con una atenuación, dado que se entiende que su actividad ilícita no conlleva un injusto tan cualificado con el del autor que, en este tipo de delitos, infringe un deber específico, es decir, no está afectado por la conminación de los deberes especiales que recaen sobre el autor de este delito especial[300]. Este atenuante no resultaba aplicable en los supuestos regulados por el anterior artículo 15 del CP de 1973, hoy derogado, ni en el actual artículo 31 CP, que regula la responsabilidad de las personas físicas que actúan en nombre o representación de personas jurídicas, previéndose en tales casos la imposición de la misma pena al partícipe persona física en el delito de la persona jurídica.

---

299 SILVA SÁNCHEZ, J.M.; MIRÓ LLINARES, F., *La teoría del delito en la práctica penal económica*, cit., p. 285.

300 Algunas sentencias que se refieren a este particular serían: STS 2-2-94, STS 24-6-94, 14-3-96, 10-1-97, 12-2-97.

Tras la reforma del Código Penal por la L.O. 15/2003, el Tribunal Supremo admite con mayor motivo la participación del "*extraneus*" y dado que el art. 65.3 CP configura como potestativa la posibilidad de atenuar la pena, podría resultar interesante analizar cuándo, y sobre la base de qué criterios, se aplica dicha minoración punitiva o qué sucede con el título de imputación al partícipe cuando el delito que comete el autor es especial impropio; pero la realidad es que la introducción de dicho artículo no ha venido a modificar de manera destacable la jurisprudencia, pues los tribunales ya venían considerando potestativa la aplicación de la atenuación y ello no se ve modificado por el carácter propio o impropio del delito especial, pues dicho artículo no hace tal distinción.

En el caso de la actuación del *extranei,* tanto la doctrina como la jurisprudencia han considerado procedente aplicar una disminución de la pena en el caso de los delitos especiales propios, ya que la actuación de este se lleva a cabo sin reunir las características de autor descritas en los tipos penales, por lo que el partícipe, por sí mismo, no ha infringido el deber extrapenal que corresponde al autor. En este sentido, es especialmente destacable la figura del asesor fiscal en el delito fiscal recogido en el artículo 305 CP. Así, a modo de ejemplo, podemos destacar unos de los casos más paradigmáticos: el asesor fiscal, que anota una serie de desgravaciones o gastos deducibles de su clientes, cuando sabe que estos no son ciertos; el empleado de una entidad bancaria que, transfiere dinero de un cliente a una cuenta situada en otro país, y conoce la intención defraudadora de la acción;

Las llamadas "conductas neutrales" son un problema que afecta tanto a los delitos comunes como a los especiales al tener que analizar cuál es el límite que se marca al decidir qué conductas quedan impunes por ser consideradas como "neutrales" y cuáles entran dentro del campo de la participación en el delito. Es importante determinar el momento en que la conducta realizada deja de ser neutral. Así, el partícipe responde porque interpone una razón que permite hacer suyo el injusto, y la diferencia con la responsabilidad del autor reside únicamente en que éste aparece como el responsable más inmediato, mientras que el partícipe responde de manera más laxa, o dicho de otra manera, el partícipe responde porque crea un riesgo especial de continuación delictiva por parte de otro, de modo que, con su aportación, el interviniente está afirmando que el delito puede ser cometido y que además será asunto suyo[301].

Resulta claro que el punto de partida es el objetivo delictivo del autor, pero para determinar la posible participación de quien realiza la conducta neutral, debemos acudir al análisis de cuál es su aportación, es decir, si con la contribución llevada a cabo por él se consigue la continuidad delictiva. En este punto, la doctrina habla de dos datos objetivos a los que se ha de atender. Así, los sintetiza BUJÁN: en primer lugar, la conexión espacio-temporal con el hecho cometido por el autor, de tal modo que cuanto más cercana y objetivada esté la realización del tipo, más fácil será determinar si existe una conducta de adaptación y consecuentemente rechazar que se trate de una conducta neutral. En segundo lugar, atender a la disponibilidad general de la prestación del interviniente, en el sentido de que cuanto más cotidiana sea la actividad de favorecimiento más difícil será afirmar la punibilidad del partícipe[302].

III. COOPERACIÓN NECESARIA Y COMPLICIDAD

Cuando junto con el deudor o administrador, de hecho y de derecho intervienen otras personas que no tienen esa cualidad y, por tanto, no pueden ser considerados autores, es esta distinción el primer problema que ha de tratarse y es el más común al que ha de enfrentarse la justicia, que no se plantea tanto la conceptuación dogmática de las distin-

---

301 MARTÍNEZ BUJÁN, C., *Derecho penal económico y de la empresa.* Parte general, cit., p. 502.

302 Ibid., p. 626

tas contribuciones, sino que, una vez probado tal auxilio, interesa si éste puede ser en la categoría de cooperación necesaria, o en la complicidad, lo que conllevará un distinto tratamiento penológico, pues el cooperador necesario será considerado autor a estos efectos y será castigado con la pena que corresponda a éste; mientras que la pena del cómplice es la inferior en grado a la prevista para el autor o autores.

La falta de interés en la categorización dogmática se trasluce en el texto de las sentencias de nuestro Alto Tribunal en los años sesenta y setenta sobre el alzamiento de bienes, en las que se llama a los cooperadores necesario o auxiliadores en el delito, autores o coautores, olvidando que nos encontramos en ese caso (igual que en el de la insolvencia fraudulenta) ante delitos especiales en los que el autor sólo puede ser el cualificado (deudor) y en los que el resto de intervinientes que no puedan ser conceptualizados como tales deudores, deben ser considerados partícipes[303].

Esta distinción ya existía en nuestros Códigos anteriores y se mantiene en el Código penal de 1995 con la misma dificultad a la hora de delimitar uno y otro concepto. La principal herramienta ha de ser el tenor literal de los artículos 28[304] y 29 del Código penal, que nos llevan a entender que, dado que el cómplices serán "los que, no hallándose comprendidos en el artículo anterior, cooperan a la ejecución del hecho con actos anteriores o simultáneos", la diferencia

---

303 En MUÑOZ CONDE, F., *El delito de alzamiento de bienes*, cit., p. 174 se citan varias sentencias, entre ellas la de 22 de noviembre de 1963: «previo concierto entre los procesados, uno de ellos sin ser deudor, para defraudar al perjudicado, constituye a todos los encartados en autores del delito de alzamiento de bienes, cualquiera que fuera la participación material que cada uno tuviere para la consecución del fin».

304 "Son autores quienes realizan el hecho por sí solos, conjuntamente o por medio de otro del que se sirven como instrumento. También serán considerados autores: Los que inducen directamente a otro u otros a ejecutarlo. Los que cooperan a su ejecución con un acto sin el cual no se habría efectuado".

está en que se pueda considerar o no necesario el acto de cooperación, como puede suceder en unas capitulaciones matrimoniales fraudulentas o cuando un familiar o amigo se presta para ser parte de un negocio fraudulento o para que se pongan a su nombre bienes propiedad del deudor con operaciones de venta simuladas. La cuestión básica es pues la determinación del grado de cooperación y su necesidad en el hecho ilícito, lo que sólo podrá dilucidarse con respecto a cada delito y en cada caso concreto[305], si bien relación con la prueba del delito será igualmente necesario probar la naturaleza simulada del negocio jurídico por el que se ha producido la salida del bien del patrimonio del deudor y la actuación con carácter doloso del cooperador, conociendo que participaba en una maniobra del deudor en perjuicio de sus acreedores, sin que sea necesario que se lucre con la operación y sin que tampoco pueda ser considerado un "tercero de buena fe" a efectos de la responsabilidad civil derivada del delito[306].

---

305 LÓPEZ PEREGRÍN, M., *La complicidad en el delito,* Tirant lo Blanch, Valencia, 1997, p. 407.

306 JORGE BARREIRO, A., *El delito de alzamiento de bienes. Problemas prácticos,* Cuadernos de derecho judicial, 2, 2003, p. 198, con cita de la STS de 5 de noviembre de 1999 en la que el Tribunal Supremo se enfrentó a un supuesto en el que la persona que vendió el camión a un tercero de buena fe, a través de una sociedad instrumental constituida al efecto, no era el primitivo adquirente del camión y, por tanto, carecía de la condición de deudor. Para solventar la laguna de punibilidad el TS argumenta, de un modo un tanto forzado y artificioso: «aunque es cierto que el acusado no fue en principio el deudor de los vendedores (...), siendo el alzamiento de bienes un delito especial que sólo puede tener como sujeto activo al deudor, no lo es menos que el acusado, habiendo abonado la única fracción del precio que recibieron los vendedores —lo que les pudo engañar sobre la intención de los compradores— y confeccionado el documento que le sirvió para incorporar el vehículo al patrimonio de su empresa —abusando de la firma en blanco (...)— se convirtió ex delicto —art. 1089 CC— en deudor de aquéllos solidariamente con los que primitivamente habían sido compradores. Y no puede ponerse en duda que el acusado, constituido ya en deudor, al ceder el camión en condiciones que convertían al adquirente en tercero de buena fe, frustraba el derecho de los vendedores a resolver el contrato y recuperar el objeto de la venta».

Incluso puede llegar a suceder que si este cooperador enajena el bien a su vez a favor de otro sujeto en una segunda transmisión puede instarse prueba para conocer si el adquirente en dicho negocio conocía la intención de defraudar a sus acreedores que tenía el deudor propietario del bien o si conocía el origen ilícito del mismo, en cuyo caso su conducta podría calificarse incluso de receptación[307].

Aunque el Código pene de modo idéntico al autor y al cooperador necesario, esto no significa que nuestro Código penal contenga un "concepto unitario de autor" y que todas las contribuciones al hecho delictivo sean valoradas igual, si bien, dicho lo anterior, no es menos cierto que la doctrina y la jurisprudencia entienden como una cuestión de justicia material sancionar con menor pena a quien no puede ser considerado autor en sentido estricto de un delito especial y de hecho, en la praxis jurisprudencial la solución pasa por considerar cómplice al cooperador a pesar de la relevancia de su actuación y la necesidad de la misma, en aplicación de criterios de merecimiento de la pena más que de consideraciones dogmáticas. Así, el que coopera con un acto necesario al alzamiento de bienes de un deudor puede ser considerado cómplice y ser castigado con la pena inferior en grado a la que corresponde al autor descrito en el tipo.

En relación con la cooperación necesaria y la complicidad habrá de descartarse la actuación a título de autor de los profesionales vinculados a la estructura societaria si, analizadas sus funciones y competencias, puede afirmarse que no son administradores de hecho o de derecho, en cuyo caso podrían ser considerados coautores. En el caso de que tal asesor sea manejado como un instrumento ciego nos encontraríamos ante un supuesto de autoría mediata, cuestión distinta al empleo de un instrumento que actúa dolosamente.

---

307 STS 4 de junio de 1957, 17 de noviembre de 1960 y 4 de abril de 1963.

Son multitud los casos problemáticos en el caso de una empresa: el empleo de subordinados para cumplir tareas fuera de su ámbito de competencia; la delegación de funciones y competencias; nombramiento de representantes[308]; cambios de personas responsables o sucesión de varios responsables a lo largo de un mismo proceso que desemboca en una insolvencia. Esta complejidad se ha visto acentuada tras la introducción de la responsabilidad penal de las personas jurídicas en nuestro ordenamiento, regulada en el artículo 31 bis del Código Penal, lo que obliga a analizar no solo la conducta individual, sino también las condiciones estructurales en las que dicha actuación se produce.

Es necesario insistir en no dar por sentada previamente la participación y presumir la colaboración de terceros, por muy próximos que estén a la actividad del deudor, siendo necesario que se den todos y cada uno de los requisitos para afirmar la cooperación necesaria o la complicidad, al tiempo que se distingue entre ambas clases de complicidad, a pesar de que la tendencia jurisprudencial muy notable y acentuada de calificar toda participación como cooperación necesaria[309].

Para NIETO MARTIN esta expresión ha sido la que ha venido a sustituir en nuestro derecho a las formas de complicidad específica que se preveían en los artículos 522 y 525 del Código penal de 1973 —muy criticadas por la doctrina por la confusión que producían y su inutilidad práctica—; pero la inmensa mayoría de la doctrina entiende que

---

308 El representante legal es quien actúa por ministerio de ley o por designación del representado en el ámbito de un proceso; mientras que el voluntario recibe su poder de otra persona y tiene como base, en la mayoría de las ocasiones, el mandato. No se ha de confundir con el poder general para pleitos a favor de procuradores y abogados. Se cita habitualmente como representantes voluntarios, entre otros, al comisionista (art. 244 del Código de Comercio); el factor (artículo 281 del Código de Comercio) o mancebos (artículo 294 Código de Comercio).

309 GONZÁLEZ CUSSAC, J.L., *Los delitos de quiebra*, cit., p. 150.

nos encontramos ante una expresión redundante y superflua tras la aprobación del artículo 31 del Código Penal en su redacción original, predecesor del actual artículo 31 bis, relativo a la responsabilidad penal de las personas jurídicas.

Las formas específicas de participación impedían en el delito de quiebra, al igual que sucede en el delito de imprenta en el que se delimitan los posibles responsables, una excesiva extensión de la responsabilidad, que podría suponer un obstáculo para el libre ejercicio del comercio[310].

Desde luego la expresión no puede considerarse fortuita toda vez que ya el legislador penal de 1983 introdujo el artículo 15 bis, que sería posteriormente sustituido por el artículo 31 del Código Penal de 1995, y cuya lógica ha sido absorbida y desarrollada en el actual artículo 31 bis CP, tras la reforma operada por la LO 5/2010, y por tanto, puede ser demasiado superficial tachar la expresión de despiste, por lo que NIETO MARTIN, con quien coincide el profesor CUSSAC, trata de buscarle un sentido y entiende que se trata de "castigar al deudor —o al administrador en los supuestos a los que se refería el artículo 31 en su redacción original del Código Penal de 1995— cuando se valga de un extraneus para ocasionar la insolvencia o agravarla sin aparecer él como autor de la misma", con lo que se evitaría dejar impune al "*extraneus*" que no sea deudor, pues no podría ser considerado autor y, sin autor válido, tampoco partícipe; por tanto, esta fórmula permite salvar lagunas de punibilidad, siempre y cuando el "*extraneus*" actúe dolosamente en nombre del deudor y éste hay inducido en sentido estricto a aquél, pues en tal caso se invertiría el papel de cada uno en cuanto al hecho delictivo y el deudor sería partícipe como inductor en el delito cometido con dolo con su voluntad y capacidad intactas, pero inducido por quien reúne la cualificación exigida por el tipo. Esta exégesis evita interpretaciones excesivamente abiertas de

---

310 Así lo mantiene VIVES ANTON, T., *Derecho Penal. Parte especial*, Tirant lo Blanch, 4 ed., Valencia, 2015, p. 901.

figuras como la comisión por omisión para cubrir lagunas de impunidad en estos supuestos, lo que perjudicaría el principio de legalidad.

IV. ACTUACIÓN EN NOMBRE DE OTRO

El artículo 31 del Código Penal[311] es en puridad una cláusula de extensión de la autoría, pero referida a un supuesto concreto consistente en que el autor del hecho actúa en nombre o representación de una persona física o jurídica sin la cualificación exigida por el delito especial propio correspondiente[312].

No se busca realizar una extensión de la autoría basada en la responsabilidad objetiva de la persona a la que afecta, sino que se pretende superar el impedimento de los casos concretos en los que no concurren en el administrador o representante los elementos para considerarle autor, pero sí en la persona jurídica representada.

Era opinión mayoritaria de la doctrina anterior a las reformas de 2010 y 2015 del Código Penal, que este artículo no venía a solucionar el problema de la irresponsabilidad penal de las personas jurídicas, sino que, partiendo de la realidad de esa falta de responsabilidad, venía a solventar la laguna de impunidad que se producía cuando el que actuaba en nombre de una persona física o jurídica lo hacía sin

---

311 Conviene recordar algo conocido: la figura del artículo 31 tiene su origen en el Proyecto de Código Penal de 1980 y en el posterior Anteproyecto de 1983, y fue derecho vigente a través del artículo 15 bis del Código Penal de 1973 a través de la reforma provocada por la Ley de Reforma Urgente y Parcial del Código Penal 8/1983 de 25 de junio. El artículo 15 bis del Código Penal[615] en su redacción vigente desde el año 1983 hasta la aprobación del de 1995 no representaba una solución adecuada para el actuar en nombre de otro, pues se limitaba a la representación de personas jurídicas de manera expresa, cuestión criticada en la doctrina.

312 BAJO FERNÁNDEZ, M; BACIGALUPO SAGGESE, S., *Derecho penal económico*, 2ª.

concurrir en él las características personales exigidas para el sujeto activo en un delito especial propio; pues en él o en el órgano que actúa no concurren las cualidades que la ley exige, pero sí en la persona jurídica en cuyo nombre actúa.

La ley se refiere sólo a los elementos objetivos de la autoría, no se consideran los elementos del dolo o elementos subjetivos del injusto y, según la doctrina, han de entenderse incluidos los que provienen de relaciones jurídicas patrimoniales (deudor; obligación de entregar o devolver; acreedor); los que son consecuencia de una relación (administrador); los que son consecuencia de una situación procesal (concursado); los que son consecuencia de una posición social con especiales deberes de cuidado imputados (productor, distribuidor, comerciante); obligaciones específicas del comercio (llevanza de libros; prestamista; librador); obligaciones fiscales (deudor tributario)[313].

Se trata de un intento de eliminar las lagunas de impunidad que se generan cuando ese deber especial incumbe a la persona física o jurídica y no al representante que realiza el comportamiento que infringe el deber, pues en los delitos especiales propios la autoría depende de que el autor de la acción sea también el obligado por el deber especial cuya infracción es la base de la punibilidad, a la que se conecta por razón de su representación. En cambio, en los delitos especiales impropios el artículo 31 no tiene aplicación porque el sujeto no cualificado siempre puede ser autor del delito común.

En torno al alzamiento de bienes la doctrina y la jurisprudencia han facilitado claves que son de aplicación al delito de concurso fraudulento, pues son similares los problemas generales. Así, no hay inconveniente en aceptar la participación de extraños en esta figura especial, que podrán responder en concepto de inducción, de cooperación necesaria o de complicidad, siempre y cuando realicen los actos correspondientes con relación al hecho típico de in-

---

313 Ibid., p. 125.

solvencia. El "actuar en nombre de otro" permite castigar a aquel que, sin reunir las cualidades o condiciones exigidas para el autor del delito especial propio, es decir, sujeto activo, su actuación es pareja a la de éste[314].

Así, se justifica esta extensión con el principio de equivalencia. La exigencia por parte de la jurisprudencia de que el sujeto actúe, a la vez que ostente cargos directivos o de responsabilidad en el ente social, no era más que una forma de exigir los requisitos de la equivalencia a la que se hace referencia. La característica que hace equivalente el comportamiento de quien actúa en nombre de otro es el *ejercicio del dominio social típico en el sentido de ejercicio de dominio sobre la estructura social en la que el bien jurídico se protege especialmente,* asumiendo una posición de garante frente al propio bien jurídico, lo que implica que se trata de sujetos que en virtud de sus competencias dominan el ámbito de protección de la norma[315].

---

314 GONZÁLEZ CUSSAC, J.L., *Los delitos de quiebra*, cit., p. 147.

315 BAJO FERNÁNDEZ, M.; BACIGALUPO SAGGESE, S., *Derecho penal económico*, cit., p. 118. Y la STS núm. 234/2010 de 11 marzo. Explica en esta resolución el TS, que «Los actos del acusado Valeriano, que actuaba como administrador, en cuanto recibía cantidades para la adquisición de obligaciones hipotecarias, se desarrollaban en el marco del objeto social, y, como tales, no presentaban una especial peligrosidad para intereses ajenos que exigiera una especial vigilancia. Los deberes que incumbían a los recurrentes se satisfacían con desempeñar sus propias conductas de forma correcta y con informarse de la marcha de la sociedad, pero no contenían una especial obligación de vigilancia de las actuaciones de los demás miembros del Consejo que alcanzara a todos los aspectos de su conducta e incluyera los delitos cometidos aprovechando sus actividades legales. Nada indica que el cumplimiento de aquellos deberes pudiera haber conducido al conocimiento de las actuaciones delictivas del coacusado, pues actuaba con apariencia de licitud y solo de forma oculta procedía a hacer suyas las cantidades recibidas. Dicho de otra forma, en la información ordinariamente disponible sobre la marcha de la sociedad, de la que los miembros del Consejo deben informarse diligentemente, no tenía que aparecer necesariamente nada que indicara la existencia de la acción delictiva.» Lo que viene a expresar el TS, en esta sentencia es que en una estructura empresarial jerárquica, los deberes de vigilancia sobre los miembros que están en una relación horizontal, son diferentes (menores) en relación

Es especialmente relevante el papel de los asesores internos o externos a una sociedad, cualquiera que sea la índole de su asesoramiento para una empresa o una persona física. Es evidente que, al no ser deudores, no podrán ser considerados como autores o coautores, por lo que su responsabilidad habrá de encajarse en las figuras de participación y, dentro de estas, será posible encuadrarlas dentro de cualquiera de ellas siempre que se den los requisitos exigidos.

Dada la complejidad de las relaciones económicas existentes en el ámbito de la empresa se hace especialmente difícil diferenciar hasta que punto existe asesoría y dónde existe la realización de otros actos ejecutivos que, habitualmente, se harán "en nombre y representación" del deudor; pero que implican la atribución de funciones distintas y múltiples a un mismo sujeto que pueden provocar la aplicación del artículo 31 del Código penal.

Dado que la inducción que requiere el artículo 28 CP es directa a ejecutar los hechos constitutivos de delito, por lo que se ha dicho que difícilmente se dará en un asesor, sea interno o externo, esa incitación al deudor a la realización de la insolvencia, por lo que no hay que dejar de señalar que la responsabilidad de un asesor a título de partícipe no exonera al deudor principal de responsabilidad penal, pues es él el verdadero autor[316].

Sucede en la jurisprudencia que la teoría objetivo formal no casa bien, según se desprende de la jurisprudencia de nuestro Tribunal Supremo, con el funcionamiento empresarial —como decimos con múltiples intervinientes, con relaciones jerárquicas, repartos de tareas, con delegaciones de competencias, obligaciones muy especificadas en algunos casos y muy genéricas en otros, etc.—, lo que lleva

---

con los que están en una relación vertical, pues para con aquellos sujetos en los que el sujeto se encuentra en la misma posición jerárquica (relación vertical), sólo hay deber de informarse diligentemente sobre la marcha de la sociedad (deber de información)".

316 GONZÁLEZ CUSSAC, J.L., *Los delitos de quiebra*, cit., p. 149.

al Tribunal Supremo a comenzar a adoptar la Teoría del dominio del hecho (siendo el "caso Banesto" el caso paradigmático de aplicación de esta teoría) y evolucionar en el s. XXI hacia la aplicación de otras doctrinas, como la de la "ignorancia deliberada".

Una de las razones para este desarrollo teórico es la generalización en este sector del Derecho penal de los delitos especiales, no siempre de idéntica naturaleza y sometidos a diferentes denominaciones por la doctrina, pero todos, como venimos diciendo, caracterizados por una exigencia relacionada con el autor para la tipicidad del delito. Otra razón es el hecho de que la empresa es una estructura orgánica claramente distinta al sujeto individual que puede interaccionar con otros para cometer delitos[317].

La antigua redacción del artículo 31 del Código Penal permitió en su momento imputar penalmente la conducta a la persona física que actuaba como representante o administrador sin reunir por sí misma las cualidades exigidas por el tipo, evitando así situaciones de impunidad que se derivaban de la falta de tipicidad del ejecutor material. Esa función ha sido desplazada por el actual sistema de imputación a personas jurídicas establecido en los artículos 31 bis y siguientes del Código Penal.

V. EL AUTOR EN EL DELITO CONCURSAL: EL DEUDOR

El sujeto activo del delito concursal es el deudor, es decir, la persona, bien sea física o jurídica que no pueda cumplir de manera regular con las obligaciones que le son exigibles. Nos referimos así al momento en que el sujeto activo se encuentra en una situación de insolvencia actual o inminente, si bien hay quien propone que la referencia a

---

317 SILVA SÁNCHEZ, J.M.; MIRÓ LLINARES, F., *La teoría del delito en la práctica penal económica*, La Ley, Madrid, 2013, p. 278.

la situación de insolvencia debería sustituirse por el sobreseimiento general de todas las obligaciones[318].

La base del delito concursal es la relación entre el acreedor y el deudor, estando este último obligado a cumplir con la/s deuda/s que haya contraído con el primero. Esta es la principal razón por la cual este delito se configura como delito especial propio dentro de la normativa recogida en el CP.

La autoría en el delito concursal punible se rige por las normas generales del CP, una vez suprimidas en el CP de 1995 las referencias a la "complicidad específica" en los delitos de quiebra. Se trata de un delito especial propio[319], derivado de la relación jurídica obligacional entre un sujeto deudor y otro acreedor.

Sólo será autor la persona que revista la cualidad de deudor, que es la cualidad exigida en el tipo, respondiendo los demás intervinientes, en su caso, a título de partícipes, y el criterio de imputación objetiva del injusto del autor será la creación o el incremento de un riesgo no permitido para el patrimonio de los acreedores.

No sólo debemos entender como único obligado al deudor principal, sino que en esta obligación están también incluidos el responsable civil subsidiario por el delito, avalistas y fiadores, como deudores solidarios o subsidiarios.

La redacción del artículo 260 CP desde el año 1995 preveía que "*el que fuere declarado en quiebra, concurso o suspensión de pagos*" sería castigado con pena de prisión y multa cuan-

---

318 QUINTERO OLIVARES, G., *Insolvencias Punibles*, en Álvarez García, F.J., Estudio crítico sobre el Anteproyecto de Reforma penal de 2012, Tirant lo Blanch, Valencia, 2013, p. 742.

319 MARTÍNEZ BUJÁN, C., *Derecho penal económico y de la empresa.* Parte general., 5ª, Tirant lo Blanch, Valencia, 2016, p. 112: "Pese a estar configurado como especial propio, el delito concursal es un delito de dominio y no un delito de infracción de un deber institucional, en virtud de lo cual el criterio de imputación del hecho al autor será el incremento del riesgo no permitido".

do la insolvencia fuese "causada o agravada dolosamente por el deudor o persona que actúe en su nombre".

La reforma del Código Penal del año 2003 afectó a este artículo únicamente para acomodar sus términos a la recién aprobada Ley 8/2003, de 9 de julio, para la Reforma Concursal, modificándose exclusivamente su punto primero que empezaba diciendo: "*el que fuere declarado en concurso será...*".

La reforma del Código Penal del año 2015 ha sido mucho más profunda y ha transformado el artículo 260 en dos nuevos artículos 259 y 259.bis CP y, en lo que a este apartado interesa, ha sustituido la expresión "declarado en concurso" por la de "quien, encontrándose en una situación de insolvencia actual o inminente, realizare alguna de las siguientes conductas", al tiempo que ha desaparecido en este apartado primero del artículo 259 la referencia a "el deudor o persona que actúe en su nombre".

Con ello, desaparece del tipo penal la condición objetiva de punibilidad de haber sido declarado en concurso, haciéndose únicamente referencia al estado de insolvencia "actual o inminente". Debemos tener en cuenta que, pese a que desaparezca vinculación mercantil-penal a la que nos referimos, no hay duda de que, seguirá existiendo, al menos desde un punto de vista formal, como consecuencia de que, en el fondo, tanto en el plano mercantil como penal se vienen sancionando el mismo tipo de conductas.

Pese a ello, desde el punto de vista práctico, y pese a las similitudes de los elementos objetivos que se regulan en el Texto Refundido de la Ley Concursal (Real Decreto Legislativo 1/2020, de 5 de mayo) y en el Código Penal, no influye en el enjuiciamiento penal el hecho de que la insolvencia se haya calificado de un modo u otro en el procedimiento concursal, como tampoco habrá prejudicialidad penal a la hora de calificar el concurso.

El apartado tercero del artículo 260 CP preveía: "Este delito y los delitos singulares relacionados con él, cometidos por el deudor o persona que haya actuado en su nombre, podrán perseguirse sin esperar a la conclusión del proceso civil y sin perjuicio de la continuación de éste". La realidad es que la desvinculación de jurisdicciones no puede ser absoluta; para empezar, ya hemos visto que con la reforma del CP el juez penal tiene competencia para determinar cuándo existe una situación de insolvencia actual o inminente por parte del deudor, por lo que no podemos ver de qué manera un juez del concurso puede desvincularse de la conclusión a la que, en su caso, pudiera llegarse en sede penal[320].

Las referencias específicas dentro de la descripción del tipo a "persona que actúe en su nombre", se mantienen en la actualidad en la actual redacción del artículo 259 CP, pues transcribe el apartado 5 de este artículo 259 el contenido del anterior 260.3 CP, lo que choca con el sujeto señalado en el 259.1 CP: "quien, encontrándose en una situación de insolvencia actual o inminente"[321].

VI. PARTICIPACIÓN DEL "*EXTRANEUS*"

En este aspecto surge el problema de determinar cuál es el tratamiento penal que debemos darle al tercero que lleve a cabo algún acto de ejecución en este delito, pues al tener la consideración de delito especial propio sólo será el deudor el que reúna las condiciones exigidas en el precepto recogido del CP.

En el tema referente a la catalogación de la actuación del "*extraneus*" se nos plantean dos posibilidades. En primer lugar, la no deseada de la impunidad, por no reunir las cua-

---

320 MARTÍN, S. y CORTÉS, J.P. *El delito concursal tras la reforma del Código Penal vs El concurso punible.* Diario La Ley, nº 8618, Sección Tribuna, 5 de octubre de 2015, Ed. La Ley.

321 El contenido del actual art. 259.5 CP recoge en gran medida lo que disponía el antiguo art. 260.3 CP, aunque con una redacción adaptada a la nueva sistemática introducida por la reforma de la LO 1/2015.

lidades exigidas por el autor en el delito especial propio; por otro lado, no se le puede catalogar como autor, como consecuencia de que estaríamos ante un exceso de punibilidad, por lo que la solución acogida por la jurisprudencia ha sido la de descontar en la sanción impuesta al partícipe *"extraneus"* la atenuación en caso de que se produzca su actuación dentro de un delito especial propio.

Aunque el tratamiento del *"extraneus"* ha sido una cuestión muy controvertida en la doctrina y en la jurisprudencia, habiéndose aceptado finalmente, que el tercero *extranei* no podrá ser considerado como autor dentro de un delito especial propio, al no reunir las características y/condiciones que se exigen en el tipo, por lo que, en cualquier caso, responderá a título de partícipe.

En cuanto a su tratamiento punitivo, la participación de los *"extranei"* en los delitos especiales pudiera resolverse con una aplicación analógica de la atenuante; por ejemplo, cuando quien carece de la condición de deudor participa en el delito especial propio cometido por el concursado (*"intraneus"*), dicho sujeto habrá de responder por su participación delictiva conforme al principio de accesoriedad en relación con el delito realmente ejecutado, pero moderando la penalidad en aplicación de una atenuante por analogía derivada de la ausencia.

VII. COMISIÓN IMPRUDENTE

Después de analizar la descripción del delito concursal que se recoge en el CP, podemos ver cómo no se justifica la clase o tipo de imprudencia necesaria para que surja el reproche penal. Así, debemos ver si sería justificado sancionar cualquier tipo de imprudencia, considerando el carácter de la intervención penal como última *ratio.*

Tal y como se recoge en la Ley Concursal, la culpabilidad del sujeto pasivo puede estar ocasionada tanto por dolo como culpa grave. En este sentido, a efectos de extrapolar este razonamiento al orden penal, que aquí nos interesa, podemos asemejar dicho elemento subjetivo de culpa grave a la imprudencia, tal y como la tenemos concebida.

Recordemos que la imprudencia grave se define habitualmente como la omisión de todas las precauciones o medidas de cuidado, o al menos una grave infracción de normas elementales de cuidado, que se concreta en una actuación con un elevado grado de peligro, incontrolable o controlable pero sin que el sujeto emplee ninguna o sólo muy escasas medidas de control. Para hablar de imprudencia grave tenemos que determinar, en primer lugar, cuáles son las normas de cuidado, y después precisar cuáles son las normas "elementales" de cuidado[322].

En este sentido, la culpa grave supone, al igual que la imprudencia, una infracción involuntaria de la regla de conducta exigible al sujeto pasivo por infringir la diligencia más básica ya sea por negligencia, falta de atención, desidia, etc.[323].

Sobre el aludido precepto del CP, parece que esta interpretación no guarda proporción con la necesidad de tutela penal, y resulta incongruente con la tipificación de la imprudencia en otros delitos (homicidio, aborto y lesiones, arts. 142, 156 y 152 CP) más graves, en que resulta atípica la imprudencia leve. En consecuencia, entendemos que el acto imprudente deberá ser grave para ser típico[324].

Podemos analizar el hecho de que las conductas que se recogen en el CP, por lo general, terminan siendo similares a ejemplos de actuaciones de administración desleal, delito tipificado en nuestro CP en el artículo 252 y, donde en cam-

---

322 FARALDO, P. *Vuelta a los hechos de la bancarrota: El delito de insolvencia fraudulenta tras la reforma de 201.* Revista de Derecho Concursal y Paraconcursal, nº23, Sección Estudios, Segundo semestre de 2015, Ed. La Ley.

323 GARCÍA CRUCES, J.A., en ROJO, A., y BELTRÁN, E., *Comentario de la Ley Concursal,* Tomo II. Ed. Thompson Civitas, Madrid, 2004, p. 2523.

324 DE PORRES ORTÍZ, E., *El nuevo delito de bancarrota.* La Ley Penal, nº 120, Sección Estudios, junio 2016, Ed. La Ley.

bio, no se recoge la posibilidad de comisión imprudente, al contrario de lo que ocurre con el delito concursal que está siendo objeto del presente trabajo.

Por último, sobre la conveniencia de la sanción por una actuación imprudente, debemos resaltar la cuestión de si, cuando dicha actuación termina ocasionando un procedimiento concursal, si no es conveniente que baste con la sanción establecida en dicho procedimiento con la sanción mercantil correspondiente, o merece que además sea perseguido por las correspondientes instancias penales.

Muy semejantes en sus contenidos a las actuales penas aplicables a la persona jurídica. Artículo 129 CP: "1. En caso de delitos o faltas cometidos en el seno, con la colaboración, a través o por medio de empresas, organizaciones, grupos o cualquier otra clase de entidades o agrupaciones de personas que, por carecer de personalidad jurídica, no estén comprendidas en el artículo 31 bis de este Código, el Juez o Tribunal podrá imponer motivadamente a dichas empresas, organizaciones, grupos, entidades o agrupaciones una o varias consecuencias accesorias a la pena que corresponda al autor del delito, con el contenido previsto en los apartados c) a g) del artículo 33.7. Podrá también acordar la prohibición definitiva de llevar a cabo cualquier actividad, aunque sea lícita.

VIII. DELIBERADA IGNORANCIA DE LA LEY

Resumidamente, esta teoría sostiene la equiparación en términos jurídico-penales del conocimiento efectivo por parte de un sujeto de la concurrencia en su conducta de los elementos objetivos de un determinado delito con aquellas situaciones en las que, pudiendo procurarse dicho conocimiento, el sujeto ha decidido intencionadamente no hacerlo[325].

---

325 SILVA SÁNCHEZ, J.M.; MIRÓ LLINARES, F., *La teoría del delito en la práctica penal económica*, cit., p. 255.

Su origen se sitúa en algunas resoluciones del siglo XIX tanto de Reino Unido como Estados Unidos[326], si bien no sería hasta los años setenta del siglo XX que dicha teoría se aplicase extensamente en la jurisprudencia anglosajona en referencia a los delitos de tráfico de drogas, especialmente en los casos de transporte de esta.

En el sistema jurídico penal español los supuestos en los que una persona renuncia deliberadamente a conocer determinadas circunstancias de su conducta, suelen reconducirse al dolo eventual, al contar el sujeto con un conocimiento básico suficiente para atribuirle tal forma de dolo.

Sucede que el número de resoluciones en que se hace referencia bien a la "ceguera deliberada" o a la "ignorancia deliberada" de la ley son cada vez mayores, lo que sólo se explica por la cuestionable pretensión de aligerar la obligación de motivar los juicios de inferencia que exige la determinación procesal de los elementos que configuran el dolo[327].

Esta figura tiene su relevancia en relación con la actuación de las personas físicas en el seno de una persona moral. La jerarquía y la cadena de mando pueden provocar situaciones en las que un subordinado reciba instrucciones de no hacer algo o se le prohíba realizar determinada conducta. En esos casos, el sujeto que ha renunciado a conocer no alcanza el nivel mínimo de conocimientos que exige el dolo eventual. Estos son casos de "ignorancia deliberada" en sentido estricto.

Estos supuestos suscitan cuestiones de interés en el ámbito de la imputación, pero, si bien no pueden incluirse en una imputación por dolo eventual, tampoco parece criminalmente adecuado tratarlos como imprudencias, pues quedarían impunes, lo que tendría un efecto negativo en relación con la delincuencia económica y de empresa.

---

326 En Reino Unido Regina v. Sleep (1861) y en Estados Unidos Spurr v. United States (1899).

327 SILVA SÁNCHEZ, J.M.; MIRÓ LLINARES, F., *La teoría del delito en la práctica penal económica*, cit., p. 244.

En Estados Unidos, a pesar de las críticas doctrinales realizadas a esta figura y los intentos de reconducirla al dolo eventual, ha sido en este campo de la delincuencia económica y en el de los delitos medioambientales donde más se ha utilizado para solventar lagunas de impunidad no deseadas, hasta que en el año 2011 fue empleada por el Tribunal Supremo norteamericano para resolver una reclamación civil sobre patentes, quedando así confirmada su vigencia y actualidad.

En España se ha definido la "deliberada ignorancia" por la jurisprudencia como aquella situación en que el sujeto no quiere saber aquello que puede y debe conocer. Por tanto, se está afirmando que el sujeto ha de poder abandonar su conducta de ignorancia deliberadamente buscada y procurarse los conocimientos adecuados, si bien podría bastar la mera existencia de indicios o de una situación provocada que sólo puede tener como origen una actividad ilícita.

La ignorancia deliberada ha pasado a convertirse explícitamente en un auténtico sustitutivo del dolo eventual o en una modalidad aligerada de dolo eventual, hasta el punto de afirmarse en algunas resoluciones de nuestro Tribunal Supremo posteriores al año 2000, que en estos casos de provocación del desconocimiento no es siquiera necesario acreditar la concurrencia del elemento cognitivo del dolo para imponer una condena por delito doloso.

Así las cosas, el desconocimiento provocado ha alcanzado autonomía como un nuevo título de imputación subjetiva que únicamente se vincula con la figura tradicional del dolo a efectos punitivos. O, si se quiere ver de otra manera, el dolo se ha ampliado a casos que no requieren el elemento cognitivo tal como este último se había perfilado tradicionalmente.

Este proceso se ha desarrollado de forma simultánea a la ampliación de la presente doctrina a ámbitos de criminalidad distintos del narcotráfico o del blanqueo de las ganancias de dicha actividad[328].

---

328 Ibid., pp. 249-250.

No puede decirse que la trasposición jurisprudencial de dicha teoría permanezca pacífica en nuestro Tribunal Supremo, pues, de hecho, en un número reducido de resoluciones la propia Sala Segunda ha mostrado reticencias —e incluso ocasionalmente auténtico rechazo— ante esta nueva forma de imputación subjetiva.

En tal sentido destaca la STS de 20-6-2006, en la que se afirma, respecto de la propia idea de "ignorancia deliberada", que *"tales expresiones no resultan ni idiomática ni conceptualmente adecuadas, dado que si se tiene intención de ignorar es porque, en realidad, se sabe lo que se ignora. Nadie puede tener intención de lo que no sabe. La contradictio in terminis es evidente".*

Más recientemente estas críticas se han reiterado porque se considera que no resulta adecuado el planteamiento a las exigencias del principio de culpabilidad, cuyo rango constitucional es indiscutible, llamándose asimismo la atención *"sobre el riesgo de que la fórmula de la "ignorancia deliberada" (...) pueda ser utilizada para eludir "la prueba del conocimiento en el que se basa la aplicación de la figura del dolo eventual", o, para invertir la carga de la prueba sobre este extremo".*

Sin llegar a oponerse, pero siendo consciente de la autonomía doctrinal adquirida por la figura de la deliberada ignorancia como forma de imputación subjetiva respecto de las modalidades clásicas de dolo, la Sala Segunda también ha intentado delimitar de manera más precisa su contenido y requisitos. En tal sentido conviene destacar de manera especial la STS de 2-2-2009, en la que se recogen los requisitos para su apreciación.

Capítulo V

La responsabilidad penal de la persona jurídica

El Código vigente ya establecía desde 1996 consecuencias para las empresas implicadas en la comisión de un delito (responsabilidad subsidiaria y medidas del artículo 129). Es con la reforma del Código, en 2010, que se introduce la responsabilidad penal de las personas jurídicas (en adelante PPJJ) y, en nuestro caso, se añadió un artículo 261 bis que establecía que: "Cuando de acuerdo a lo establecido en el artículo 31 bis una persona jurídica sea responsable de los delitos comprendidos en este capítulo, se le impondrán las siguientes penas…", imponiendo a continuación diversas penas de multa, que desde el principio chocaban con el sentido común, pues no parecía que fuera la sanción adecuada a una situación de insolvencia. No obstante, dicho precepto fue suprimido posteriormente por la Ley Orgánica 1/2019, de 20 de febrero, lo que obliga a reconducir actualmente cualquier imputación de responsabilidad penal de la persona jurídica en este ámbito a través del artículo 31 bis, en conexión con el correspondiente tipo delictivo previsto en el Código Penal.

La incorporación a nuestro Sistema legal de la responsabilidad penal de las personas jurídicas con motivo de la reforma del Código Penal operada a través de la LO 5/2010 supuso, sin duda, una verdadera revolución en el ámbito no sólo de la dogmática penal sino también en la práctica forense[329]. Esta transformación ha sido objeto de desarrollo y revi-

---

329 Afirma BAJO FERNÁNDEZ, M., *Vigencia de la RPPJ en el Derecho sancionador español* en Tratado de responsabilidad penal de las personas jurídicas. MIGUEL BAJO FERNÁNDEZ y otros, Ed. Aranzadi, Cizur Menor (Navarra) 2012, pp. 24 y ss., que nos hallamos ante una verdadera "tercera vía" con su propia y autónoma interpretación de los principios rectores del sistema.

sión posterior, particularmente mediante las reformas introducidas por la LO 1/2015, que reconfiguró sustancialmente el régimen previsto en el artículo 31 bis, y la LO 1/2019, que eliminó ciertos preceptos específicos como el artículo 261 bis, reforzando con ello la centralidad del principio de imputación estructurado en torno a dicho artículo 31 bis.

Tras la publicación de la LO 5/2010 se han sucedido las reformas y las normas de complemento, en concreto la LO 3/2011, la LO 6/2011, la LO 7/2012 y la LO 3/2015, así como, de modo muy especial, la reciente LO 1/2015, que resulta verdaderamente trascendental por la honda transformación que ha supuesto para extremos básicos del régimen de la responsabilidad de las personas jurídicas, a lo que debe añadirse la LO 1/2019, de 20 de febrero, que completó este proceso suprimiendo el artículo 261 bis del Código Penal y confirmando así la centralidad del artículo 31 bis como eje exclusivo de imputación penal a la persona jurídica.

A diferencia de quienes sostienen que las consecuencias accesorias contempladas en el art. 129 del Código Penal de 1995 ya suponían un inicio en esta materia, parece que nos encontramos ante una figura, a mi juicio, inédita como tal en nuestra legislación hasta esa incorporación en la reforma del Código penal del año 2010[330], que supone la introducción del novedoso "*societas delinquere et puniri potest*"[331].

---

330 En esta línea GRACIA MARTÍN, J. "*Sobre la naturaleza jurídica de las llamadas consecuencias accesorias para personas jurídicas en el Código Penal español*", pp. 168 y ss. Merece breve comentario en el contexto de los orígenes de esta responsabilidad, por su carácter peculiar dentro de nuestro ordenamiento, el efímero art. 31.2 CP, que no estableció una verdadera responsabilidad de la persona jurídica, sino, en palabras del Informe elaborado por el CGPJ al Anteproyecto de Reforma del Código Penal de 2003: Informe emitido por el CGPJ respecto del Anteproyecto de reforma del Código Penal de 2003 que decía: "…más parece privarse a la pena de multa de su carácter personal en cuanto a la persona que debe realizar el pago, que establecer propiamente la responsabilidad de la persona jurídica. Por ello, en realidad en el Anteproyecto no se establece la responsabilidad penal de la persona jurídica".

331 FEIJOO SÁNCHEZ, B.J., *La persona jurídica como sujeto de imputación jurídico-penal*, en Tratado de responsabilidad penal de las

A pesar de que la responsabilidad de las personas jurídicas tiene un origen perfectamente reconocible en numerosos sistemas que ya la han desarrollado en sus correspondientes legislaciones entre ellos un gran número de países próximos a nuestra cultura jurídica[332], llegó, sin embargo, a España de la mano de una afirmación no del todo ajustada a la realidad, como la de que eran los Instrumentos internacionales vinculantes para nuestro país, y en especial las disposiciones de la UE (Directivas y Decisiones Marco), los que imponían la presencia de este régimen de responsabilidad entre nosotros[333], Afirmación que, como decimos y con carácter general, no puede tenerse por cierta puesto que no hace el legislador referencia al concreto texto internacional que impone tal obligación[334] y se escamotea al opor-

---

personas jurídicas, Miguel Bajo Fernández y otros, Ed. Aranzadi, Cizur Menor (Navarra) 2012, p. 50.

332 BACIGALUPO SAGESSE, S., "*La responsabilidad penal*" ..., pp. 314 y ss., como Holanda, Dinamarca, Bélgica, Francia o el mismo Portugal, por citar sólo algunos ordenamientos de la Unión Europea, y, fuera de ella, también en otros como Suiza, Chile, Colombia, Costa Rica, Honduras, México, etc.

333 Vid. apartado VII del preámbulo de la LO 5/2010: "Se regula de manera pormenorizada la responsabilidad penal de las personas jurídicas. Son numerosos los instrumentos jurídicos internacionales que demandan una respuesta penal clara para las personas jurídicas, sobre todo en aquellas figuras delictivas donde la posible intervención de estas se hace más evidente (corrupción en el sector privado, en las transacciones comerciales internacionales, pornografía y prostitución infantil, trata de seres humanos, blanqueo de capitales, inmigración ilegal, ataques a sistemas informáticos...). Esta responsabilidad únicamente podrá ser declarada en aquellos supuestos donde expresamente se prevea".
Del máximo interés en este extremo son también otras menciones a textos internacionales, especialmente de la ONU y de la OCDE, en CASANOVAS YSLA, A. "*Legal compliance. Principios de cumplimiento generalmente aceptados*", Ed. Economist&Jurist, Madrid 2012, pp. 95 y ss.

334 Con alguna mínima excepción, lo único que se contienen son pronunciamientos insistentes acerca de la necesidad de aplicar, en un numeroso grupo de actividades delictivas, medidas verdaderamente "eficaces, proporcionadas y disuasorias" frente a la presencia, en formas diversas, de las PPJJ en la comisión de tales ilícitos, que se producen en su seno o con motivo de su actividad, sea ésta genéricamente lícita o totalmente ilícita. FEIJOO SÁNCHEZ, B.J., en *Tratado*

tuno debate lo que es en realidad una decisión de política criminal ordinaria[335]; obviando el legislador una realidad patente como es que la Unión Europea no puede imponer una efectiva obligación de subsumir una conducta bajo la norma penal y es que los Estados miembros no deben establecer obligatoriamente un régimen de responsabilidad de naturaleza penal para estos casos[336], pudiéndose mantener regulaciones en las que se arbitran otra clase de soluciones en forma de consecuencias jurídicas derivadas de la infracción penal cometida por la persona física (art. 129 del Código Penal)[337] o la responsabilidad civil subsidiaria

---

de responsabilidad penal de las personas jurídicas, Miguel Bajo Fernández y otros, Ed. Aranzadi, Cizur Menor (Navarra) 2012, p. 50 y DE TOLEDO Y UBIETO, O., ADP 2009, pp. 108 y ss. y GONZÁLEZ-CUÉLLAR SERRANO, N. y JUANES PECES, A., *La responsabilidad penal de las personas jurídicas y su enjuiciamiento en la reforma de 2010. Medidas a adoptar antes de su entrada en vigor*, Diario La Ley, núm. 7501, 3 Nov. 2010.

335 ORTIZ DE URBINA, I. *Sanciones penales contra empresas en España (Hispanica societas delinquere potest)*, en Compliance y Teoría del Derecho Penal, Ed. Marcial Pons, Madrid 2013, p. 277. Y en el mismo sentido, el propio contenido de la "justificación" de la enmienda presentada en el Congreso de los Diputados respecto del nuevo texto del art. 31 bis CP, con motivo de la elaboración de la LO 1/2015, donde concluyentemente se dice que "Las Directivas UE imponen el deber de sancionar a las personas jurídicas en determinados supuestos per NO (sic) imponen que ese régimen sancionador tenga naturaleza penal", Boletín Oficial de las Cortes Generales-Congreso de los Diputados, 10 Dic. 2014, p. 528.

336 BACIGALUPO SAGGESE, S. *Los criterios de imputación de la responsabilidad penal de los entes colectivos y de sus órganos de gobierno (arts. 31 bis y 129 CP)*, Diario La Ley núm. 7541, 5 Ene. 2011, p. 1 y Nota 7. Si bien sí que deben ser considerados esos instrumentos como verdaderas "...manifestaciones de un determinado "clima político-criminal" a nivel internacional", FEIJOO SÁNCHEZ, B. "*La responsabilidad penal de las personas jurídicas*", en "*Estudios sobre las reformas del Código Penal operadas por las LO 5/2010, de 22 de Junio, y 3/2011, de 28 de Enero*", dirigidos por DÍAZ-MAROTO Y VILLAREJO, J., ed. Civitas Aranzadi, Cizur Menor (Navarra) 2011, p. 70.

337 Para CARBONELL MATEU, J.C. y MORALES PRATS, F., el art. 129 CP ya incorporaba, desde 1995, un sistema de responsabilidad penal de la Persona Jurídica, si bien con un carácter no autónomo de la misma, en Comentarios a la Reforma Penal de 2010, dirigidos por

en ciertos casos (arts. 109 y ss. CP), que suponen una verdadera responsabilidad criminal autónoma. Es, por tanto, perfectamente válida, igualmente, una represión exclusiva del Derecho Administrativo sancionador como la que ya existe en ciertos casos en nuestro derecho nacional[338].

El sistema seguido por nuestra Legislación penal (art. 129 CP), con anterioridad a esta nueva regulación[339] suponía la aplicación de consecuencias jurídicas, *"medidas coercitivas de carácter no sancionador"* para algunos[340], a la entidad cuyo Administrador fuera, en tal condición, autor de un determinado delito, en forma de *"consecuencias accesorias"*[341], además, desde la reforma del año 2003, de la responsabilidad directa y conjunta con aquel por la multa impuesta (art. 31.2 CP, hoy suprimido por la LO 1/2015), reforzado por la aplicación, en su caso, de la responsabilidad civil sub-

---

ÁLVAREZ GARCÍA, F.J. y GONZÁLEZ CUSSAC, J.L. ed. Tirant lo Blanch, Valencia 2010, p. 56.

338 Véanse los artículos 26 y 28 de la Ley 40/2015, de 1 de octubre, de Régimen Jurídico del Sector Público, que contemplan la posibilidad de imponer sanciones administrativas tanto a personas físicas como jurídicas. En sentido semejante, el artículo 181 de la Ley General Tributaria (Ley 58/2003), el artículo 1.2 del Estatuto de los Trabajadores (Real Decreto Legislativo 2/2015, de 23 de octubre), así como los artículos 11.3 y 53.3 de la Ley General de Subvenciones (Ley 38/2003), recogen expresamente la responsabilidad de las personas jurídicas en sus respectivos ámbitos.

339 Restringido hoy a aquellos supuestos de entidades o agrupaciones de personas que carecen de personalidad jurídica.

340 GRACIA MARTÍN, L., *La cuestión de la responsabilidad penal de las personas jurídicas*, en Responsabilidad penal de las personas jurídicas, Mir/Luzón, p. 38.

341 2. Las consecuencias accesorias a las que se refiere en el apartado anterior sólo podrán aplicarse a las empresas, organizaciones, grupos o entidades o agrupaciones en él mencionados cuando este Código lo prevea expresamente, o cuando se trate de alguno de los delitos o faltas por los que el mismo permite exigir responsabilidad penal a las personas jurídicas.

3. La clausura temporal de los locales o establecimientos, la suspensión de las actividades sociales y la intervención judicial podrán ser acordadas también por el Juez Instructor como medida cautelar durante la instrucción de la causa a los efectos establecidos en este artículo y con los límites señalados en el artículo 33.7".

sidiaria asociada al ejercicio mismo de la acción penal (art. 120, apdo. 2º a 5º, CP).

Pues bien, a pesar de todo ello nuestro legislador adoptó la decisión de incorporar el nuevo régimen de responsabilidad de las personas jurídicas que en todo caso hay que ubicar dentro de la filosofía general del "buen gobierno" de las empresas[342], evidentemente de alcance aún más amplio, y que en nuestro país comenzó a incorporarse a partir de la creación por el Consejo de Ministros, el 28 de Febrero de 1997, de una Comisión Especial para el estudio de un Código Ético de los Consejos de Administración de las Sociedades Cotizadas", que daría lugar al conocido como "Código Olivencia", seguido del Informe de la Comisión Aldama que, en Septiembre de 2002 trató de profundizar en los principios de transparencia, información y lealtad, equilibrados con el de diligencia, provocando una evolución de la legislación mercantil que sigue en nuestro días, pudiendo señalarse también un antecedente anecdótico en la jurisprudencia con la STS de 10 de Diciembre 1999, con referencia a la crisis del principio "*societas delinquere non potest*" que en ese momento estaba siendo cuestionado en diversos ordenamiento europeos[343].

Cualquiera que haya sido la razón auténtica para tal reforma[344], lo cierto es que se abren ante nosotros dudas

---

342 En este mismo sentido, ACACHO, A. y URÍA, A., hacen referencia expresa a los *Principios de Gobierno Corporativo de la CEOE de 1999*, revisados en 2004 y en revisión actualmente, así como el "Convenio para combatir la corrupción de los agentes públicos extranjeros en las transacciones económicas internacionales", firmado por los países de la OCDE en Diciembre de 1997, y las "Recomendaciones en materia de anticorrupción", emitidas en 2009, en *El impacto de la Ley Orgánica 1/2015 por la que se modifica el Código Penal en los sistemas de "corporate compliance" de las personas jurídicas*, Diario La Ley núm. 3328/2015, 19 de Mayo. 2015, p. 16.

343 LÓPEZ ASENCIO, P., en *Responsabilidad penal de personas jurídicas en la Gestión económica de la Empresa*, CABEZUELA SANCHO, D. y otros, Eds. Francis Lefebvre, Madrid, 2011, pp. 760 y ss.

344 La lucha contra la delincuencia internacional y el establecimiento de un marco homogéneo en el ámbito penal internacional. BAJO FERNÁNDEZ M. en *Tratado de responsabilidad penal de las personas ju-*

interpretativas que requieren de una respuesta acorde con los planteamientos del resto de nuestro sistema punitivo, tanto procesal como sustantivo[345].

En efecto, de una parte la aplicación de las categorías clásicas de la teoría del delito, en aspectos tan esenciales como la acción, antijuridicidad o la culpabilidad, propias e imprescindibles en la infracción penal, requiere, ante la presencia de esta nueva regulación, la elaboración de innovadores planteamientos adaptados a la situación creada por tan original realidad jurídica[346], en tanto que, de otro lado el desarrollo del debate, en el seno del procedimiento judicial, también va a ofrecer retos de difícil solución desde el respeto debido a los principios y garantías tradicionales de nuestro sistema de enjuiciamiento penal[347] ya que los aspectos procesales relativos al ejercicio del derecho de defensa, el contenido y alcance del debate a propósito de esa especial responsabilidad de las personas morales, o el objeto de

---

rídicas, Miguel Bajo Fernández y otros, Ed. Aranzadi, Cizur Menor (Navarra) 2012, p. 23.

345 BAJO FERNÁNDEZ M. en *Tratado de responsabilidad penal de las personas jurídicas*, Miguel Bajo Fernández y otros, Ed. Aranzadi, Cizur Menor (Navarra) 2012, p. 21, y SSTS (Sala 4ª) de 18 de Febrero y 30 de Mayo de 1981 y 15 de Julio de 1982.

346 No es esta la opinión de ROBLES PLANAS, "*Pena y persona jurídica: crítica del art. 31 bis CP*", Diario La Ley 7705, 211, para el que "...no cabe un modelo de responsabilidad penal para las personas jurídicas sin violar principios fundamentales del Derecho Penal" pues, según el mismo autor, el sistema seguido por nuestro Código Penal es "sólo formalmente penal"

347 ZÚÑIGA RODRÍGUEZ. L. *La responsabilidad penal de las personas jurídicas. Principales problemas de imputación*, en Responsabilidad penal de las personas jurídicas. Derecho comparado y Derecho comunitario, p. 71:"La tensión entre las demandas de eficacia y los principios limitadores del poder punitivo del Estado es una de las cuestiones actuales más debatidas en el Derecho Penal al hilo del auge de la nueva criminalidad propia de un mundo globalizado",

la actividad probatoria precisan ser replanteados en este nuevo escenario[348].

A este respecto hemos de destacar cómo, desde el primer pronunciamiento jurisprudencial sobre esta materia[349], en criterio reiterado por los que hasta hoy se han venido produciendo[350], el Tribunal Supremo ha mantenido su criterio: *"Esta Sala todavía no ha tenido ocasión de pronunciarse acerca del fundamento de la responsabilidad de los entes colectivos, declarable al amparo del art. 31 bis del CP. Sin embargo, ya se opte por un modelo de responsabilidad por el hecho propio, ya por una fórmula de heterorresponsabilidad, parece evidente que cualquier pronunciamiento condenatorio de las personas jurídicas habrá de estar basado en los principios irrenunciables que informan el derecho penal".*

En el ámbito de la teoría del delito, cuestiones como la del fundamento mismo del Derecho Penal ("*ius puniendi*") y la justificación de la sanción a partir de los objetivos de prevención general y especial, o la posibilidad de castigo de conductas de evidente carácter imprudente respecto de figuras penales concebidas por el Legislador con una naturaleza exclusivamente dolosa (*vid.* art. 12 CP[351]) o la de la aplicación de la comisión por omisión (art. 11 CP[352])

---

348 G GONZÁLEZ-CUÉLLAR SERRANO, N. y JUANES PECES, A., *La responsabilidad penal de las personas jurídicas y su enjuiciamiento en la reforma de 2010. Medidas a adoptar antes de su entrada en vigor*, Diario La Ley, núm. 7501, 3 Nov. 2010.

349 STS 514/2015, de 2 de Septiembre.

350 Especialmente SSTS 154/2016, de 29 de Febrero, y 221/2016, de 16 de Marzo.

351 Art. 12 CP: "Las acciones u omisiones imprudentes sólo se castigarán cuando expresamente lo disponga la Ley".

352 Artículo 11 CP: "Los delitos que consistan en la producción de un resultado sólo se entenderán cometidos por omisión cuando la no evitación de este, al infringir un especial deber jurídico del autor, equivalga, según el sentido del texto de la ley, a su causación. A tal efecto se equiparará la omisión a la acción:
Cuando exista una específica obligación legal o contractual de actuar.
Cuando el omitente haya creado una ocasión de riesgo para el bien jurídicamente protegido mediante una acción u omisión precedente". (modificado por el art. único.8 de la Ley Orgánica 1/2015, de 30 de marzo.).

sobre el incumplimiento de ciertos deberes de garante y el tratamiento de todo ello en el caso de la responsabilidad de las personas jurídicas habrán de ser abordadas desde una perspectiva teórica hasta hoy insólita[353].

Todo ello sobre la base irrenunciable de la supervivencia de principios tales como el de la exclusiva responsabilidad por el hecho propio, la interdicción de la responsabilidad objetiva o la del *bis in idem*, por citar sólo tres de los más significativos de todos ellos, que no deberían sufrir merma alguna por el hecho de hallarnos ante un sujeto de tan especiales características como lo es la persona jurídica[354], sin olvidar la innegable exigencia de que el sistema pueda "*...dar respuestas que sean satisfactorias no sólo desde el prisma de las garantías, sino también eficaces desde la óptica de la prevención de conductas que lesionan bienes jurídicos importantes para la Sociedad*"[355].

---

353 "... es preciso desarrollar una teoría jurídica del delito o una teoría específica de imputación jurídico-penal para las personas jurídicas", FEIJOO SÁNCHEZ, B. *La responsabilidad penal de las personas jurídicas,* en Estudios sobre las reformas del Código Penal operadas por las LO 5/2010, de 22 de Junio, y 3/2011, de 28 de Enero, dirigidos por DÍAZ-MAROTO Y VILLAREJO, J., ed. Civitas-Aranzadi, Cizur Menor (Navarra) 2011, p. 68.

354 "... es posible desarrollar, en el seno de la dogmática del elemento subjetivo (*culpa* y *dolus*), un enfoque penal funcional que no se oponga a los principios fundamentales del Derecho penal y del Estado de derecho y permita igualmente adaptar el Derecho penal al desarrollo actual de la sociedad". VERVAELE, J. "*Societas/Universitas delinquere et puniri potest, ¿La experiencia holandesa como modelo para España?*", en Responsabilidad penal de las personas jurídicas. Derecho comparado y Derecho comunitario. p. 27. Estudios de Derecho Judicial. 115/2007, CGPJ. Incluso algún autor considera no sólo que se trata de una exigencia a alcanzar que la RPPJ sea respetuosa con los principios básicos del Derecho Penal, sino que éstos principios tenderán a extenderse, por esta vía, al régimen general de cumplimiento empresarial en sus diversas facetas, más allá de la estrictamente penal pues "El Derecho Penal necesita seguridad jurídica y puede aportarla al sistema interno de prevención", NIETO MARTÍN, A. *Problemas fundamentales del cumplimiento normativo en el Derecho Penal, en Compliance y Teoría del Derecho Penal,* Ed. Marcial Pons, Madrid 2013, p. 30.

355 ZÚÑIGA RODRÍGUEZ. L. *La responsabilidad penal de las personas jurídicas. Principales problemas de imputación,* en Responsabilidad penal de

No se agotarán aquí todas las materias de este fenómeno legal en relación con otras cuestiones de gran importancia jurídica como la relativa a la oportunidad y eficacia de las penas aplicables y su determinación; las específicas repercusiones de la responsabilidad de personas jurídicas en la selección de los tipos delictivos atinentes a estas y realizada por nuestro Legislador dentro de un criterio de "numerus clausus"; las características de las denominadas "*compliances*" o protocolos para el debido control de los integrantes de la organización respecto del análisis de la responsabilidad de las personas jurídicas, hoy contemplados ya con cierto detalle en nuestro Código penal tras la LO 1/2015[356]; todos ellos problemas de gran trascendencia, que se tratarán en cada apartado a lo largo de este estudio.

I. LOS REQUISITOS DE LA RESPONSABILIDAD DE LAS PERSONAS JURÍDICAS

A partir de aquí vamos ahora a proceder al examen de los requisitos expuestos, como elementos integrantes del tipo objetivo de la responsabilidad de las personas jurídicas, aunque muy próximos en algún caso a los aspectos subjetivos de esa misma responsabilidad, de los que nos ocuparemos con más detalle en el siguiente de los apartados de nuestro análisis.

Dos son las coordenadas a partir de las cuales se delimita en la norma la responsabilidad de la persona jurídica que, por un lado, sólo puede referirse a la comisión de ciertas figuras delictivas de la Parte Especial y, de otro lado, tan sólo se origina cuando concurren los requisitos que vinculan a

---

las personas jurídicas. Derecho comparado y Derecho comunitario. p. 77. Estudios de Derecho Judicial. 115/2007, CGPJ.

356 CAMACHO, A. y URÍA, A., *El impacto de la Ley Orgánica 1/2015 por la que se modifica el Código Penal en los sistemas de "corporate compliance" de las personas jurídicas,* Diario La Ley núm. 3328/2015, 19 de Mayo 2015, p. 16.

aquella con la conducta de la persona física (en adelante también, PF) autora del ilícito.

Con el primero de tales criterios nos encontramos ante la afirmación legal de que la responsabilidad de las personas jurídicas ha de referirse a alguno de los *"...supuestos previstos en este Código..."*, lo que claramente nos fuerza a remitirnos al catálogo de tipos delictivos contenido en el Libro II del CP.

La literalidad de tales preceptos incorpora una fórmula uniforme del siguiente tenor genérico: *"Cuando de acuerdo con lo establecido en el artículo 31 bis una persona jurídica sea responsable del delito se le impondrán las penas de......"*, con ligeras variantes como en los supuestos de imposición de una única pena, en concreto la de multa, o las referencias genéricas a *"...los delitos cometidos en este Capítulo..."*, por ejemplo.

De esta manera se identifican, a lo largo del articulado, aquellos tipos penales en los que exclusivamente cabe la responsabilidad de la persona jurídica, con lo que nuestro Legislador opta por un sistema cerrado de enumeración taxativa de los ilícitos con potencialidad generadora de esta clase especial de responsabilidad, en todo semejante al sistema de "crimina culposa" seguido a partir del CP de 1995 respecto de la posibilidad de comisión imprudente, frente a la hipótesis de determinación judicial caso a caso ("*crimen culpae*"), vigente hasta la publicación del actual Código.

Por consiguiente, hay que tener claro que *"Un primer límite a la responsabilidad penal de la persona jurídica sería, por tanto, que no se pueda constatar que una persona física haya cometido una conducta típica o que, habiendo existido una conducta típica, ésta se encuentre amparada por una causa de justificación"*[357], siempre que se trate de infracciones cometidas por personas físicas con capacidad para generar la

---

357 FEIJOO SÁNCHEZ, B. *La responsabilidad penal de las personas jurídicas*, en Estudios sobre las reformas del Código Penal operadas por las LO 5/2010, de 22 de Junio, y 3/2011, de 28 de Enero, dirigidos por DÍAZ-MAROTO Y VILLAREJO, J., ed. Civitas-Aranzadi, Cizur Menor (Navarra) 2011, p. 91.

responsabilidad de las personas jurídicas, a excepción de los delitos de estafa agravada (251 bis CP), de blanqueo de capitales (art. 302.2 CP) y de financiación del terrorismo (art. 576.5 CP), son delitos de carácter doloso[358].

Lo cierto, es que se desconocen los criterios seguidos para la elección de los supuestos delictivos generadores de responsabilidad y la exclusión de otros, porque no se nos ofrece en la Exposición de motivos de la norma referencia alguna a este extremo[359]. Causando cierta perplejidad en tal sentido el por qué, por ejemplo, se considera posible y acertado derivar una responsabilidad penal para la persona jurídica en casos como los de pornografía infantil (art. 189 CP), de tan difícil ocurrencia en la práctica sobre todo si se llega a exigir que la acción ilícita haya de producir cierto "beneficio" para la persona jurídica[360], mientras que, por el contrario, se exceptúan de esta responsabilidad los delitos cometidos contra los derechos de los trabajadores (arts. 311 y ss. CP), en especial en materia de siniestralidad laboral[361].

---

358 Respecto de los meros actos preparatorios algún autor sostiene, a mi juicio con pleno acierto, que "Lo más conveniente parece ser entender que quedan fuera del ámbito del art, 31 bis los supuestos enormemente excepcionales de actos preparatorios cuando todavía no se ha dado principio a la ejecución del delito, especialmente en los casos del debido control por parte del administrador o representante legal ya que lo contrario supondría llevar las obligaciones de control demasiado lejos".

359 En Holanda, por ej., rige el criterio de *numerus apertus*, de forma que, en principio, la RPPJ puede derivarse de la comisión de cualquiera de los delitos comprendidos en la Ley, al afirmarse, en el art. 51 del Código Penal desde 1976, con carácter general que "1. Las infracciones pueden cometerse por personas físicas o jurídicas...", VERVAELE, J. "*Societas/Universitas delinquere ed puniri potest, ¿La experiencia holandesa como modelo para España?*", en Responsabilidad penal de las personas jurídicas. Derecho comparado y Derecho comunitario, p. 26. Estudios de Derecho Judicial. 115/2007, CGPJ.).

360 Cabría, no obstante, pensar en la posibilidad, que parece prácticamente de "laboratorio", del supuesto en el que, en una empresa dedicada a la producción de pornografía de adultos, y por ende lícita, alguna PF integrada en la misma incorporase productos de esta clase, "pornografía con menores", con la finalidad de obtener un beneficio para esa PJ.

361 Art. 316 CP: "Los que con infracción de las normas de prevención de riesgos laborales y estando legalmente obligados, no faciliten los me-

Por otro lado, algunos ámbitos de la conducta delictiva quedan fuera de esa responsabilidad de la persona jurídica, suscitando tal exclusión un número importante de serias críticas, como acontece, por ejemplo, con los delitos cometidos contra la flora y la fauna (arts. 332 y ss. CP) o los falseamientos de cuentas anuales o de informes económicos (arts. 290, 291 y 282 bis CP)[362], sólo por citar dos ejemplos típicos de conductas delictivas con posibilidades claras de vinculación con la actividad de empresas y personas jurídicas, que sirven a su vez para explicar el por qué no son pocas las voces que se alzan contra este sistema de "numerus clausus" respecto de la infracciones penales en las que cabe la RPPJ y abogan por el *numerus aportes* y la posibilidad de que, en cada caso, el Juzgador penal pueda declarar, independientemente del delito de que se trate, la existencia o no de la responsabilidad de la persona jurídica[363].

No hay que ignorar, no obstante, que una tal posibilidad, si bien ventajosa a fin de evitar las posibles omisiones cometidas en relación con la enumeración de supuestos legales, ofrece así mismo serios problemas para la persona jurídica, a la hora de elaborar e implantar los sistemas de

---

dios necesarios para que los trabajadores desempeñen su actividad con las medidas de seguridad e higiene adecuadas, de forma que pongan así en peligro grave su vida, salud o integridad física, serán castigados con las penas de prisión de seis meses a tres años y multa de seis a doce meses".

362 "...que son, por regla, delitos cometidos por los administradores por cuenta o en beneficio de aquella (la PJ)", BACIGALUPO ZAPATER, E., *Responsabilidad penal y administrativa de las personas jurídicas y programas de "compliance* (A propósito del Proyecto de reformas del Código Penal de 2009), Diario La Ley núm. 7442, 9 Jul. 2010, p. 6.

363 Por ej., RODRÍGUEZ RAMOS, L., *¿Cómo puede delinquir una persona jurídica en un sistema penal antropocéntrico?* (La participación en el delito de otro por omisión imprudente: pautas para su prevención)". Diario La Ley, núm. 7561, 3 de Feb. 2011, pp. 2 y 4. Y muy interesantes a este respecto, tanto en lo relativo a la polémica entre un catálogo cerrado de infracciones o una remisión general, con referencias propias del Derecho alemán, los comentarios de KUDLICH, H., "¿Compliance mediante la punibilidad de asociaciones?, en *Compliance y Teoría del Derecho Penal*, Ed. Marcial Pons, Madrid 2013, pp. 289 y ss.

control, por la excesiva complicación que esa ampliación de los supuestos objeto de estos supondría. En el fondo, un enfoque más correcto de la cuestión llevaría, más que a poner el acento en la pormenorizada enumeración de infracciones, a establecer, con carácter general, la *"Definición y comunicación de los valores y objetivos empresariales que deben ser respetados…"*[364].

En cualquier caso, como queda dicho, exigencia imprescindible para esta clase de responsabilidad es la de que nos hallemos ante un delito de los enumerados, cometido por la persona física vinculada con la persona jurídica en la forma en que vamos a ver a continuación[365] y, por supuesto, que se den así mismo los restantes requisitos precisos para el nacimiento de la responsabilidad de la persona jurídica que igualmente se analizarán en las páginas que siguen y que constituyen el segundo de los criterios para la delimitación de tal responsabilidad.

II. LA PERSONA FÍSICA AUTORA DEL HECHO DELICTIVO, PRESUPUESTO DE LA RESPONSABILIDAD DE LA PERSONA JURÍDICA

Según la propia dicción de la norma, para que el hecho delictivo sea precursor de la responsabilidad de la persona jurídica, el mismo ha de ser cometido por a) el representante legal o persona autorizada para tomar decisiones o

---

364 SIEBER, U., *Programas de compliance en el Derecho Penal de la empresa. Una nueva concepción para controlar la criminalidad económica*, en El Derecho Penal económico en la era compliance. Ed. Tirant lo Blanch, Valencia, 2013, p. 75.

365 Y esto cualquiera que fuere la posición que se adopte en la importante polémica que más adelante se abordará sobre si este hecho delictivo cometido por la PF ha de entenderse como un "hecho de conexión" dentro de la aplicación de un criterio de "atribución" de la RPPJ, o de un mero "hecho de referencia", requisito o presupuesto previo para la existencia de esa responsabilidad, pero considerada como propia e independiente de la PJ.

que ostenta facultades de organización y control en la persona jurídica o b) quien esté sometido a la autoridad de los anteriores[366].

1. El representante legal o persona autorizada para tomar decisiones o que ostenta facultades de organización y control en la persona jurídica

La acción delictiva puede ser realizada por quien ostenta un poder efectivo de decisión o de representación en el seno de la persona jurídica, lo que activa una de las dos vías legalmente previstas para su imputación penal. Se trata de una vía dotada de un marcado carácter específico, en la medida en que supone una aproximación —controlable, pero no por ello exenta de una evidente carga expansiva— a modelos de responsabilidad penal de la persona jurídica próximos a una heterorresponsabilidad de sesgo cuasi objetivo[367]. Esta aproximación encuentra su justificación en el hecho de que la actuación del administrador o del representante legal constituye, en todo caso, la auténtica "puerta de entrada" de la responsabilidad penal de la persona jurídica: bien porque sea él quien materialmente cometa el hecho delictivo (primera vía de imputación), bien porque haya omitido el debido control sobre el subordinado que lo ejecuta (segunda vía de imputación).

En el primero de estos supuestos resulta especialmente relevante la correcta delimitación de la figura del adminis-

---

366 El delito cometido por la PF como "desencadenante" de la RPPJ, GÓMEZ-JARA DIEZ, C. *Fundamentos modernos de la Responsabilidad Penal de las Personas Jurídicas*, Ed. B de F, Buenos Aires, 2010, p. 484, o como "condición objetiva de perseguibilidad", BAJO FERNÁNDEZ, M., *Derecho y Justicia penal en el siglo XXI. Liber Amicorum en Homenaje al Prof. Antonio González Cuéllar*, 2006, p. 69.

367 FEIJOO SÁNCHEZ, B. *La responsabilidad penal de las personas jurídicas*, en Estudios sobre las reformas del Código Penal operadas por las LO 5/2010, de 22 de Junio, y 3/2011, de 28 de Enero, dirigidos por DÍAZ-MAROTO Y VILLAREJO, J., ed. Civitas-Aranzadi, Cizur Menor (Navarra) 2011, p. 93.

trador o representante, en la medida en que su actuación puede comprometer de forma directa la responsabilidad penal de la persona jurídica. Esta cuestión mantiene toda su vigencia incluso tras la reforma introducida por la LO 1/2015, pues, si el concepto de representante o administrador "opera como una especie de puerta de entrada de dicha responsabilidad", según se adopten interpretaciones más restrictivas o extensivas, dicha puerta puede terminar convirtiéndose en un amplio portón o, por el contrario, en el estrecho ojo de una aguja[368].

Desde esta perspectiva, por representante legal debe entenderse, en primer término y de manera evidente, a quien actúa en nombre de la persona jurídica con capacidad suficiente para vincularla jurídicamente mediante sus actos. La atribución de dicha condición puede venir determinada por una previsión legal expresa —de forma directa o indirecta— o derivarse del contenido de las normas societarias o estatutarias que le reconozcan esa facultad de representación.

A los efectos del Derecho Penal, al concepto de representante ha venido otorgándosele un significado en el que predominan más los aspectos materiales que los formales. Así lo ha entendido la jurisprudencia más reciente, como recoge expresamente la **STS 3490/2025**, al señalar que: *"la atribución de responsabilidad penal a la persona jurídica exige, cuando menos, que el delito haya sido cometido por una persona física que ostente una posición de dominio funcional o facultades efectivas de dirección dentro de la estructura de la entidad".*

Esta interpretación se acomoda al tenor del artículo 31 bis.1 a) CP y permite identificar como representantes no sólo a quienes ostentan formalmente el cargo, sino también a aquellos que, en la práctica, ejercen funciones directivas o

---

368 FEIJOO SÁNCHEZ, B. *La responsabilidad penal de las personas jurídicas,* en Estudios sobre las reformas del Código Penal operadas por las LO 5/2010, de 22 de Junio, y 3/2011, de 28 de Enero, dirigidos por DÍAZ-MAROTO Y VILLAREJO, J., ed. Civitas-Aranzadi, Cizur Menor (Navarra) 2011, p. 93.

decisorias en el ámbito material en el que se produce la infracción penal. Ahora bien, esta concepción ha de ser, cuando menos, objeto de una seria reflexión crítica, pues no resulta indiferente confundir el supuesto contemplado en el artículo 31 bis.1 a) CP con el propio de un precepto como el artículo 31 CP, orientado a la determinación de la responsabilidad penal de la persona física cuando actúa en una posición representativa más allá de la base jurídica que la legitima.

En efecto, no nos encontramos ante realidades normativas equivalentes. Mientras que el artículo 31 CP proyecta sus efectos sobre la imputación personal del hecho a la persona física, el artículo 31 bis CP opera como presupuesto de la responsabilidad penal de la persona jurídica, lo que exige una interpretación particularmente cautelosa del concepto de "representante legal". De ahí que la equiparación automática entre representación formal y ejercicio fáctico de funciones directivas deba ser sometida a un análisis restrictivo y respetuoso con el principio de legalidad[369].

Desde esta perspectiva, para que pueda afirmarse la concurrencia del requisito consistente en que el autor del hecho delictivo sea un "representante legal" de la persona jurídica, no basta con que aquél desempeñe de hecho determinadas funciones decisorias o directivas. Resulta ne-

---

369 Vid. FEIJOO SÁNCHEZ, B. *La responsabilidad penal de las personas jurídicas*, en Estudios sobre las reformas del Código Penal operadas por las LO 5/2010, de 22 de Junio, y 3/2011, de 28 de Enero, dirigidos por DÍAZ-MAROTO Y VILLAREJO, J., ed. Civitas-Aranzadi, Cizur Menor (Navarra) 2011, p. 93, que sostiene, aparentemente en contra de la anterior interpretación, que "En principio, parece que los conceptos de administrador de hecho y de administrador de Derecho que se utilicen en este ámbito deben ser equivalentes a los ya manejados por la doctrina con respecto a la regulación de la actuación en nombre de otro (art. 31 CP) y los delitos societarios (art. 290 CP)", concluyendo en que "Se irá produciendo necesariamente, por tanto, a lo largo del tiempo una interrelación interpretativa entre estas tres cuestiones de alcance diferente. La jurisprudencia deberá estar atenta a las consecuencias que puede tener el concepto de administrador que ofrezca en otros ámbitos cuando determine el concepto en el art. 31, en el 31 bis o en los delitos societarios".

cesario, además, que actúe con pleno cumplimiento de las exigencias materiales y formales que permiten reconocerle jurídicamente tal condición, así como que concurran elementos que sitúen la interpretación del término normativo en un plano no extensivo y compatible con las garantías propias del Derecho penal. Ello no implica, desde luego, que la conducta delictiva deba ejecutarse "en representación" de la persona jurídica en un sentido técnico o estricto, ni que deba producirse necesariamente en el marco de una actuación puramente representativa.

La exigencia ha de circunscribirse, en consecuencia, a que el ilícito sea cometido por la persona física que ostente legalmente esa condición representativa, con independencia del concreto contenido de su actuación o de la relación inmediata de ésta con las facultades que tenga atribuidas, siempre que, como se examinará más adelante, dicha actuación se haya realizado "en nombre o por cuenta" de la persona jurídica. En este sentido, la reforma operada por la LO 1/2015 introduce una referencia expresa a la figura más amplia del "administrador", al disponer que la responsabilidad podrá derivarse de los hechos cometidos "por sus representantes legales o por aquellos que, actuando individualmente o como integrantes de un órgano de la persona jurídica, están autorizados para tomar decisiones en nombre de la persona jurídica u ostentan facultades de organización y control dentro de la misma".

Esta formulación supone una mayor concreción respecto de la anterior alusión al "administrador de hecho o de derecho", pero al mismo tiempo amplía el ámbito subjetivo de imputación previsto en la redacción originaria del artículo 31 bis, introducida por la LO 5/2010. En efecto, la nueva descripción alcanza no sólo a quienes adoptan decisiones en nombre de la persona jurídica, sino también a quienes ostentan facultades de organización y control, superando así la referencia más limitada al administrador en sentido estricto[370].

---

[370] Hay que tener en cuenta, a este respecto, que la Circular 1/2011 de la FGE entendió que "...deben rechazarse las interpretaciones que busquen introducir en el concepto (representante) a aquellos

La doctrina no ha sido ajena a esta ampliación conceptual. Mientras un sector defiende una noción amplia de "representante", otros autores sostienen, con mayor cautela, que a estos efectos sólo puede considerarse representante a quien ejerce una representación general, no siendo suficiente cualquier poder de representación aislado o sectorial, sino únicamente aquel que permita calificar al sujeto como verdadero apoderado general de la persona jurídica[371].

La jurisprudencia, como ha señalado recientemente la STS 2571/2025[372], ha confirmado que por representante legal debe entenderse quien actúa en representación de la persona jurídica con capacidad para vincularla con sus actos. Esta interpretación, fundamentada en criterios materiales más que formales, exige que el delito sea cometido por una persona física que ostente una posición de dominio funcional o facultades efectivas de dirección dentro de la entidad.

No cabe duda de que si se parte de la idea originaria, hoy claramente matizada tras la LO 1/2015, de una responsabilidad de la persona jurídica fuertemente vinculada con la conducta de su representante o administrador, una interpretación restrictiva de ambos conceptos parece muy recomendable[373], pues no debe olvidarse que hasta el con-

---

sujetos titulares de alguna capacidad de decisión autónoma siempre supeditada a la dirección, supervisión o control de quien en realidad dirige la entidad. Como bien resume la STS núm. 59/2007 de 26 de enero, el administrador de hecho debe participar activamente en la gestión y dirección, de forma permanente y no sujeta a esferas superiores de aprobación o decisión. Debe desempeñar una función de dirección real, con independencia de la formalidad de un nombramiento. Ello es así porque para que pueda hablarse de responsabilidad penal de la persona jurídica el legislador se remite a conductas propias o controlables por los verdaderos órganos de gobierno"

371 GÓMEZ TOMILLO, M., *Imputación objetiva y culpabilidad en el Derecho Penal español* en Revista Jurídica de Castilla y León 2011, p. 58, nota 35.

372 STS 2571/2025, de 12 de Junio.

373 GÓMEZ-JARA DÍEZ, C., *Fundamentos modernos de la Responsabilidad Penal de las Personas Jurídicas,* Ed. B de F, Buenos Aires, 2010, p. 484.

cepto vulgar de "directivo" no tiene por qué identificarse con el de un verdadero administrador o representante, a los efectos que aquí interesan, de la persona jurídica, ya que, según la literalidad del RD 1382/1985, que regula la relación laboral de carácter especial del personal de alta dirección, tal figura viene definida como la del "*...trabajador que ejercita poderes inherentes a la titularidad jurídica de la empresa, y relativos a los objetivos generales de la misma, con autonomía y plena responsabilidad, sólo limitadas por los criterios e instrucciones directas emanadas de la persona o de los órganos superiores de gobierno y Administración de la Entidad que respectivamente ocupe aquella titularidad*"[374].

Cuestión realmente difícil es la relativa a aquellos casos, en modo alguno insólitos en la práctica mercantil, en los que el "representante legal" de la persona jurídica sea, a su vez, otra persona jurídica. Evidentemente, en tales ocasiones, resultará difícil aplicar a la "representada" la responsabilidad acerca de un hecho cometido por una persona física que, en realidad, actúa por cuenta de la "representante", por lo que en principio sería preciso considerar, para dotar al precepto de la suficiente eficacia práctica y evitar la elusión de su aplicación por esta fácil vía, que la responsabilidad derivada del delito cometido por esa persona física alcance, si concurren los restantes elementos necesarios para ello, a ambas personas jurídicas puesto que, en realidad, su actuación se realiza "en representación" de ambas (o sin el debido control, en su caso), si bien en forma directa, respecto de una de ellas, e indirecta, en relación con la otra[375].

---

374 FEIJOO SÁNCHEZ, B. *La responsabilidad penal de las personas jurídicas,* en Estudios sobre las reformas del Código Penal operadas por las LO 5/2010, de 22 de Junio, y 3/2011, de 28 de Enero, dirigidos por DÍAZ-MAROTO Y VILLAREJO, J., ed. Civitas-Aranzadi, Cizur Menor (Navarra) 2011, p. 96.

375 FEIJOO SÁNCHEZ, B.J., en *Tratado de responsabilidad penal de las personas jurídicas*; BAJO FERNÁNDEZ, M. y otros, Ed. Aranzadi, Cizur Menor (Navarra) 2012, p. 98.

2. *Quien esté sometido a la autoridad de los anteriores*

La segunda categoría de posibles autores del delito que sirve de presupuesto a la responsabilidad penal de la persona jurídica es la integrada por quienes se encuentran sometidos a la autoridad de los representantes legales o de los restantes sujetos anteriormente mencionados. En efecto, el legislador no exige otra cosa que la existencia de una relación de dependencia, subordinación o sometimiento entre el autor material del hecho delictivo y los órganos de dirección o administración de la persona jurídica. Conviene advertir, desde el inicio, que no se trata necesariamente de una relación laboral —ni siquiera de una relación análoga— directamente establecida con la persona jurídica, sino de una vinculación de carácter vertical con determinadas personas físicas, concretamente aquellas que ostentan una posición de dirección efectiva dentro de la organización. La relación laboral constituye, sin duda, el supuesto más habitual a través del cual se manifiesta esa dependencia jerárquica, pero no agota, ni mucho menos, el alcance de esta categoría[376].

Parte de la doctrina ha sostenido que, aun cuando una lectura apresurada del artículo 31 bis CP pudiera conducir a extender la responsabilidad penal de la persona jurídica a cualquier conducta realizada por quien se encuentre sometido a algún tipo de influencia, instrucciones o directrices de los administradores o representantes legales —incluidos empleados de otras personas jurídicas—, una interpretación sistemática del precepto obliga a limitar su alcance a los comportamientos de quienes mantienen una

---

376 FEIJOO SÁNCHEZ, B.J., *Presupuestos para la conducta típica de la Persona Jurídica: los requisitos del art. 31 bis 1*", en Tratado de responsabilidad penal de las Personas Jurídicas, Ed. Civitas/Aranzadi, Cizur Menor (Navarra) 2012, p. 104. Con una idea distinta a lo expuesto diversos autores como CABEZUELA SANCHO, D. *La responsabilidad penal de las Personas Jurídicas. Un nuevo escenario empresarial*, en Responsabilidad penal de Personas Jurídicas en la Gestión económica de la Empresa, Ed. Francis Lefebvre, Madrid 2011, p. 25.

relación laboral o de alta dirección con la persona jurídica penalmente responsable, es decir, a sus propios recursos humanos. Desde esta perspectiva, los empleados de otras personas jurídicas sólo deberían generar responsabilidad penal para aquellas empresas para las que trabajan materialmente, pues, reconocidas las personas jurídicas como sujetos autónomos de imputación, no cabría otra solución coherente con el sistema[377].

Ahora bien, lo decisivo será, en todo caso, la debida acreditación, en el correspondiente enjuiciamiento, de la efectiva sujeción del autor del ilícito a la autoridad del representante o administrador de la persona jurídica, exigencia que se ajusta con precisión a la literalidad del precepto. El fundamento de esta imputación puede resumirse de la siguiente manera: quien ostenta la autoridad necesaria para controlar la adecuación permanente del comportamiento ajeno a la norma —esto es, los órganos rectores de la organización— debe responder cuando los sujetos que dependen de él cometen un delito y dicho control no se ha ejercido con la diligencia suficiente para prevenir razonablemente su comisión. No se trata, por tanto, de una responsabilidad por el hecho ajeno, sino de una imputación basada en la propia autorresponsabilidad de la persona jurídica, cuestión que será desarrollada más adelante.

Desde esta lógica se ofrece una respuesta adecuada a la recurrente pregunta acerca de qué sucede cuando la infracción penal no es cometida por un "empleado" o dependiente directo de la persona jurídica a la que se pretende imputar responsabilidad, sino por una persona que, a su vez, depende de una tercera entidad que actúa, por ejemplo, en régimen de subcontratación. La solución pasa necesariamente por la comprobación, en cada caso concreto, del grado real de dependencia jerárquica existente y de la efectiva posibilidad de control que los responsables de la

---

377 FEIJOO SÁNCHEZ, B.J., en *Tratado de responsabilidad penal de las personas jurídicas*, BAJO FERNÁNDEZ, M. y otros, Ed. Aranzadi, Cizur Menor (Navarra) 2012, p. 103".

primera organización ostentaban, en la práctica, sobre el autor del hecho enjuiciado[378].

En definitiva, cuando el precepto alude al "subordinado" como posible autor del delito antecedente de la responsabilidad penal de la persona jurídica, no exige una vinculación laboral en sentido estricto. Basta con que, en el desempeño de su actividad, el autor del delito se halle sometido a la autoridad, instrucciones o indicaciones de la persona jurídica, con independencia de la naturaleza jurídica de la relación que los vincule, ya se trate de un arrendamiento de servicios, un mandato o cualquier otra figura contractual. El legislador ha evitado conscientemente una terminología que restrinja el ámbito de aplicación del precepto a los vínculos laborales, permitiendo así que la responsabilidad de la persona jurídica pueda derivarse de hechos cometidos por sujetos externos integrados en su esfera de organización y control. No resulta, por tanto, imprescindible una vinculación formal mediante contrato laboral o mercantil, siendo perfectamente posible que se trate de un trabajador autónomo o subcontratado, siempre que se encuentre efectivamente integrado en el ámbito de dominio social de la persona jurídica.

III. REQUISITOS COMUNES A AMBOS SUPUESTOS DE RESPONSABILIDAD DE LA PERSONA JURÍDICA

Además de las exigencias ya examinadas para la apreciación de la responsabilidad penal de la persona jurídica —esto es, que el delito cometido figure entre los expresamente previstos por la ley y que su autoría corresponda a una de las personas físicas también contempladas a tal efecto—, el

---

378 En este sentido y de entre la multitud de textos que de ello tratan, mencionemos el contenido de la obra de GÓMEZ-JARA DÍEZ, C., por ej. en *La culpabilidad penal de la empresa*, Ed. Marcial Pons, Madrid 2005.

artículo 31 bis.1 CP introduce una serie de elementos adicionales, comunes a ambos supuestos de imputación, consistentes en que el delito haya sido cometido "por cuenta" y "en beneficio directo o indirecto" de la persona jurídica. Nos encontramos, por tanto, ante dos requisitos diferenciados que han de concurrir de manera conjunta, como pone de relieve el empleo de la conjunción copulativa "y" entre ambas expresiones.

Son estos requisitos los que confieren a la actuación del autor material una dimensión penal que trasciende su esfera individual y se proyecta sobre la persona jurídica en cuya actividad, en cuyo nombre o por cuya cuenta se ejecuta la conducta ilícita. En ausencia de tales elementos de conexión, nos hallaríamos exclusivamente ante una conducta individual, carente de relevancia corporativa, sin que pudiera hablarse propiamente de un "hecho de la persona jurídica". Por ello, estos vínculos —la relación funcional u orgánica con la entidad y el eventual provecho obtenido por ésta— no deben recibir una interpretación expansiva, sino limitarse a su función específica: excluir, desde un primer momento, aquellos supuestos en los que no existe una verdadera conducta colectiva o corporativa, sino únicamente un comportamiento individual sin proyección penal sobre la organización[379].

El primero de estos requisitos comunes, relativo a que el delito se cometa "por cuenta" de la persona jurídica, implica necesariamente la existencia de una relación de dependencia entre la actuación de la persona física y la actividad de la entidad. En el caso del representante o administrador, esta exigencia equivale, en términos sustanciales, a que la conducta se haya realizado "en nombre" de la empresa. Desde la perspectiva procesal, ello comporta una clara carga probatoria para la acusación, a quien corresponde acre-

379 FEIJOO SÁNCHEZ, B.J., *Presupuestos para la conducta típica de la Persona Jurídica: los requisitos del art. 31 bis 1*, en Tratado de responsabilidad penal de las Personas Jurídicas, Ed. Civitas/Aranzadi, Cizur Menor (Navarra) 2012, p. 99.

ditar que el hecho delictivo fue efectivamente ejecutado por cuenta de la persona jurídica y no a título meramente personal.

Desde un punto de vista práctico, no puede descartarse que un empleado o persona sometida a la autoridad de la persona jurídica cometa un delito que, aun siendo formalmente atribuible a alguien integrado en la organización, no genere responsabilidad penal para ésta si no se ha producido en el curso de una actividad social. En efecto, el precepto exige la concurrencia simultánea de dos circunstancias: que el hecho se cometa en el ejercicio de la actividad social y que se actúe por cuenta de la persona jurídica. La expresión "por cuenta", en este sentido, debe interpretarse siempre como contraposición a la actuación realizada "por cuenta propia" o a título estrictamente personal, desvinculada de la actividad empresarial.

Especial relevancia adquieren, en este contexto, los supuestos de extralimitación en el ejercicio de las funciones por parte del representante o, singularmente, del administrador. Tradicionalmente, el Derecho penal ha distinguido entre la extralimitación formal —cuando la conducta no se corresponde con ninguna de las facultades formalmente atribuidas— y la extralimitación material, que tiene lugar cuando, aun actuando dentro del marco competencial, la actuación contradice criterios o directrices de la política empresarial. Esta distinción ha llevado a parte de la doctrina a plantear la conveniencia de exigir, para considerar acreditada la actuación en representación de la persona jurídica, que la conducta del representante constituya la implementación efectiva de una política empresarial[380].

El segundo de los requisitos exigidos por ambos párrafos del artículo 31 bis.1 CP es que el delito se haya cometi-

---

380 FEIJOO SÁNCHEZ, B., *La responsabilidad penal de las personas jurídicas,* en Estudios sobre las reformas del Código Penal operadas por las LO 5/2010, de 22 de Junio, y 3/2011, de 28 de Enero, Ed. Civitas/Aranzadi, Cizur Menor (Navarra), p. 98.

do "en beneficio directo o indirecto" de la persona jurídica —expresión que sustituye al término "provecho" utilizado en la redacción originaria anterior a la reforma operada por la LO 1/2015—. Esta exigencia permite excluir de manera inmediata del ámbito de la responsabilidad penal de la persona jurídica aquellos supuestos en los que la entidad resulta víctima o perjudicada por la acción delictiva de la persona física, incluidos los casos de deslealtad hacia la propia organización[381].

No obstante, las dificultades interpretativas en torno a este requisito son notables. Una primera cuestión consiste en determinar si debe exigirse siempre la existencia de un beneficio o provecho concreto, causalmente vinculado a la infracción penal, como presupuesto necesario de la responsabilidad de la persona jurídica, o si basta con que la actividad social, inicialmente lícita, en cuyo seno se ejecuta el delito, tenga en sí misma una finalidad o naturaleza beneficiosa para la entidad. La literalidad del precepto no facilita una respuesta uniforme, pues mientras en el primer párrafo parece claro que el beneficio debe derivarse directa y exclusivamente de la propia acción delictiva, en el segundo podría interpretarse que lo relevante es el carácter beneficioso de la actividad social en cuyo ejercicio se comete el ilícito. Esta ambigüedad normativa obliga, una vez más, a extremar la cautela interpretativa para evitar una extensión indebida de la responsabilidad penal de la persona jurídica.

En cualquier caso, hay ciertos ilícitos, como el delito contra la Hacienda Pública, en los que este problema no se suscita, ya que no es concebible la ausencia de "beneficio" para la persona jurídica como consecuencia de su comisión por la persona física. Puede ser problemático exigir la consecuencia provechosa como resultado no de la actividad ejercida en el seno de la empresa, sino del delito come-

---

381 Sobre el contenido del presupuesto de la intención de beneficiar a la empresa, en el *Derecho de EEUU*, vid. GÓMEZ-JARA DÍEZ, C., Fundamentos modernos de la responsabilidad penal de las personas jurídicas, Ed. B de F, Buenos Aires, 2010, pp. 241 y ss.

tido por la persona física. También serían problemáticos aquellos delitos más alejados de la actividad lícita normal de cualquier empresa, como la distribución de pornografía infantil del anterior ejemplo puesto que, si prestamos la debida atención, buena parte de los tipos contenidos en el inventario legal de aplicación a la responsabilidad de la persona jurídica, como el referido delito fiscal, infracciones contra el medio ambiente, etc., son difícilmente concebibles sin la producción, directa o indirecta, de un *"beneficio"* empresarial como consecuencia de su comisión.

Finalmente, en relación con este extremo polémico, cómo el texto introducido por la LO 1/2015 no modificó las referencias a la necesidad de que el ilícito se cometa, según los casos, *"en nombre o por cuenta"* o *"en el ejercicio de las actividades sociales y por cuenta"* de la persona jurídica, pero sí que lo hace, y de forma que como puede comprenderse fácilmente, tras todo lo que se acaba de decir, resulta de notable interés, con la expresión *"en provecho"*, que se ha sustituido, en ambos supuestos, por la de *"en beneficio directo o indirecto"* de la persona jurídica.

De modo que parecería confirmar el Legislador, al efectuar semejante rectificación, la anterior interpretación restrictiva, puesto que no se estaría ya tratando de un genérico *"provecho"* para la persona jurídica, como consecuencia de la actividad desarrollada por la persona física, sino de algo más concreto como lo es un *"beneficio"*, si bien extendiendo el mismo a la posibilidad de que pueda ser incluso *"indirecto"*.

La segunda cuestión interpretativa importante a este respecto es la del criterio, objetivo o subjetivo, con el que habrá de valorarse la existencia de este elemento del "*beneficio*". Se trata de determinar si bastaría con la intención del autor de beneficiar a la persona jurídica con la comisión del ilícito o si, por el contrario, es necesaria la existencia objetiva del beneficio para la empresa[382].

---

382 FEIJOO SÁNCHEZ, B.J., *Presupuestos para la conducta típica de la Persona Jurídica: los requisitos del art. 31 bis 1*, en Tratado de responsabi-

La mayor parte de la doctrina es partidaria del criterio objetivo[383], en coincidencia también con la Fiscalía General del Estado pues "*...si el legislador hubiera querido otorgarle este sentido* (el subjetivo), *probablemente hubiera optado por expresiones tales como con la intención de beneficiar o para beneficiar. La apelación a un elemento subjetivo así definido conllevaría además serias dificultades de prueba, no estando claras por otra parte las razones por las que los motivos del sujeto deban elevarse a la categoría de factor decisivo para la determinación de la responsabilidad de la organización para la que trabaja*"[384].

El hecho de que la persona física actúe tan sólo movida por la obtención de un beneficio para sí, no excluye tampoco la responsabilidad de la persona jurídica si, a pesar de ello, ésta resulta finalmente también beneficiada, con base en las mismas razones expuestas de la exclusión de la influencia de los móviles personales de la persona física respecto de la responsabilidad de la persona jurídica[385].

"*Las intenciones o las motivaciones de la persona física son irrelevantes con respecto a requisitos que convierten objetivamente el hecho en un hecho no meramente individual sino en un "hecho de la persona jurídica*"[386].

---

lidad penal de las Personas Jurídicas, Ed. Civitas/Aranzadi, Cizur Menor (Navarra) 2012, p. 100.

383 Ibidem.

384 Circular de la FGE 1/2011, p. 42.

385 DEL ROSAL BLASCO, B., *La delimitación típica de los llamados hechos de conexión en el nuevo artículo 31 bis, núm. 1 del Código Penal*, Cuadernos de Política Criminal, núm. 103, 2011, p. 88; GÓMEZ-JARA DÍEZ, C. "Fundamentos de la responsabilidad penal de las personas jurídicas", en Responsabilidad penal de las personas jurídicas. Aspectos sustantivos y procesales, Ed. La Ley, Las Rozas (Madrid) 2011, p. 69; FEIJOO SÁNCHEZ, B.J., *Presupuestos para la conducta típica de la Persona Jurídica: los requisitos del art. 31 bis 1*, en Tratado de responsabilidad penal de las Personas Jurídicas, Ed. Civitas/Aranzadi, Cizur Menor (Navarra) 2012, p. 101.

386 FEIJOO SÁNCHEZ, B.J., *Presupuestos para la conducta típica de la Persona Jurídica: los requisitos del art. 31 bis 1*, en Tratado de responsabilidad penal de las Personas Jurídicas, Ed. Civitas/Aranzadi, Cizur Menor (Navarra) 2012, p. 101.

Aspecto más polémico es, sin duda, el relativo a aquellos supuestos en los que un inicial beneficio para la persona jurídica pueda, a la larga, convertirse en un perjuicio, incluso grave, como las posibles repercusiones en su reputación como consecuencia del procedimiento penal que se le siga.

En tales casos, comparto la opinión de que "*...no hace falta que a la larga la actuación represente un beneficio para la persona jurídica, sino que incluso puede acabar siendo perjudicial para la persona jurídica una vez depuradas todas sus responsabilidades. Por ello basta con que objetivamente se pueda entender que la conducta tenía el sentido o la tendencia de alcanzar algún beneficio para la persona jurídica, al menos a corto plazo, con independencia de que finalmente no se logre obtener el provecho por razones ajenas a la persona física*"[387].

En este sentido es muy ilustrativo lo que indica la STS 154/2016, de 29 de Febrero, en línea con los criterios expuestos en la Circular de la FGE 1/2016: "*Se nos dice que está ausente, en esta ocasión uno de los elementos o requisitos que configuran la base para la declaración de responsabilidad penal de la persona jurídica que no es otro que el de que el delito cometido por la persona física, aquí la infracción contra la salud pública, reporte alguna clase de "provecho" (el art. 31 bis en su redacción actual se refiere en este punto a "beneficio directo o indirecto") para la entidad.*

Se trata de un extremo que, sin duda, habrá de resolverse de forma casuística en el futuro y que, junto con otros que incorpora el precepto, será, con toda seguridad objeto de importantes debates.

Por ello convendría dejar claro desde ahora que ese término de "provecho" (o "beneficio") hace alusión a cualquier clase de ventaja, incluso de simple expectativa o referida a aspectos tales como la mejora de posición respecto de otros competidores, etc., provechosa para el lucro o para la mera subsistencia de la persona jurídica en

---

387 FEIJOO SÁNCHEZ, B.J. *Presupuestos para la conducta típica de la Persona Jurídica: los requisitos del art. 31 bis 1*, en Tratado de responsabilidad penal de las Personas Jurídicas, Ed. Civitas/Aranzadi, Cizur Menor (Navarra) 2012, p. 101.

cuyo seno el delito de su representante, administrador o subordinado jerárquico, se comete.

Dice a propósito de ello la reiterada Circular de la Fiscalía que "La sustitución de la expresión "en su provecho" por la de "en su beneficio directo o indirecto", conserva la naturaleza objetiva de la acción, tendente a conseguir un beneficio sin exigencia de que este se produzca, resultando suficiente que la actuación de la persona física se dirija de manera directa o indirecta a beneficiar a la entidad" (Conclusión 3ª).

De modo que cuando, como en el caso que nos ocupa, las ganancias cuantiosas que obtienen los autores del ilícito contra la salud pública no es que favorezcan la subsistencia de la entidad sino que justificarían su propia existencia si, como se dice, se trata de una mera empresa "pantalla" constituida con el designio de servir de instrumento para la comisión del delito como su única finalidad, hay que concluir en que se cumple el referido requisito sin posible réplica.

A mayor abundamiento, incluso en el caso de la igualmente condenada TRANSPINELO S.L., cuya existencia iba más allá de la exclusiva utilización para cometer el delito contra la salud pública de la persona física, advertimos también cómo el hecho del transporte ilícito de la sustancia oculta en las máquinas redundaba en la reimportación de las mismas, que volverían a integrarse en el patrimonio de la Sociedad y, en consecuencia, a estar a su disposición, lo que, independientemente de que eso finalmente hubiera llegado a producirse, o no, tras su incautación en Venezuela, constituía, sin duda, una expectativa provechosa a favor de la entidad, por lo que puede afirmarse que el ilícito, al margen de otros objetivos, propiciaba un indudable beneficio para dicha persona jurídica.

Pues reiterándonos, una vez más, en el contenido de la Circular 1/2016 (pág. 17): "El art. 31 bis original exigía que la conducta de la persona física, en los dos títulos de imputación, se hubiera realizado en nombre o por cuenta de la persona jurídica y "en su provecho". Esta última expresión suscitaba la duda de si tal provecho constituía propiamente un elemento subjetivo del injusto o un elemento objetivo.

La Circular 1/2011 estudiaba esta cuestión y optaba por interpretar la expresión legal conforme a parámetros objetivos, sin exigir la efectiva constatación del beneficio, como una objetiva tendencia de la acción a conseguir el provecho, valorando esta como provechosa desde una perspectiva objetiva e hipotéticamente razonable, con independencia de factores externos que pudieran determinar que finalmente la utilidad no llegara a producirse". Y más adelante: "La nueva expresión legal "en beneficio directo o indirecto" mantiene la naturaleza objetiva que ya tenía la suprimida "en provecho", como acción tendente a conseguir un beneficio, sin necesidad de que este se produzca, resultando suficiente que la actuación de la persona física se dirija de manera directa o indirecta a beneficiar a la entidad. Incluso cuando la persona física haya actuado en su propio beneficio o interés o en el de terceros ajenos a la persona jurídica también se cumplirá la exigencia típica, siempre que el beneficio pueda alcanzar a ésta, debiendo valorarse la idoneidad de la conducta para que la persona jurídica obtenga alguna clase de ventaja asociada a aquella".

De otra forma, una interpretación distinta a la expuesta conduciría a la práctica imposibilidad de aplicación del régimen de responsabilidad penal de la persona jurídica, con el incumplimiento que ello pudiera suponer respecto de las finalidades preventivas del sistema, en relación con un gran número de figuras delictivas como la presente, en la que en muchas ocasiones podrá resultar difícil imaginar la obtención de una ventaja directa para aquel ente que desarrolla una actividad, especialmente si fuera lícita, como consecuencia de la comisión de un ilícito contra la salud pública.

Lo que obligará a los Tribunales, en cada supuesto concreto, a matizar sus decisiones en esta materia, buscando la existencia de una verdadera relación entre el delito cometido y la obtención de la ventaja, provecho o beneficio, directo o indirecto, y huyendo de posiciones maximalistas e igualmente rechazables, tanto las que sostienen que siempre existirá un provecho para la persona jurídica, aunque sólo fuere por el del ahorro económico que le supone la inexistencia de adecuados mecanismos de control, como de aquellas otras, en exceso restrictivas, que pueden llegar a negar tales beneficios, en numerosos casos, por el perjuicio que en definitiva un posible daño reputacional y el cumplimiento último de las penas, pecuniarias e interdictivas, a la postre impuestas, como consecuencia de los actos delictivos cometidos por las personas físicas que la integran, causan a la propia persona jurídica".

En cualquier caso, lo que sí que puede afirmarse, a partir de la evidencia que refleja el texto anterior, es la importancia que, sin duda, habrá de tener este extremo, requisito imprescindible para declarar la responsabilidad de la persona jurídica, *en los procedimientos en los que se debata esta clase de responsabilidad y cómo el mismo será uno de los puntos capitales para la defensa de la entidad, especialmente en cierta clase de delitos".*

IV. REQUISITOS DIFERENCIALES DE LOS SUPUESTOS DE RESPONSABILIDAD DE LA PERSONA JURÍDICA

Tal y como hemos reiterado, a pesar del intento por mantener una cierta uniformidad sistemática en la interpretación del régimen de la responsabilidad de la persona jurídica independientemente del carácter del sujeto autor del delito del que la misma nazca (representante y administradores o persona subordinada a éstos) lo cierto es que, salvo los elementos que claramente son comunes a ambos supuestos del art. 31 bis. 1, como la necesidad del "beneficio" para la entidad que se acaba de analizar, otros aspectos ofrecen matices que los distinguen.

Así, al margen de algunos elementos de menor importancia, dos eran los elementos que claramente marcaban, antes de la reforma de la LO 1/2015, la diferencia entre la estructura de las conductas que pueden dar lugar a la responsabilidad de la persona jurídica a partir de su distinta autoría.

Así, en primer lugar, ya hicimos referencia a la distancia que entre una y otra establece el que, de tratarse de la comisión por el representante o administrador basta con que éste actúe *"en nombre"* de la persona jurídica, mientras que el delito cometido por el dependiente lo ha de ser *"en el ejercicio de actividades sociales y por cuenta"* de la misma.

Lo que, a su vez, remite a otro aspecto, el más esencial para este análisis, a saber, la referencia al "debido control" como idea central para valorar la responsabilidad de la persona jurídica, que parecía aplicable, inicialmente al menos y de acuerdo con la literalidad estricta del precepto (LO 5/2010), tan sólo al caso de la conducta delictiva llevada a cabo por el empleado o dependiente[388].

Es este un extremo, como decimos, de capital importancia y que según diversos autores marcaba una línea definitiva para deslindar uno y otro supuesto, hasta el punto de que nos llevaría a tener que afirmar la existencia de dos verdaderos y autónomos regímenes de responsabilidad de la persona jurídica[389].

En tal sentido observamos cómo en tanto que la mera actuación, de relevancia delictiva, realizada por el representante o administrador en nombre de la persona jurídica a la que representa o gestiona, pasaba a integrar, de forma al menos aparentemente automática, el requisito previo y único para el nacimiento ulterior de la responsabilidad de la persona jurídica[390], lo que supone el riesgo de exposición

---

388 Así, CABEZUELA SANCHO, D., *La responsabilidad penal de las personas jurídicas. Un nuevo escenario empresarial.* en Responsabilidad penal de Personas Jurídicas en la Gestión económica de la Empresa, Ed. Francis Lefebvre, Madrid, 2011, p. 23, que además considera que "...tiene toda lógica, porque es precisamente en estos cargos donde reside la representación legal de la entidad, y en puridad, cuando ellos actúan, la entidad misma actúa a través de ellos".

389 Este era esencialmente el criterio interpretativo seguido por la Circular de la FGE 1/2011.

390 Sin embargo, para FEIJOO SÁNCHEZ, B., analizando la versión originaria del art. 31 bis CP, "... en caso de que un administrador o representante legal o un número reducido de administradores o representantes legales cometieran el hecho delictivo, dicha actuación podría no considerarse un injusto de la empresa que genere responsabilidad penal de la persona jurídica siempre que se hayan desarrollado estrategias de gestión o modelos organizativos tendentes a evitar eficazmente este tipo de situaciones", *Estudios sobre la reforma del Código Penal operadas por las LO 5/2010, de 22 de Junio, y 3/2011, de 28 de Enero,* Ed. Civitas/Aranzadi, Cizur Menor (Navarra), 2011, p. 106.

a una grave situación de responsabilidad objetiva de la persona jurídica, para el segundo de los supuestos incluidos en el precepto, cuando la persona autora de la infracción fuera el empleado o dependiente de la persona jurídica sometido a la autoridad de los sujetos ya citados, resultaba necesario constatar que existió un defecto de "control" sobre estos autores que posibilitó la comisión del ilícito.

Se trata, evidentemente, de un tema que habrá de resultar vertebral en el enjuiciamiento de la responsabilidad de la persona jurídica y al que se referirá esa actividad trascendental, a la que volveremos a aludir, del instrumento denominado "*compliance*", protocolo de cumplimiento o de control, dentro de la persona jurídica, tendente en concreto a establecer los oportunos mecanismos de vigilancia para prevenir y evitar la presencia del delito en el seno de esta[391].

Es necesaria la constancia de esa ausencia del "control" debido, hoy en relación tanto con el delito llevado a cabo por el sometido a la autoridad como por el propio representante, a partir de la reforma de la LO 1/2015, que en este punto resulta trascendental[392]. Y en este sentido dice la STS 154/2016:

---

391 Lo que resulta, en todo caso, imprescindible puesto que "...para un derecho penal que quiera seguir siendo fiel a sus más elementales principios no deja de ser una exigencia principal la búsqueda de aquello que pueda constituir el núcleo del injusto específico, fundamentador (junto a la culpabilidad de la responsabilidad penal propia de la persona jurídica, con base en su hecho propio y no por el inevitable hecho de referencia", DE LA CUESTA ARZAMENDI, J.L. (Dtor.) y DE LA MATA BARRANCO, N.J., (Coord.), *Responsabilidad penal de las personas jurídicas en el Derecho Español* en *Responsabilidad penal de las personas jurídicas*, Ed. Aranzadi, Cizur Menor (Navarra), 2013, p. 70.

392 También se pronunciaba a favor de una interpretación similar, incluso con la norma precedente, LASCURAÍN, J.A., *Compliance, debido control y unos refrescos*, en *El Derecho Penal económico en la era compliance*, Arroyo Zapatero, L. y Nieto Martín, A. (Dtores.), Ed. Tirant lo Blanch, Valencia, 2013, p. 120.

"... el sistema de responsabilidad penal de la persona jurídica se basa, sobre la previa constatación de la comisión del delito por parte de la persona física integrante de la organización como presupuesto inicial de la referida responsabilidad, en la exigencia del establecimiento y correcta aplicación de medidas de control eficaces que prevengan e intenten evitar, en lo posible, la comisión de infracciones delictivas por quienes integran la organización.

Así, la determinación del actuar de la persona jurídica, relevante a efectos de la afirmación de su responsabilidad penal (incluido el supuesto del anterior art. 31 bis.1 parr. 1º CP y hoy de forma definitiva a tenor del nuevo art. 31 bis. 1 a) y 2 CP, tras la reforma operada por la LO 1/2015), ha de establecerse a partir del análisis acerca de si el delito cometido por la persona física en el seno de aquella ha sido posible, o facilitado, por la ausencia de una cultura de respeto al Derecho, como fuente de inspiración de la actuación de su estructura organizativa e independiente de la de cada una de las personas físicas que la integran, que habría de manifestarse en alguna clase de formas concretas de vigilancia y control del comportamiento de sus directivos y subordinados jerárquicos, tendentes a la evitación de la comisión por éstos de los delitos enumerados en el Libro II del Código Penal como posibles antecedentes de esa responsabilidad de la persona jurídica.

Y ello más allá de la eventual existencia de modelos de organización y gestión que, cumpliendo las exigencias concretamente enumeradas en el actual art. 31 bis 2 y 5, podrían dar lugar, en efecto, a la concurrencia de la eximente en ese precepto expresamente prevista, de naturaleza discutible en cuanto relacionada con la exclusión de la culpabilidad, lo que parece incorrecto, con la concurrencia de una causa de justificación o, más bien, con el tipo objetivo, lo que sería quizá lo más adecuado puesto que la exoneración se basa en la prueba de la existencia de herramientas de control idóneas y eficaces cuya ausencia integraría, por el contrario, el núcleo típico de la responsabilidad penal de la persona jurídica, complementario de la comisión del ilícito por la persona física".

El siguiente interrogante se suscita a propósito de determinar con qué criterios ha de valorarse la suficiencia, o no, de dicha función de "control" a fin de que pueda deducirse cabalmente la responsabilidad de la persona jurídica[393].Y para ello, a su vez, resultará imprescindible marcar los límites de las posibilidades de controlar a sus dependientes que nuestro ordenamiento otorga a la persona jurídica, porque, lógicamente, no podrá exigirse semejante responsabilidad con base en incumplimiento de facultades que la propia Ley no le permite[394].

Como punto de partida obligado de la valoración propia de esta clase de enjuiciamiento siempre habrá de tenerse en cuenta esta delimitación de las posibilidades de interferencia de los instrumentos de "control" en la actuación del trabajador con la finalidad exigida de prevención y evitación de la comisión de delitos que en el mencionado supuesto de la utilización de lo informático ofrece hoy unos claros pronunciamientos jurisprudenciales de la Sala de lo Social del Tribunal Supremo, en la materia que le es propia, de cara a la persecución y acreditación de las posibles infracciones laborales[395] e incluso del propio Tribunal Constitucional[396], estableciendo unos criterios claramente permisivos respecto de esa amplitud del control ejercido por el empleador, en tanto que dueño de la herramienta informática y del tiempo de actividad retribuida de su empleado, usuario de tales instrumentos.

Mientras que la Sala de lo Penal del mismo Alto Tribunal se ha pronunciado[397] en un sentido restrictivo, en cuanto al valor probatorio de la información obtenida median-

---

393 Función de "control" que, de incumplirse, puede ser asimilada a una especie de *culpa in vigilando*. Entre muchos, CARBONELL MATEU, J.C. y MORALES PRATS, F., *Responsabilidad penal de personas jurídicas*, en *Comentarios a la Reforma Penal de 2010*, F.J. Álvarez García y J.L González Cussac (Dtores.), Tirant lo Blanch, Valencia, 2010, p. 63.

394 Vid. GÓMEZ MARTÍN, V., *Compliance y derechos del trabajador. Especialmente derecho a la protección de datos y whistleblowing* y MASCHMANN, F., *Compliance y derechos del trabajador, en Compliance y teoría del Derecho Penal*, Ed. Marcial Pons, Madrid, 2013.

395 SSTS (Sala 4ª) de 26 de septiembre de 2007, 1 de Marzo y 28 de Septiembre de 2011, entre otras.

396 SSTC 17 de diciembre de 2012 y 7 de octubre de 2013.

397 STS de 26 de junio de 2014.

te una intervención de los mensajes electrónicos, siempre que se encuentren en curso, a la que niega ese valor de prueba válida por carecer de la necesaria cobertura y control judicial (art. 18.3 CR), si bien exclusivamente en lo que al enjuiciamiento de delitos se refiere.

Se trata de una situación paradójica y contradictoria, al menos aparentemente, que podemos concretar en los siguientes puntos:

1º.- El valor probatorio, en el terreno laboral, de las informaciones obtenidas como consecuencia de controles llevados a cabo por el empleador sobre todo el contenido del ordenador de su empleado.

2º.- La ausencia de ese valor en orden a la acreditación de la comisión por el empleado de una infracción delictiva, siempre que se trate de una intervención de correo electrónico en curso (no abierto por el destinatario) y que se carezca de autorización y control judicial.

3º.- Todo ello supone que la actuación del empresario en tal caso es plenamente factible y sin ningún carácter delictivo, pues su práctica está admitida por la jurisdicción laboral, pero la información con ella obtenida carecería de valor alguno como prueba en un procedimiento penal, al no disponer de autorización y control judicial.

Por lo tanto, valga el anterior ejemplo para evidenciar que una primera cuestión a la hora de valorar la dimensión real de este elemento típico de la conducta infractora de la persona jurídica habrá de ser la de la determinación de las posibilidades y los límites de las facultades de control que corresponden a la misma, dado que éstas no son en modo alguno ilimitadas.

Debe establecerse el grado de suficiencia de ese exigible "control", al margen de la efectividad de este en el caso concreto pues, de no hacerse así, correríamos, como más adelante se verá, un claro riesgo de introducir, en estos casos, una suerte de responsabilidad automática, objetiva, evidentemente proscrita en nuestro sistema penal, por el solo hecho de la existencia del delito cometido por la persona física.

Frente a todo ello pretende salir al paso, precisamente, la reforma de la LO 1/2015, cuando procede a una entera modificación de lo que en la actualidad es el contenido del apartado 1 del artículo 31 bis para convertirse en un nuevo 31 bis dedicado exclusivamente a describir las exigencias legales necesarias para atribuir responsabilidad a la persona jurídica por los delitos cometidos por sus representantes, administradores o personal subordinado a los mismos, a partir de la existencia, o no, de esos mecanismos de control, tanto sobre el primero como el segundo de los grupos de las personas físicas citadas[398].

Enumeración de requisitos exhaustiva, de dudoso acierto técnico legislativo que no es el caso de abordar en este momento por encontrarse todavía pendiente de interpretación jurisprudencial y toda vez que será objeto de análisis de nuevo más adelante, que, en cualquier caso, aporta elementos de valoración vinculados con un enjuiciamiento "culpabilístico" de la responsabilidad de la persona jurídica, que le distancian del peligro de anteriores interpretaciones excesivamente "objetivistas" como la seguida por la citada CFGE 1/2011 y la STS 154/2016:

"*No en vano se advierte cómo la recientísima Circular de la Fiscalía General del Estado 1/2016, de 22 de Enero, al margen de otras consideraciones cuestionables, hace repetida y expresa mención a la "cultura ética empresarial" o "cultura corporativa de respeto a la Ley" (pág. 39), "cultura de cumplimiento" (pág. 63),*

---

398 Así, en el Preámbulo de la LO 1/2015 leemos: "La reforma lleva a cabo una mejora técnica en la regulación de la responsabilidad penal de las personas jurídicas, introducida en nuestro ordenamiento jurídico por la Ley Orgánica 5/2010, de 22 de junio, con la finalidad de delimitar adecuadamente el contenido del «debido control», cuyo quebrantamiento permite fundamentar su responsabilidad penal.

Con ello se pone fin a las dudas interpretativas que había planteado la anterior regulación, que desde algunos sectores había sido interpretada como un régimen de responsabilidad vicarial, y se asumen ciertas recomendaciones que en ese sentido habían sido realizadas por algunas organizaciones internacionales".

etc., informadoras de los mecanismos de prevención de la comisión de delitos en su seno, como dato determinante a la hora de establecer la responsabilidad penal de la persona jurídica, independientemente incluso del cumplimiento estricto de los requisitos previstos en el Código Penal de cara a la existencia de la causa de exención de la responsabilidad a la que alude el apartado 2 del actual artículo 31 bis CP.

Y si bien es cierto que, en la práctica, será la propia persona jurídica la que apoye su defensa en la acreditación de la real existencia de modelos de prevención adecuados, reveladores de la referida "cultura de cumplimiento" que la norma penal persigue, lo que no puede sostenerse es que esa actuación pese, como obligación ineludible, sobre la sometida al procedimiento penal, ya que ello equivaldría a que, en el caso de la persona jurídica no rijan los principios básicos de nuestro sistema de enjuiciamiento penal, tales como el de la exclusión de una responsabilidad objetiva o automática o el de la no responsabilidad por el hecho ajeno, que pondrían en claro peligro planteamientos propios de una hetero responsabilidad o responsabilidad por transferencia de tipo vicarial, a los que expresamente se refiere el mismo Legislador, en el Preámbulo de la Ley 1/2015 para rechazarlos, fijando como uno de los principales objetivos de la reforma la aclaración de este extremo.

Lo que no concebiríamos en modo alguno si de la responsabilidad de la persona física estuviéramos hablando, es decir, el hecho de que estuviera obligada a acreditar la inexistencia de los elementos de los que se deriva su responsabilidad, la ausencia del exigible deber de cuidado en el caso de las conductas imprudentes, por ejemplo, no puede lógicamente predicarse de la responsabilidad de la persona jurídica, una vez que nuestro Legislador ha optado por atribuir a ésta una responsabilidad de tal carácter.

Y ello al margen de las dificultades que, en la práctica del enjuiciamiento de esta clase de responsabilidades, se derivarían, caso de optar por un sistema de responsabilidad por transferencia, en aquellos supuestos, contemplados en la propia norma con una clara vocación de atribuir a la entidad la responsabilidad por el hecho propio, en los que puede declararse su responsabilidad con independencia de que "...la concreta persona física responsable no haya sido individualizada o no haya sido posible dirigir el procedimiento contra ella" (art. 31 ter 1 CP) y, por supuesto, considerando semejante responsabilidad con absoluta incomunicación respecto de la existencia de circunstancias que afecten a la culpabilidad o agraven la responsabilidad de la persona física, que no excluirán ni modificarán en ningún caso la responsabilidad penal de la organización (art. 31 ter 2 CP).

El hecho de que la mera acreditación de la existencia de un hecho descrito como delito, sin poder constatar su autoría o, en el caso de la concurrencia de una eximente psíquica, sin que tan siquiera pudiera calificarse propiamente como delito, por falta de culpabilidad, pudiera conducir directamente a la declaración de responsabilidad de la persona jurídica, nos abocaría a un régimen penal de responsabilidad objetiva que, en nuestro sistema, no tiene cabida.

De lo que se colige que el análisis de la responsabilidad propia de la persona jurídica, manifestada en la existencia de instrumentos adecuados y eficaces de prevención del delito, es esencial para concluir en su condena y, por ende, si la acusación se ha de ver lógicamente obligada, para sentar los requisitos fácticos necesarios en orden a calificar a la persona jurídica como responsable, a afirmar la inexistencia de tales controles, no tendría sentido dispensarla de la acreditación de semejante extremo esencial para la prosperidad de su pretensión.

Pues bien, como ya se dijo y centrándonos en el caso presente, la acreditada ausencia absoluta de instrumentos para la prevención de delitos en TRANSPINELO hace que, como consecuencia de la infracción contra la salud pública cometida por sus representantes, surja la responsabilidad penal para esta persona jurídica".

En suma, la evolución normativa y jurisprudencial permite afirmar que el eje de la responsabilidad penal de la persona jurídica se desplaza desde la sola conexión entre el hecho del individuo y la entidad hacia la valoración de la estructura organizativa de ésta. Lo decisivo ya no es únicamente quién cometió el delito, sino si la persona jurídica contaba con una arquitectura de control idónea para prevenirlo dentro de los límites que el propio ordenamiento permite. Desde esa perspectiva, el verdadero criterio diferencial entre los distintos supuestos del artículo 31 bis no se agota en la posición del autor material, sino que se proyecta sobre la forma en que la organización asumió, descuidó o incumplió sus deberes de prevención. Dicho de otro modo, la persona jurídica no responde porque en su interior se haya cometido un delito, sino porque ese delito revela, en su caso, una forma jurídicamente reprochable de organizarse. Sólo así puede mantenerse un modelo compatible con los principios esenciales del Derecho penal, alejado de toda tentación objetivista y asentado, por el contrario, en la idea de un injusto propio de la organización.

Capítulo VI

Las penas

La pena constituye, en fin, el punto de cierre del sistema del injusto previamente construido: sólo desde la correcta delimitación del bien jurídico, del tipo subjetivo, de las formas de autoría y de la eventual responsabilidad de la persona jurídica puede valorarse si la respuesta punitiva resulta coherente, proporcionada y compatible con los principios que rigen el Derecho penal económico.

El régimen de penas en materia de insolvencia punible revela, en último término, una tensión constante entre dos lógicas: la del castigo ejemplar frente al deudor desleal y la del respeto a los principios de intervención mínima y proporcionalidad. La reiterada apelación al perjuicio económico y a la alarma social como criterios de agravación invita a preguntarse si el Derecho penal está actuando aquí como auténtico instrumento de protección de bienes jurídicos o como mecanismo simbólico de reacción frente a crisis económicas recurrentes.

En el sistema vigente, el núcleo de la respuesta penal se proyecta fundamentalmente sobre la persona física, el deudor individual, a través de los artículos 259 a 261 del Código Penal. La responsabilidad penal de la persona jurídica queda circunscrita a los términos generales del artículo 31 bis CP, sin que el derogado artículo 261 bis haya sido sustituido por una regulación específica de penas para aquélla en este ámbito.

A su vez, la previsión de la comisión imprudente de estos delitos se reconduce al artículo 259.3 CP, con penas de prisión de seis meses a dos años o multa de doce a veinticuatro meses, opción que plantea ya una primera cuestión relevante: ¿qué grado de reproche penal merece una insolvencia imprudente y hasta qué punto resulta razonable su equiparación punitiva con otras conductas patrimoniales de mayor intensidad dolosa?

Conviene recordar, como precisión general, que el Código Penal de 1995 supuso un punto de inflexión respecto de los textos anteriores al sistematizar las consecuencias jurídicas del delito aplicables a las personas jurídicas, aunque sin reconocer todavía —al menos de forma expresa— su responsabilidad penal. Esta situación se mantuvo hasta la reforma operada por la LO 5/2010, circunstancia que obliga a analizar las penas no sólo desde una perspectiva histórica, sino también desde la lógica de la política criminal que subyace a cada momento legislativo.

El examen de los textos penales anteriores al Código de 1995 pone de manifiesto que la insolvencia punible ha sido tradicionalmente considerada una conducta de notable gravedad, merecedora de penas privativas de libertad de considerable entidad, especialmente cuando concurría un componente fraudulento.

Así, ya el Código Penal de 1870 configuraba un sistema sancionador que oscilaba entre el arresto mayor y el presidio mayor, introduciendo además criterios de agravación y atenuación vinculados al porcentaje de perjuicio causado a los acreedores. Esta lógica cuantitativa —basada en la magnitud del daño patrimonial— reaparece, con matices, en los Códigos de 1928 y 1932, y se consolida en los textos refundidos de 1944 y 1973, donde la insolvencia fraudulenta podía dar lugar a penas de presidio mayor, reservadas a los comportamientos más gravemente atentatorios contra el crédito.

La minuciosa tipificación de conductas —desde el alzamiento de bienes hasta la distracción de la masa o la simulación de enajenaciones— iba acompañada de un detallado sistema de penas y circunstancias modificativas específicas que, en realidad, a nuestro entender, supone más una desconfianza del legislador en el deudor insolvente que una verdadera necesidad de Política criminal dirigida a diferenciar el injusto.

I. EL CÓDIGO PENAL DE 1995 Y EL REPLANTEAMIENTO DEL SISTEMA SANCIONADOR

La Ley Orgánica 10/1995, de 23 de noviembre, aborda una reforma profunda del sistema de penas, inspirada formalmente en los objetivos constitucionales de resocialización y en la necesidad de simplificar el catálogo sancionador. En materia de insolvencias punibles, el legislador opta por una reordenación de los tipos y por la combinación de penas privativas de libertad con multas articuladas conforme al sistema de días-multa, pero no parece que se consiga una verdadera correspondencia entre la gravedad del injusto descrito en el tipo y la intensidad de la pena prevista

¿Qué diferencia material justifica el salto punitivo entre las conductas de ocultación patrimonial y aquellas que causan o agravan la insolvencia? El Capítulo VII del Título XIII del Libro II sanciona las insolvencias punibles con penas que oscilan, en términos generales, entre uno y cuatro años de prisión —con multa de doce a veinticuatro meses— para las conductas básicas de alzamiento o disposición patrimonial fraudulenta, y entre dos y seis años de prisión para los supuestos de causación o agravación dolosa de la situación de insolvencia. Se introducen, además, criterios de individualización de la pena vinculados a la cuantía del perjuicio, al número de acreedores y a su situación económica.

No es pacífico que el perjuicio económico y el número de acreedores sean por si mismos elementos de peligrosidad social que desborden el bien jurídico inicialmente protegido.

Especial mención merece la tipificación específica de la presentación de datos contables falsos en el procedimiento concursal, sancionada con penas sensiblemente inferiores al art. 310 CP. De ello se puede colegir que se está castigando no tanto un ataque autónomo a un bien jurídico, sino una conducta instrumental respecto al procedimiento concursal. En tal caso, podría también quedar subsumida en el desvalor del injusto principal.

El régimen de penas aplicable hoy responde a motivaciones muy diversas, recogidas en las sucesivas reformas que ha experimentado el Código Penal de 1995 en este ámbito. Lejos de tratarse de modificaciones puntuales, las reformas introducidas por las Leyes Orgánicas 15/2003, 5/2010 y 1/2015 revelan una evolución significativa tanto en la concepción del injusto como en la orientación de la política criminal subyacente. La pregunta que inevitablemente surge es si dicha evolución responde a una busca de mayor precisión técnico-jurídica o, por el contrario, a una progresiva intensificación del reproche penal frente a la insolvencia en el contexto de un derecho penal simbólico.

El sistema de circunstancias modificativas muestra con claridad la autonomía conceptual entre la responsabilidad de la persona física y la de la persona jurídica. Mientras la primera se rige por el régimen general de agravantes y atenuantes, la segunda se articula mediante reglas específicas de determinación de la pena (art. 66 bis) y un catálogo cerrado de atenuantes (art. 31 quater), sin previsión expresa de agravantes en sentido estricto. Esta asimetría responde a la distinta naturaleza del reproche: individual en un caso, estructural u organizativo en el otro.

La autonomía se justifica porque el reproche a la persona jurídica se funda en un defecto organizativo propio y no en la biografía penal de un individuo; el límite garantista exige, no obstante, que esa autonomía no derive en un objetivismo punitivo, de modo que la intensificación de la pena corporativa sólo pueda apoyarse en datos estructurales verificables de funcionamiento y control, coherentes con el injusto previamente definido.

La previsión del artículo 31 ter.2 CP confirma esta independencia al establecer que las circunstancias que afecten a la culpabilidad o agraven la responsabilidad de las personas físicas no excluyen ni modifican por sí mismas la responsabilidad penal de la persona jurídica. Ello refuerza la idea, desarrollada al analizar la autoría y la participación, de que la imputación corporativa no puede descansar en una lógica de arrastre, sino en la identificación de un hecho propio de la organización.

II. LAS REFORMAS LEGALES DESDE 2003 HASTA 2015 Y SU INFLUENCIA EN LA DETERMINACIÓN DE LA PENA

El recorrido por las reformas del Código Penal evidencia una tendencia clara hacia la intensificación del reproche penal en materia de insolvencias, acompañada de un progresivo refinamiento técnico. Sin embargo, no resulta evidente que esta evolución haya ido siempre acompañada de una reflexión suficiente sobre la proporcionalidad de las penas ni sobre su coherencia con el bien jurídico protegido. La Ley Orgánica 15/2003 introduce una primera reordenación relevante de las penas previstas para las insolvencias punibles, modificando los artículos 259 a 261 del Código Penal. En lo esencial, se mantiene el esquema básico del CP de 1995, pero se refuerza el énfasis punitivo en determinadas conductas particularmente sensibles desde la óptica de la tutela del crédito.

Así, el nuevo artículo 259 sanciona con pena de prisión de uno a cuatro años y multa de doce a veinticuatro meses al deudor que, una vez admitida a trámite la solicitud de concurso, realice actos de disposición o genere obligaciones destinados a favorecer a determinados acreedores, al margen de la autorización judicial o concursal. El artículo 260 eleva la respuesta penal hasta los dos a seis años de prisión cuando la situación de insolvencia sea causada o agravada dolosamente, introduciendo como criterios de individualización de la pena la cuantía del perjuicio, el número de acreedores y su condición económica. Por su parte, el artículo 261 tipifica la falsedad contable concursal con penas sensiblemente inferiores.

Como decíamos al inicio, no es claro si la diferencia punitiva entre estas conductas responde a una verdadera graduación del desvalor del injusto o si obedece más bien a una preocupación simbólica por determinadas formas de fraude concursal especialmente visibles, cuestión esta que queda irresoluta y que se reproduce constantemente con el análisis penológico de los tipos vinculadas a la insolvencia.

La reforma de 2010 marca un punto de inflexión al introducir de manera expresa la responsabilidad penal de las personas jurídicas. El legislador parte de una premisa clara: dicha responsabilidad sólo podrá declararse en los supuestos expresamente previstos en el Código Penal, incorporando el artículo 31 bis como eje central del sistema.

Desde el punto de vista sancionador, esta reforma configura un catálogo completo de penas aplicables a las personas jurídicas, entre las que la multa —por cuotas o proporcional— se erige como sanción común y general, reservándose las penas más gravosas (disolución, suspensión de actividades, clausura de locales, prohibiciones de contratar, intervención judicial) para supuestos cualificados, conforme a las reglas del nuevo artículo 66 bis. Se trata de un modelo alineado con el Derecho comparado y con los instrumentos comunitarios, pero que plantea interrogantes de calado: ¿hasta qué punto estas penas responden a una auténtica lógica de culpabilidad corporativa y no a una traslación automática del reproche dirigido a la persona física?

La introducción del derogado artículo 261 bis —que preveía multas graduadas en función de la pena prevista para la persona física— y la regulación detallada de las reglas de determinación de la pena ponen de relieve el carácter todavía experimental del sistema. El legislador trata de conjugar la eficacia preventiva con la necesidad de evitar efectos económicos y sociales desproporcionados, especialmente sobre trabajadores y terceros, pero no siempre logra una formulación clara y coherente.

La Ley Orgánica 1/2015 conforma la redacción actualmente vigente del Código Penal en materia de insolvencias punibles y supone una revisión profunda tanto de la sistemática como del contenido de los tipos penales. El legislador declara expresamente la necesidad de separar los delitos de frustración de la ejecución de los delitos de insolvencia o bancarrota, reorganizando ambos bloques en capítulos diferenciados.

En lo que aquí interesa, la nueva regulación introduce los artículos 259 a 261 bis bajo la rúbrica "De las insolvencias punibles", redefiniendo los tipos básicos, incorporando la insolvencia inminente y explicitando la comisión imprudente. Se mantienen las penas de prisión de uno a cuatro años y multa de ocho a veinticuatro meses para el tipo básico, se tipifica expresamente la causación de la insolvencia y se introduce un tipo agravado en el artículo 259 bis, con penas de dos a seis años de prisión, vinculado a la especial gravedad del perjuicio, a su extensión colectiva o a la afectación mayoritaria de créditos públicos.

La reforma amplía asimismo los supuestos de favorecimiento de acreedores y refuerza las reglas aplicables a la responsabilidad penal de las personas jurídicas, introduciendo límites temporales más precisos y modulaciones relevantes cuando el incumplimiento de los deberes de control no tenga carácter grave. Se completa el sistema con un catálogo cerrado de atenuantes específicas en el artículo 31 quater, en buena medida coincidentes con las atenuantes genéricas del artículo 21 CP, lo que plantea nuevamente la pregunta de si existe una verdadera autonomía dogmática de la responsabilidad penal corporativa o si ésta sigue siendo, en gran medida, accesoria de la conducta de la persona física.

III. CIRCUNSTANCIAS MODIFICATIVAS, EXENCIONES DE RESPONSABILIDAD Y SUSPENSIÓN DE LA PENA

El régimen de exenciones de la responsabilidad penal de la persona jurídica, articulado en los apartados 2 y 4 del artículo 31 bis CP, no puede ser interpretado de forma aislada ni como una cláusula de favor, sino como una consecuencia directa del modo en que se ha construido previamente el injusto corporativo.

Si, como se ha expuesto al analizar el bien jurídico y la autoría, la imputación a la persona jurídica exige la constatación de un defecto estructural de organización y control relevante para la producción del resultado típico, la exención opera precisamente cuando ese defecto no concurre. La distinción entre delitos cometidos por sujetos con poder decisorio (art. 31 bis.1 a)) y por subordinados (art. 31 bis.1 b)) no altera esta lógica, sino que la matiza en función de la posición funcional del autor material y del ámbito organizativo afectado.

Desde esta perspectiva, el juicio de exención no se agota en la mera existencia formal de programas de cumplimiento, sino que exige una valoración sustantiva de su eficacia real en relación con el riesgo típico de insolvencia punible. El análisis debe reconducirse, por tanto, a la misma matriz dogmática que fundamenta la responsabilidad: si el bien jurídico protegido es el crédito y el orden socioeconómico, la exención sólo es legítima cuando puede afirmarse que la estructura organizativa de la persona jurídica estaba razonablemente orientada a evitar conductas de gestión desleal o defraudatoria generadoras de insolvencia.

Aquí nos podemos plantear hasta qué punto la exención del artículo 31 bis puede considerarse coherente con la autorresponsabilidad corporativa sin desnaturalizarla en una exoneración puramente formal. Entendemos que la exención sólo es compatible con el sistema si se entiende como constatación negativa del injusto corporativo, esto es, como ausencia de un defecto organizativo relevante para el riesgo típico; ello exige una interpretación estricta y funcional del modelo de prevención, de modo que sólo cuando éste se muestre efectivamente integrado en la toma de decisiones y en los mecanismos de control del área económica afectada pueda afirmarse que la persona jurídica no ha "participado" en el hecho típico, evitando así una responsabilidad cuasi objetiva o, en el extremo opuesto, una irresponsabilidad estratégica.

Las atenuaciones específicas previstas para la persona jurídica en el artículo 31 quater, junto con la atenuación derivada del cumplimiento parcial de las condiciones de exención del artículo 31 bis, deben leerse en conexión directa con el contenido del bien jurídico y con la estructura subjetiva del injusto. En los delitos de insolvencia punible, el daño patrimonial a los acreedores no constituye un mero resultado accesorio, sino una manifestación central de la lesión del crédito. De ahí que la reparación o disminución del daño adquiera un peso específico tanto en la valoración de la culpabilidad como en la determinación concreta de la pena.

Este enfoque se proyecta también sobre la persona física, mediante la atenuante genérica del artículo 21.5.ª CP, con una exigencia temporal que refuerza su sentido preventivo-especial: la reparación debe producirse antes del juicio oral. En un delito donde la insolvencia suele ser estructural y el resarcimiento completo infrecuente, la atenuación no puede identificarse mecánicamente con el pago íntegro, sino con la manifestación objetiva de un cambio de actitud frente al crédito lesionado, relevante para el juicio de reproche.

La reparación actúa como criterio de modulación del reproche penal en tanto permite diferenciar entre quien instrumentaliza la insolvencia como mecanismo defraudatorio y quien, aun habiendo generado un riesgo penalmente relevante, adopta conductas objetivamente orientadas a mitigar el daño causado; ello refuerza la coherencia entre el contenido del injusto —lesión o puesta en peligro del crédito— y la respuesta punitiva, evitando que la pena se desvincule del bien jurídico efectivamente afectado.

Las agravaciones específicas previstas en el artículo 259 bis CP introducen una intensificación de la respuesta penal basada en la especial entidad del perjuicio o en la afectación reforzada de intereses colectivos, elevando la pena respecto del tipo básico del artículo 259.1. Esta técnica legislativa conecta directamente con el bien jurídico, en la medida en que el legislador presume una mayor lesión del crédito y del orden socioeconómico cuando el daño alcanza dimensiones cuantitativas relevantes o afecta de forma predominante a créditos públicos.

Sin embargo, la utilización de criterios cuantitativos como factores de agravación obliga a extremar la cautela interpretativa. En un ámbito como el concursal, donde el volumen del perjuicio puede depender de variables ajenas a la estructura subjetiva del hecho, la agravación sólo resulta legítima si se reconduce a un incremento real del desvalor del resultado y de la peligrosidad de la conducta, y no a una mera magnificación aritmética del daño.

Una vez más nos preguntamos en qué medida las agravaciones del artículo 259 bis reflejan un mayor injusto y no sólo una política criminal de respuesta simbólica ante grandes cifras ya que la agravación es compatible con el principio de proporcionalidad cuando se interpreta como expresión de una mayor lesividad estructural del ataque al crédito, pero pierde legitimidad si se aplica de forma automática por el mero dato cuantitativo; su correcta aplicación exige integrar el análisis del perjuicio con la estructura subjetiva del tipo y con la posición del autor en la génesis de la insolvencia.

IV. LA “ALARMA SOCIAL”, LA PENA DEL HECHO IMPRUDENTE Y LA SUSPENSIÓN

La denominada “alarma social” aparece con frecuencia como trasfondo de la política criminal en materia de insolvencias punibles, alimentada por la pluralidad de perjudicados, la dificultad de resarcimiento y la confusión popular entre insolvencia y corrupción. Sin embargo, desde la perspectiva del sistema penal, la alarma social no constituye un criterio técnico de individualización de la pena, sino un fenómeno externo que sólo puede tener relevancia indirecta a través de la prevención general, y siempre dentro de los límites de la proporcionalidad.

El riesgo de que la alarma social influya indebidamente en decisiones como la adopción de medidas cautelares o la intensificación de la pena resulta especialmente visible en delitos con alta exposición mediática. Frente a ello, el marco normativo vigente ofrece ya instrumentos suficientemente intensos —penas de prisión, multas, decomiso y medidas interdictivas— que hacen innecesario recurrir a agravaciones implícitas basadas en percepciones sociales cambiantes.

La alarma social no puede operar como factor autónomo de agravación, sino, en todo caso, quedar absorbida por la prevención general legítima; su función, si existe, es descriptiva y contextual, no normativa, y el juez debe neutralizar su influencia directa para preservar una determinación de la pena anclada en el bien jurídico, el injusto y la culpabilidad.

La previsión de la comisión imprudente en el artículo 259.3 CP plantea siempre uno de los problemas dogmáticos más delicados del delito de insolvencia punible: la delimitación entre la gestión negligente penalmente relevante y la conducta dolosa orientada a la creación o agravación de la insolvencia. Esta cuestión se conecta directamente con el análisis del tipo subjetivo y con la exigencia de un riesgo no permitido, cuya concreción depende de la reconstrucción probatoria del proceso decisorio del autor.

En el ámbito de la persona jurídica, la imputación de conductas imprudentes se articula a través del incumplimiento grave de los deberes de supervisión, vigilancia y control, lo que refuerza la idea de autorresponsabilidad corporativa desarrollada en los capítulos anteriores. La imputación no se basa en la mera existencia del delito, sino en la constatación de un defecto organizativo relevante que permitió la producción del resultado típico.

La frontera debe establecerse caso por caso, atendiendo a la creación consciente o inconsciente de un riesgo no permitido y a la posición del autor en la gestión del patrimonio, evitando soluciones apriorísticas; sólo una reconstrucción fáctica rigurosa permite diferenciar la imprudencia penalmente relevante del mero error empresarial, preservando así la coherencia entre culpabilidad y pena en un ámbito especialmente sensible a la expansión punitiva.

La suspensión adquiere aquí un significado particular, en la medida en que conecta directamente con el juicio de necesidad de la pena y con la función preventiva especial. La exigencia de que sea razonable esperar que la ejecución no resulte necesaria para evitar la comisión futura de nuevos delitos obliga a valorar la conducta posterior al hecho, entre la que destaca el esfuerzo de reparación del daño, ya sea mediante el pago efectivo, ya sea mediante compromisos serios y verificables de satisfacción de responsabilidades civiles.

Este mecanismo enlaza con el análisis previo del tipo subjetivo y de la autoría: no toda insolvencia punible revela una peligrosidad criminal homogénea. La suspensión permite introducir una respuesta diferenciada cuando el reproche subjetivo es limitado y el autor demuestra una voluntad real de recomposición patrimonial, siempre bajo control judicial.

En este punto, la exigencia de garantías y la consideración del impacto social del delito funcionan como contrapesos frente a un uso acrítico de la suspensión. La suspensión debe configurarse como un juicio individualizado de necesidad, en el que la reparación —efectiva o razonablemente comprometida— funcione como indicador de pronóstico favorable y de asunción de responsabilidad, sin exigir lo imposible a quien es insolvente, pero tampoco aceptando compromisos meramente retóricos; así entendida, la suspensión se integra coherentemente en el sistema como instrumento de racionalización de la pena, no como excepción deslegitimadora del castigo.

Bibliografía

- ABANTO VÁSQUEZ, M. A., *Acerca de la teoría de bienes jurídicos*, *Revista penal*, nº 18, 2006.
- ALEJANDRE GARCIA, J.A. *La quiebra en el Derecho Histórico español anterior a la Codificación*. Universidad de Sevilla, 1970.
- ALEMÁN MONTERRAL, A. *Insolvencia: Una cuestión de terminología jurídica*. Ed. Tórculo Ediciones. 2010.
- ALFARO ÁGUILA-REAL, J., *Artículo 225. Deber general de diligencia*, en *Comentario de la reforma del Régimen de las Sociedades de Capital en materia de Gobierno Corporativo (Ley 31/2014) sociedades no cotizadas*, 2015.
- ALONSO ÁLAMO, M., *Bien y bien jurídico penal: más allá del constitucionalismo de los derechos*, Estudios penales y criminológicos, nº 29, 2009.
- ALONSO-MARTÍNEZ, C. B., *Mercado, Estado y Economía Mundial*, *Revista de economía mundial*, n.º 1, 1999.
- ÁLVAREZ GARCÍA, F. J.; DOPICO GÓMEZ-ALLER, J., *Estudio Crítico Sobre el Anteproyecto de Reforma Penal de 2012*, Tirant lo Blanch, 2013.
- ÁLVAREZ SUÁREZ, U. *Curso de Derecho Romano, Tomo I. Cuestiones Preliminares*. Derecho Procesal Civil-Romano, Madrid, 1955.
- ANDRÉS, F.J. *Recensión al libro La insolvencia. Una cuestión de terminología jurídica* de Ana Alemán Monterreal. Anuario de Derecho Concursal. Parte Recensión. Nº 24, 2011.
- ANTÓN ONECA, J. *Los antecedentes del nuevo Código Penal*. Revista general de legislación y jurisprudencia. Vol. 78. Nº. 154, 1929.
- ANTÓN ONECA, J. *Los proyectos decimonónicos para la reforma del Código penal Español*. Anuario de Derecho Penal. Nº 25, 1972.
- ARIZA COLMENAREJO, M. J.; GALÁN GONZÁLEZ, C., *Reflexiones para la reforma concursal*, Reus, Madrid, 2010.
- AYALA DE LA TORRE, J. M., *Compliance*, Lefebvre-El Derecho, Madrid, 2016.
- AYALA DE LA TORRE, J. M., *Compliance*, 2ª ed., Lefebvre-El Derecho, Madrid, 2018.

- BACIGALUPO SAGESSE, S., *La reforma de los delitos de insolvencias punibles en el anteproyecto de reforma del Código penal de 2012, Revista de derecho concursal y paraconcursal: Anales de doctrina, praxis, jurisprudencia y legislación*, nº 18, 2013.
- BACIGALUPO ZAPATER, E., *Insolvencia y delito en el Proyecto de Reformas del Código Penal de 2013, Diario La Ley*, n.º 8303, 2014.
- BACIGALUPO ZAPATER, E., *Responsabilidad penal y administrativa de las personas jurídicas y programas de "compliance* (A propósito del Proyecto de reformas del Código Penal de 2009)", *Diario La Ley* núm. 7442, 9 Jul. 2010
- BAJO FERNÁNDEZ, M. *Derecho Penal Económico aplicado a la actividad empresarial*, Civitas, Madrid, 1978.
- BAJO FERNÁNDEZ, M., *Los delitos económicos como manifestación característica de la expansión del Derecho Penal*, en *Libro homenaje al profesor Luis Rodríguez Ramos*, Tirant lo Blanch, Valencia, 2013.
- BAJO FERNÁNDEZ, M.; BACIGALUPO, S., *Derecho penal económico*, 2ª, Editorial Universitaria Ramón Areces, Madrid, 2010.
- BALDOMINO DÍAZ, R. A., *(Ir)retroactividad de las modificaciones a la norma complementaria de una Ley Penal en Blanco, Política Criminal: Revista Electrónica Semestral de Políticas Públicas en Materias Penales*, nº 7, 2009.
- BENÍTEZ ORTÚZAR, I, F. *Frustración en la ejecución en insolvencias punibles.* Estudios sobre el Código Penal Reformado (Leyes Orgánicas 1/2015 y 2/2015) Parte especial, 2015.
- BLANCO CORDERO, I.; CUESTA ARZAMENDI, J. L. de la, *El Delito de blanqueo de capitales*, Thomson Reuters Aranzadi, Cizur Menor (Navarra), 2015.
- BUEREN RONCERO, J., *Insolvencias punibles. II Jornadas Nacionales sobre el Derecho Concursal.* Centro de Estudios Superiores Jurídico-Empresariales, 1998.
- BUSTOS RAMÍREZ, J., *Control social y sistema penal*, PPU, Barcelona, 1987.
- BUSTOS RAMÍREZ, J. J., *Política criminal y bien jurídico en el delito de quiebra, Anuario de derecho penal y ciencias penales*, vol. 1, 1990.
- CABALLERO BRUN, F., *Insolvencia punibles*, Iustel, Madrid, 2008.
- CABEZUELA SANCHO, D., *La responsabilidad penal de las personas jurídicas. Un nuevo escenario empresarial*, en *Responsabilidad penal de Personas Jurídicas en la Gestión económica de la Empresa*, Ed. Francis Lefebvre, Madrid, 2011

- CABRERA CALVO-SOLELO, M. *Las Cortes Republicanas. En Política en la Segunda República.* Ed. Marcial Pons, Madrid, 1995.
- CAMACHO, A. y URÍA, A., *El impacto de la Ley Orgánica 1/2015 por la que se modifica el Código Penal en los sistemas de "corporate compliance" de las personas jurídicas, Diario La Ley* núm. 3328/2015, 19 de Mayo 2015, p. 16.
- CANESTRARI, S., *«Riesgo empresarial» e imputación subjetiva en el derecho penal concursal,* en *Temas de derecho penal económico, 2004,* Trotta, 2004.
- CARBONELL MATEU, J.C. Y MORALES PRATS, F., *Responsabilidad penal de las Personas Jurídicas,* en *Comentarios a la Reforma Penal de 2010,* Ed. Tirant lo Blanch, Valencia 2010.
- CASTRO MARQUINA, G., *La necesidad del derecho penal económico: su legitimidad en el estado social y democrático de derecho,* B de F, Montevideo, 2016.
- CERES MONTÉS, J, F. *Perspectiva jurídico-penal del Derecho concursal: la insolvencia punible.* Revista LA LEY, 1995.
- CEREZO MIR, J., *Los delitos de peligro abstracto en el ámbito del Derecho penal del riesgo, Revista de derecho penal y criminología,* n.º 10, 2002.
- COBO DEL ROSAL, M.; *Cuadernos de Política Criminal Número 106,* I, Época II, abril 2012.
- COBO DEL ROSAL PÉREZ, G. *El proceso de elaboración del Código Penal de 1928.* Anuario de historia del derecho español. Nº. 82, 2012.
- CORCOY BIDASOLO, M., *Delitos de peligro y protección de bienes jurídico-penales supraindividuales: nuevas formas de delincuencia y reinterpretación de tipos penales clásicos,* Tirant lo Blanch, 1999.
- CUELLO CONTRERAS, J., *Presupuestos para una teoría del bien jurídico protegido en Derecho penal, Anuario de derecho penal y ciencias penales,* vol. 34, n.º 2, 1981.
- CORRAL MARAVER, N. *Las penas largas de prisión en España: Evolución histórica y político-criminal,* 2015.
- CUBEROS GÓMEZ, G. *Insolvencia: Evolución de un concepto.* Revista de Derecho Privado. Nº 34. Junio 2005.
- DE CASTRO Y BRAVO, F., *Notas sobre las limitaciones intrínsecas de la autonomía de la voluntad, Anuario de derecho civil,* vol. 35, n.º 4, 1982.
- DE PORRES ORTIZ DE URBINA, E. *El nuevo delito de bancarrota.* La Ley Penal. Sección Estudios. Nº. 120, 2016.

- DEL ROSAL BLASCO, B., *La delimitación típica de los llamados hechos de conexión en el nuevo artículo 31 bis, núm. 1 del Código Penal, Cuadernos de Política Criminal,* núm. 103, 2011
- DEL ROSAL BLASCO, B., Las insolvencias punibles, a través del análisis del delito de alzamiento de bienes en el Código penal. *La Nueva Delincuencia (I)* del Plan Estatal de Formación para 1993 del Consejo General del Poder Judicial, 1993.
- DEL ROSAL BLASCO, B., *Las insolvencias punibles a través del análisis del delito de alzamiento de bienes en el Código Penal,* Anuario de Derecho penal y Ciencias Penales, 1994.
- DEL ROSAL BLASCO, B., *Los nuevos delitos societarios en el Código Penal de 1995,* Universidade da Coruña, 1998.
- DE LA CUESTA ARZAMENDI, J.L, *Responsabilidad penal de las personas jurídicas en el Derecho español,* en *Revista electrónica de la AIDP,* 2011.
- DÍAZ-BAUTISTA CREMADES, A. *La ejecución de sentencias dinerarias en las partidas.* UNED. Revista de Derecho UNED. Nº 11, 2012.
- DÍAZ PITA, *El dolo eventual,* Tirant lo Blanch, Valencia, 1994.
- DIEZ RIPOLLÉS, J. L., *El derecho penal simbólico y los efectos de la pena., Boletín Mexicano de Derecho Comparado (México),* vol. 35, nº 103, 2002.
- DOMINGO OSLÉ, R. *Álvaro D´Ors: una aproximación a su obra., Revista de Derecho de la Pontificia Universidad Católica de Valparaíso.* Nº. 26.
- DORAL GARCÍA DE PAZOS, J. A., *El patrimonio como instrumento técnico jurídico, Anuario de derecho civil,* vol. 36, n.º 4, 1983.
- ESCRIVÁ GREGORI, J. M., *La puesta en peligro de bienes jurídicos en derecho penal,* Editorial Bosch, 1976.
- ESER, A.; HASSEMER, W.; BURKHARDT, B.; MUÑOZ CONDE, F., *La ciencia del derecho penal ante el nuevo milenio,* Tirant lo Blanch, Valencia, 2004.
- ESTEBAN VELASCO, G., *La administración de la sociedad de responsabilidad limitada,* en Tratando de la sociedad limitada, Fundación Cultural del Notariado, Madrid, 1997.
- FARALDO CABANA, P., *Los delitos societarios: aspectos dogmáticos y jurisprudenciales,* Tirant lo Blanch, Valencia, 2000.
- FARALDO CABANA, P., *Los delitos de insolvencia fraudulenta y de presentación de datos falsos ante el nuevo derecho concursal y la reforma penal,* Estudios penales y criminológicos XXIV, Santiago de Compostela, 2003.

- FARALDO CABANA, P. *Comentarios Prácticos al Código Penal. Tomo III.* Ed. Thomson Reuters, 2015.
- FARALDO CABANA, P., *Los Delitos Societarios*, 2ª ed., Tirant lo Blanch, Valencia, 2015.
- FEIJOO SÁNCHEZ, B. J., *Seguridad colectiva y peligro abstracto. Sobre la normativización del peligro*, en *Homenaje al profesor Dr. Gonzalo Rodríguez Mourullo*, Editorial Civitas, 2005.
- FEIJOO SÁNCHEZ, B. J., *Crisis económica y concursos punibles, Diario La Ley*, nº 7178, 2009.
- FEIJOO SÁNCHEZ, B. J., *La normativización del derecho penal: ¿Hacia una teoría sistémica o hacia una teoría intersubjetiva de la comunicación?* en *Teoría de sistemas y derecho penal. Fundamentos y posibilidades de aplicación*, Universidad Externado de Colombia, Argentina, 2007.
- FEIJOO SÁNCHEZ, B. *La responsabilidad penal de las personas jurídicas*, en *Estudios sobre las reformas del Código Penal operadas por las LO 5/2010, de 22 de Junio, y 3/2011, de 28 de Enero*, dirigidos por DÍAZ-MAROTO Y VILLAREJO, J., ed. Civitas-Aranzadi, Cizur Menor (Navarra) 2011.
- FEIJOO SÁNCHEZ, B.J., *Presupuestos para la conducta típica de la Persona Jurídica: los requisitos del art. 31 bis 1*, en *Tratado de responsabilidad penal de las Personas Jurídicas*, Ed. Civitas/Aranzadi, Cizur Menor (Navarra) 2012.
- FERRER BARRIENDOS, A. *Repercusiones concursales del nuevo Código Penal.* Cuadernos de Derecho judicial. Nº 5, 1996.
- FRANCO, L.; GUILLÉN, F. *Instituciones de derecho civil aragonés.* Ed. M. Peiró, 1841.
- GALÁN GONZÁLEZ, C.; ARIZA COLMENAREJO, M.A. (coord.) (VVAA). *Reflexiones para la reforma concursal.* Ed. Rústica, Madrid, 2010.
- GARCÍA CAVERO, P., *Derecho penal económico: parte general*, Grijley, Lima, 2007.
- GARCIA CRUCES, J.A., *La calificación del concurso.* Ed. Thomson-Aranzadi, Navarra, 2004.
- GARCÍA CRUCES, J.A. *Concurso culpable.* En Comentario de la Ley Concursal. Ed. Civitas. Madrid, 2004.
- GARCÍA CRUCES, J.A. *Comentario al artículo 164 de la Ley de Concursal.* En Comentarios a la Ley Concursal. Ed. Aranzadi, Navarra, 2015.

- GARCIA GALLO, A. *Manual de historia del derecho español: Metodología histórico-jurídica. Antología de fuentes del derecho español.* Vol. II. Ed. Artes gráficas y ediciones, 1964.
- GARCÍA LÓPEZ, Y. *La tradición del Liber Iudiciorum: Una revisión.* De la antigüedad al medievo: Siglos IV-VIII. Fundación Sánchez-Albornoz, 1993.
- GARCÍA POSADA, M.; Vegas, R., *Las reformas de la Ley Concursal durante la Gran Recesión, Papeles de economía española,* nº 151, 2017.
- GARCÍA RIVAS, N., *Insolvencias punibles,* en *Derecho penal español. Parte especial (II),* Tirant lo Blanch, Valencia, 2011.
- GARCÍA RIVAS, N., *Reflexiones sobre responsabilidad penal en el marco de la crisis financiera,* en *El proyecto de reforma del código penal de 2013 a debate,* Ratio Legis, 2014.
- GOMEZ JARA DIEZ, C. *Responsabilidad Penal de las Personas Jurídicas: Aspectos sustantivos y procesales.* Ed. La Ley, Madrid, 2012.
- GÓMEZ MARTÍN, F. *Insolvencias punibles y Ley concursal.* Estudios de Deusto: revista de la Universidad de Deusto. Vol. 53. Nº 1, 2005.
- GÓMEZ MARTÍN, V. & NAVARRO MASSIP, J. *La responsabilidad penal para personas jurídicas en el Código Penal español.* Revista Aranzadi Doctrinal. Parte Comentario. Nº. 1/2016.
- GÓMEZ-JARA DÍEZ, C. *Penas a personas jurídicas* en *Responsabilidad penal de las personas jurídicas. Aspectos sustantivos y procesales.* Edición 1º. Ed. La Ley, Madrid, 2011.
- GÓMEZ-JARA DIEZ, C. *Fundamentos modernos de la Responsabilidad Penal de las Personas Jurídicas,* Ed. B de F, Buenos Aires, 2010.
- GÓMEZ-JARA DÍEZ, C., *La culpabilidad penal de la empresa,* Ed. Marcial Pons, Madrid 2005.
- GÓMEZ-JARA DÍEZ, C. *Fundamentos de la responsabilidad penal de las personas jurídicas,* en *Responsabilidad penal de las personas jurídicas. Aspectos sustantivos y procesales,* Ed. La Ley, Las Rozas (Madrid) 2011.
- GONZÁLEZ BALLESTEROS, T., Diccionario jurídico, Dykinson, Madrid, 2011.
- GONZÁLEZ, M.I.; Comentarios al Código penal, tomo VIII, Madrid, 2004.
- GONZÁLEZ CUSSAC, J.L. *Insolvencias punibles.* Suspensión de pagos, quiebra e insolvencias punibles: Doctrina, jurisprudencia y formularios. Valencia, Tirant lo Blanch. Vol. III, 2001.

- GONZÁLEZ CUSSAC, J. L., *Los delitos de quiebra,* Tirant lo Blanch, Valencia, 2000.
- GONZÁLEZ CUSSAC, J. L.; Evangelio, Á. M.; Royo, E. G.; Souto, M. A.; Rimo, A. A.; Jiménez, E. B.; y otros, *Comentarios a la reforma del Código Penal de 2015,* Tirant lo Blanch, Valencia, 2015.
- GONZÁLEZ CUSSAC, J. L.; VVAA, *Delitos contra el patrimonio y el orden socioeconómico (VIII): frustración de la ejecución e insolvencias punibles,* en *Derecho penal parte especial,* 4 actualizada a la LO 1/2015, Tirant lo Blanch, Valencia, 2015.
- GONZÁLEZ RUS, J. J., Seminario sobre bien jurídico y reforma de la parte especial, *Anuario de derecho penal y ciencias penales,* vol. 35, nº 3, 1982.
- GRACIA MARTIN, L., *Prolegómenos para la lucha por la modernización y expansión del Derecho Penal y para la critica del discurso de resistencia: A la vez, una hipótesis de trabajo sobre el concepto de derecho penal moderno en el materialismo histórico del orden del discurso de criminalidad,* Tirant lo Blanch, 2003.
- GUERRA MARTIN, G., *La responsabilidad de los administradores de sociedades de capital,* La Ley, Madrid, 2011.
- HEFENDEHL, R., *El bien jurídico: imperfecto pero sin alternativa,* en *Estudios penales en homenajea Enrique Gimbernat, Vol. 1,* Edisofer, 2008.
- HEFENDEHL, R., La Teoría del bien jurídico: ¿fundamento de legitimación del Derecho penal o juego de abalorios dogmático?, Ediciones Jurídicas y Sociales, 2016.
- HUERTA TOCILDO, S., *El derecho fundamental a la legalidad penal, Revista española de derecho constitucional,* vol. 13, nº 39, 1993.
- HUERTA TOCILDO, S., *Bien jurídico y resultado en los delitos de alzamiento de bienes,* en *El nuevo Código Penal: presupuestos y fundamentos: (libro homenaje al profesor Doctor Don Ángel Torío López), 1999,* Comares, 1999.
- HUERTA TOCILDO, S., *Protección penal del patrimonio inmobiliario,* 1980.
- JAKOBS, G., *Estudios de Derecho penal,* Civitas, Madrid, 1997.
- JAKOBS, G.; Cancio Meliá, M., *Qué protege el derecho penal: ¿bienes jurídicos o la vigencia de la norma?,* Ediciones Jurídicas Cuyo, Mendoza, Arg., 2001.
- JIMÉNEZ, E. C., La «teoría material del bien jurídico» del sistema Bustos/Hormazábal, *Estudios Penales y Criminológicos,* vol. 35, n.º 0, 2015.

- JIMENEZ DE ASUA, L. & ANTÓN ONECA, J. *Derecho Penal, conforme al Código de 1928. Edición II. Parte Especial.* Madrid. Ed. Reus, 1929.
- JORGE BARREIRO, A., *El delito de alzamiento de bienes. Problemas prácticos, Cuadernos de derecho judicial*, n.º 2, 2003.
- KIERSZENBAUM, M., *El bien jurídico en el derecho penal. Algunas nociones básicas desde la óptica de la discusión actual, Lecciones y ensayos*, vol. 86, 2009.
- LAMARCA PÉREZ, C., *Manual de derecho penal: parte especial*, Colex Editorial, Madrid, 2001.
- LANDROVE DÍAZ, G., *Las quiebras punibles*, Bosch, Barcelona, 1970.
- LASCURAÍN, J.A., *Compliance, debido control y unos refrescos*, en *El Derecho Penal económico en la era compliance*, Arroyo Zapatero, L. y Nieto Martín, A. (Dtores.), Ed. Tirant lo Blanch, Valencia, 2013
- LASCURAÍN SÁNCHEZ, J. A., *Sobre la retroactividad penal favorable*, Civitas, Madrid, 2001.
- LASCURAÍN SÁNCHEZ, J. A., *Bien jurídico y legitimidad de la intervención penal, Revista chilena de derecho*, vol. 22, nº 2, 1995.
- LAURENZO COPELLO, *Dolo y conocimiento*, Tirant lo Blanch, Valencia, 1999.
- LLOBET ANGLÍ, M., *Administradores sociales y colisión de deberes: información a los socios vs. secreto empresarial*, Diario La Ley, nº 7409, 2010.
- LÓPEZ, V.G. *La reforma del derecho concursal alemán.* RDCO, 1985-B-39.
- LORENZO SALGADO, J.M., en BOIX, J. (Dir.), *Diccionario de Derecho Penal económico*, Madrid, 2008.
- LUZÓN PEÑA, D. M., *Lecciones de derecho penal: parte general*, 3ª ed., Tirant lo Blanch, 2016.
- MARTÍN, S. & PEDRO CORTÉS, J. *El delito concursal tras la reforma del Código Penal vs el concurso punible.* Revista La Ley. Nº 8618. Sección Tribuna, Octubre, 2015.
- MARTÍNEZ-BUJÁN PÉREZ, C., *El delito societario de administración fraudulenta, estudios penales y criminológicos XXIV*, 1994.
- MARTÍNEZ-BUJÁN PÉREZ, C. *Cuestiones fundamentales del delito de alzamiento de bienes*, Estudios penales y criminológicos XXIV, 2004.

- MARTÍNEZ-BUJÁN PÉREZ, C., *Las nuevas figuras especiales de insolvencias,* Revista General de Derecho Penal, en L.H. Ruiz Antón, Valencia, mayo de 2004.
- MARTÍNEZ-BUJÁN PÉREZ, C., *El delito de insolvencia del artículo 260 CP, tras la nueva ley concursal,* en *Homenaje al profesor Dr. Gonzalo Rodríguez Mourullo,* Aranzadi, Cizur Menor (Navarra), 2005.
- MARTÍNEZ-BUJÁN PÉREZ, C., *Derecho Penal Económico y de la Empresa,* parte general, 2ª ed., Valencia, 2007.
- MARTÍNEZ-BUJÁN PÉREZ, C., *Derecho Penal Económico y de la Empresa,* parte especial, 2ª ed., Valencia, 2011.
- MARTÍNEZ-BUJÁN PÉREZ, C., *Derecho penal económico y de la Empresa. Parte especial,* 4ª ed., Tirant lo Blanch, Valencia, 2013.
- MARTÍNEZ-BUJÁN PÉREZ, C., *Derecho penal económico y de la empresa. Parte especial,* 5ª ed., Tirant lo Blanch, Valencia, 2015.
- MARTÍNEZ-BUJÁN PÉREZ, C., *Derecho penal económico y de la empresa. Parte general,* 5ª ed., Tirant lo Blanch, Valencia, 2016.
- MARTÍNEZ-BUJÁN PÉREZ, C., *Derecho penal económico y de la empresa. Parte especial,* 7ª ed., Tirant lo Blanch, Valencia, 2023.
- MARTÍNEZ CAÑELLAS, A. *Los hechos de concurso culpable.* La calificación del concurso y la responsabilidad por insolvencia. Ed. Civitas, 2013.
- MAZA MARTIN, J.M: *Las Insolvencias punibles.* Cuadernos de Derecho Judicial. Consejo General del Poder Judicial, (CGPJ), Madrid, 1999.
- MÉNDEZ NIETO, J./AGRAZ CASLA, D., *Insolvencias punibles,* La Gaceta de los Negocios, 2004.
- MIR PUIG, S., *Derecho penal: parte general,* Reppertor, Barcelona, 2011.
- MIR PUIG, S., *Bien jurídico y bien jurídico-penal como límites del Ius puniendi, Estudios penales y criminológicos,* nº 14, 1989.
- MONGE FERNÁNDEZ, A., *El delito concursal punible: ¿una solución penal a un problema mercantil?: (análisis del artículo 260 CP),* Tirant lo Blanch, Valencia, 2010.
- MONGE FERNÁNDEZ, A., *El Delito Concursal punible tras la reforma penal de 2015,* Tirant lo Blanch, Valencia, 2016.
- MORENO VERDEJO, J., *El nuevo Código Penal y su aplicación a empresas y profesionales,* Vol. II, Diario Expansión, Madrid, 1996.

- MORENO VERDEJO, J.; *El tratamiento de las Insolvencias en el nuevo Código Penal.* Ed. Recoletos Cía. Editorial, S.A.; (Expansión), 1996. Universidad Internacional de Andalucía, 2013.
- MUÑOZ CONDE, F. y MOYA AMAYA: *Alzamiento de Bienes,* 1995.
- MUÑOZ CONDE, F.; *Derecho Penal, Parte especial,* 11ª ed., Tirant lo Blanch, 1996.
- MUÑOZ CONDE, F. J., *El bien jurídico protegido en el delito de alzamiento de bienes, Cuadernos de derecho judicial,* nº 10, 1998.
- MUÑOZ CONDE, F., *El delito de alzamiento de bienes,* 2ª ed., Bosch, Barcelona, 1999.
- MUÑOZ CONDE, F., *Entre la tolerancia cero y el Derecho penal del enemigo,* en *La generalización del derecho penal de excepción: tendencias legislativas,* Consejo General del Poder Judicial-Centro de Documentación, Madrid, 2007.
- MUÑOZ CONDE, F. J.; Arán, M. G., *Derecho penal. Parte general,* 9ª, Tirant lo Blanch, Valencia, 2015.
- MUÑOZ CONDE, F., *Derecho penal. Partes especial,* 20ª ed. revisada y puesta al día, Tirant lo Blanch, Valencia, 2015.
- MÜSSIG, B., *Desmaterialización del bien jurídico y de la política criminal: sobre las perspectivas y los fundamentos de una teoría del bien jurídico crítico hacia el sistema, Revista de derecho penal y criminología,* nº 9, 2002.
- NAVARRO MASSIP, J. *Las personas jurídicas y su responsabilidad penal.* Revista Aranzadi Doctrinal. Parte Comentario Nº. 7, 2014
- NIETO MARTÍN, A. *El delito de quiebra.* Ed. Tirant lo Blanch, Valencia 2000.
- NIETO MARTIN, A., *¿Americanización o europeización del Derecho Penal económico? Revista de Derecho Penal,* n.º 19, 2007.
- NÚÑEZ PÉREZ, M.G. *Bibliografía sobre la II República española (1931-1936).* Madrid. Fundación Universitaria Española, 1993.
- OCAÑA RODRÍGUEZ, A., *El delito de insolvencia punible del art. 260 CP a la luz del nuevo derecho concursal: aspectos penales y civiles,* Tirant lo Blanch, Valencia, 2005.
- OLIVENCIA, M., *Las reformas de la Ley concursal, Revista de derecho concursal y paraconcursal: Anales de doctrina, praxis, jurisprudencia y legislación,* nº 16, 2012.

- OLIVA GARCÍA, H.; AYALA GÓMEZ, I, *Memento penal económico y de la empresa,* Francis Lefebvre, Madrid, 2016.
- ORDUÑA MORENO, F.J. *La insolvencia.* Tirant lo Blanch, Valencia. Nº. 62, 1994.
- ORTIZ DE URBINA GIMENO, I. *Presupuestos de la responsabilidad de la persona jurídica.* En MEMENTO: Penal empresa Ed. Francis Lefebvre. Madrid, 2011.
- PAJARDI, PIERO. *Derecho Concursal.* Ed. Abaco. t. I, Buenos Aires, 1991.
- PALITOT BRAGA, R. R., *Reflexiones sobre las teorías del bien jurídico protegido en materia penal, ECA: Estudios centroamericanos,* n.° 684, 2005.
- PAREDES CASTAÑÓN, J. M., *El riesgo permitido en derecho penal: (régimen jurídico-penal de las actividades peligrosas),* Ministerio de Justicia e Interior, Madrid, 1995.
- PAREDES CASTAÑON, J. M., *La seguridad como objetivo político-criminal del sistema pena", Eguzkilore: Cuaderno del Instituto Vasco de Criminología,* nº 20, 2006.
- PAREDES CASTAÑÓN, J. M., *Los delitos de peligro como técnica de incriminación en el derecho penal económico: bases político-criminales,* en *Estudios de derecho penal económico,* Ed. Livrosca, 2002.
- PAWLIK, M., *El delito, ¿lesión de un bien jurídico?, Indret: Revista para el Análisis del Derecho,* nº 2, 2016.
- PÉREZ ÁLVAREZ, M. P., en ARIZA COLMENAREJO, M. J./ GALÁN GONZÁLEZ, C. (Coords.), *Reflexiones para la Reforma Concursal,* Vol. 2, Madrid, 2010.
- PÉREZ ÁLVAREZ, M.P. *Origen y presupuestos del concurso de acreedores en Roma.* Revista Jurídica Universidad Autónoma de Madrid. Nº 11, 2016.
- PÉREZ ARIAS, J. *Sistema de atribución de Responsabilidad Penal de las personas jurídicas.* Ed. Dykinson. Madrid, 2014.
- PÉREZ LUÑO, A.-E., *La seguridad jurídica,* Editorial Ariel, Barcelona, 1994.
- PERONE, G., *El acceso de los administradores «no ejecutivos» a la información social en el ordenamiento italiano,* Revista de Derecho Privado, nº 25, 2013.
- PRADO SALDARRIAGA, V., *Constitución, derecho y principios penales, Derecho PUCP: Revista de la Facultad de Derecho,* nº 43, 1990.

- PRIETO SANCHÍS, L., *Una perspectiva normativa sobre el bien jurídico, Nuevo Foro Penal*, nº 65, 2003.
- QUERALT JIMÉNEZ, J. J., *Derecho penal español. Parte especial*, Tirant lo Blanch, Valencia, 2015.
- QUERALT JIMÉNEZ, J. J., *Derecho penal español. Parte especial*, 7ª ed., Tirant lo Blanch, Valencia, 2015.
- QUINTANO RIPOLLÉS, A.; Gimbernat Ordeig, E., *Tratado de la parte especial del derecho penal*, Espasa Calpe, Madrid, 1978.
- QUINTERO OLIVARES, G.; Comentarios a la parte especial del Derecho Penal, Navarra: Aranzadi, 1999.
- QUINTERO OLIVARES, G.; *El Nuevo Derecho Penal Español.* Estudios Penales en Memoria del Profesor José Manuel Valle Muñiz. Navarra: Aranzadi, 2001.
- QUINTERO OLIVARES (Dir.), G.; Morales Prats (Coord.), F., *Comentarios a la parte especial del derecho penal*, Aranzadi Editorial, Pamplona, 1999.
- QUINTERO OLIVARES, G. (Dir.); Morales Prats (Coord.), F., *Comentarios a la parte especial del derecho penal*, 7ª, Aranzadi SA, Pamplona, 2008.
- QUINTERO OLIVARES, G. (dir.); Morales Prats, F. (coord.), *Comentarios a la parte especial del derecho penal*, 10ª ed., Thomson Reuters Aranzadi, Pamplona, 2016.
- RAMOS HERRANZ, I., *El estándar mercantil de diligencia: el ordenado empresario*, Anuario de derecho civil, vol. 59, nº 1, 2006.
- RAMOS RUBIO, C., *Las insolvencias punibles en el Código Penal de 1995, Partida doble*, nº 69, 1996.
- RAMOS VÁZQUEZ, I., *Arrestos, cárceles y prisiones en los derechos históricos españoles*, Ministerio del Interior, Madrid, 2008.
- RAPÚN GIMENO, N. *La insolvencia en el derecho histórico aragonés. La quiebra. Siglos XVI-XVIII.* Ed. Civitas. 2011.
- REMON PEÑALVE, E. *Administración desleal y apropiación indebida tras la reforma del Código Penal operada por la Ley Orgánica 1/2015 de 30 de marzo*, 2015.
- REYES ROMERO, J., *Un concepto de riesgo permitido alejado de la imputación objetiva, Un concepto de riesgo permitido alejado de la imputación objetiva*, 2015.
- RIBAS FERRER, V., *Artículo 225. Deber de diligente administración*, en Comentario de la Ley de Sociedades de Capital, Vol. 1, 2011 (TOMO I), Thomson Reuters-Civitas, 2011.

- RIBAS FERRER, V., *Deberes de los administradores en la Ley de Sociedades de Capital,* Revista de derecho de sociedades, nº 38, 2012.
- RIBÓ DURÁN, L., *Diccionario de derecho,* 4, Bosch, Barcelona, 2012.
- RIVERA, J.C. *Instituciones de Derecho Concursal.* Rubinzal Culzoni. 2º ed. t. I., Rosario, Argentina, 2003.
- ROCA AGAPITO, L., *Los delitos de alzamiento de bienes (examen de los artículos 257 y 258 del Código Penal),* Anuario de derecho concursal, 2010.
- RODRÍGUEZ ARTIGAS, F.; Esteban Velasco, G., *El deber de diligencia,* en El gobierno de las sociedades cotizadas, Ediciones Jurídicas y Sociales, 1999.
- RODRIGUEZ DEVESA, J. M., *Consideraciones generales sobre los delitos contra la propiedad, Anuario de derecho penal y ciencias penales,* vol. 1 enero-marzo, 1960.
- RODRÍGUEZ MORENO, F., *La expansión del derecho penal simbólico,* Cevallos Editora Jurídica, Quito, 2013.
- RODRÍGUEZ MOURULLO, G., *Acerca de las insolvencias punibles,* en *Dogmática y ley penal: libro homenaje a Enrique Bacigalupo, Vol. 2, 2004,* Marcial Pons, 2004.
- RODRÍGUEZ MOURULLO, G., *El bien jurídico protegido en los delitos societarios con especial referencia a la administración desleal, Cuadernos de derecho judicial,* nº 7, 1999.
- RODRÍGUEZ RAMOS, L., *¿Cómo puede delinquir una persona jurídica en un sistema penal antropocéntrico? (La participación en el delito de otro por omisión imprudente: pautas para su prevención).* Diario La Ley, núm. 7561, 3 de Feb. 2011.
- RODRÍGUEZ PADRÓN, C. *Las insolvencias punibles en la reforma del Código Penal.* La Ley Penal. Sección Legislación. Nº. 117 Noviembre-diciembre. Editorial Wolters Kluwers, 2015.
- ROJO, A., *Insolvencia,* en BELTRÁN, E./GARCÍA-CRUCES, J. A. (Dirs.), Enciclopedia de Derecho concursal, Tomo II, Navarra, 2012.
- ROJO, A./BELTRÁN, E., en MENÉNDEZ y ROJO, A. (Dirs.)/ APARICIO, M. L. (Coord.), *Lecciones de Derecho Mercantil,* 10ª ed., Madrid, 2012.
- ROMA VALDES, A. *La responsabilidad penal de las personas jurídicas.* Ed. Rasche y Pereira-Menaut. Madrid, 2012.

- ROMÁN DEL RÍO, C., *El papel del Estado en una economía de mercado,* en *La política económica en el horizonte del siglo XXI: homenaje a José Jané Solá, 1998,* Universidad de Málaga (UMA), 1998.
- ROSENDE VILLAR, C. *Comentario al art. 164 de la Ley Concursal.* Aranzadi. Grandes Tratados. Comentarios a la Ley Concursal (Tomo II), 2009.
- ROXIN, C., *El concepto de bien jurídico como instrumento de crítica legislativa sometido a examen, Revista electrónica de ciencia penal y criminología,* nº 15, 2013.
- SAGRERA TIZÓN, J.M. *La insolvencia provisional y definitiva en los expedientes de suspensión de pagos: Declaración de la quiebra del deudor.* Revista General de Derecho. Nº. 517, 1987.
- SALINERO ALONSO C. *El sistema de penas en el Código Penal de 1995.* Jueces para la democracia. Nº. 30, 1995.
- SANCINETTI, *Teoría del delito y disvalor de la acción,* Buenos Aires, 1991.
- SÁNS DE PIPAÓN Y MENGS, F.J. *El Código Penal de 1995 y el principio histórico.* Cuenta y razón. Nº. 99, 1996.
- SERRANO-PIEDECASAS FERNÁNDEZ, J. R.; DEMETRIO CRESPO, E. *Cuestiones actuales de derecho penal económico,* Editorial Constitución y Leyes, COLEX, 2008.
- SERRANO TÁRRAGA, M. D., *La expansión del derecho penal en el ámbito de la delincuencia económica: la tutela penal de los mercados financieros., Revista de derecho (Valdivia),* vol. XVIII, 2005.
- SIEBER, U., *Programas de compliance en el Derecho Penal de la empresa. Una nueva concepción para controlar la criminalidad económica,* en *El Derecho Penal económico en la era compliance.* Ed. Tirant lo Blanch, Valencia, 2013.
- SILVA MELERO, V., *Relaciones entre el derecho civil y el derecho penal, Anuario de derecho penal y ciencias penales,* vol. 1, 1948.
- SILVA SÁNCHEZ, J. M., *Aproximación al derecho penal contemporáneo,* J. M. Bosch Editor, 1992.
- SILVA SÁNCHEZ, J. M., *Expansión del Derecho penal y blanqueo de capitales,* en *II Congreso sobre prevención y represión del blanqueo de dinero: (ponencias y conclusiones del Congreso Internacional celebrado en Barcelona en noviembre de 2010),* (Homenajes y congresos), Tirant lo Blanch, Valencia, 2011.
- SILVA SÁNCHEZ, J. M., *La expansión del derecho penal: aspectos de la política criminal en las sociedades postindustriales,* Civitas, Madrid, 1999.

- SILVA SÁNCHEZ, J. M., *Legislación penal socio-económica y retroactividad de disposiciones favorables: El caso de las «Leyes en Blanco», Estudios penales y criminológicos,* nº 16, 1992.
- SOUTO GARCÍA, E. M., *Los delitos de alzamiento de bienes en el Código penal de 1995,* Universidad de Coruña, La Coruña, 2008.
- SOUTO GARCÍA, E. M., *Los delitos de alzamiento de bienes,* Valencia, 2009.
- SOUTO GARCÍA, M. *Comentarios a la reforma del Código Penal de 2015.* Tirant lo Blanch. Valencia 2015.
- SUÁREZ GONZÁLEZ, C. J., *Comentarios al Código Penal,* Madrid, 1997.
- SZCZARANSKI, F., *Sobre la evolución del bien jurídico penal: un intento de saltar más allá de la propia sombra, Política Criminal: Revista Electrónica Semestral de Políticas Públicas en Materias Penales,* nº 14, 2012.
- TERRADILLOS BASOCO, J-M., *Insolvencias punibles: en torno a la STS (2ª) de 10 de junio de 1999.* Revista de Derecho Social, Nº9, Ed. Bomarzo, 2000.
- TERUELO, J. G. F., *Instituciones de derecho penal económico y de la empresa,* Thomson Reuters, 2013.
- THOMÁS PUIG, P. *La doble contabilidad como presupuesto de la calificación del concurso culpable.* En La calificación del concurso y la responsabilidad por insolvencia. Ed. Aranzadi. Enero, 2013.
- THOMAS, J.A. *Desarrollo del Derecho criminal romano.* Anuario de historia de derecho español. Nº 32, 1962.
- TOMÁS Y VALIENTE, F. *La prisión por deudas en los derechos castellano y aragonés.* Anuario de Historia del Derecho Español. Nº. 30, 1960.
- TOMÁS Y VALIENTE, F., *La prisión por deudas en los derechos castellano y aragonés, Anuario de Historia del Derecho Español,* vol. XXX, nº Numero 1, 1960.
- URQUIZU MEJÍAS, O, J & OBARRIO MORENO, J, A. *La quiebra y el concurso de acreedores: origen, pervivencia y recepción en el sistema jurídico español.* Universitat de València. Valencia, 2012.
- VALLEJO JIMÉNEZ, G. A., *Aproximación al concepto de imprudencia, Nuevo derecho,* vol. 5, nº 6, 2010.
- VASCO MOGORRÓN M.C. *Responsabilidad penal de las personas jurídicas.* Revista jurídica de la Comunidad de Madrid. Nº. 12, 2002.

- VERDÚ CAÑETE, M.J. *La responsabilidad civil del administrador de sociedad de capital en el concurso de acreedores.* Ed. La Ley. Getafe, 2008.
- VERDÚ CAÑETE, M. J., *Deber de diligencia y protección de la discrecionalidad empresarial de los administradores,* Revista Lex Mercatoria, nº 1, 2015.
- VIVES ANTÓN, T. S./GONZÁLEZ CUSSAC, J.L., *Los delitos de alzamiento de bienes,* Valencia, 1998.
- ZAFFARONI, E.R-ALAGIA, A.-SLOKAR, A., *Derecho Penal,* Parte General, Editorial EDIAR, Año 2002.
- ZUGALDÍA ESPINAR, J. M., *Lecciones de derecho penal. Parte general,* Tirant lo Blanch, Valencia, 2016.
- ZÚÑIGA RODRÍGUEZ. L. *La responsabilidad penal de las personas jurídicas. Principales problemas de imputación,* en *Responsabilidad penal de las personas jurídicas. Derecho comparado y Derecho comunitario.* Estudios de Derecho Judicial. 115/2007, CGPJ.

Jurisprudencia citada

Sentencias del Tribunal Constitucional

STC de 20 de julio de 1993

STC de 17 de diciembre de 2012

STC de 7 de octubre de 2013

Sentencias del Tribunal Supremo

SALA SEGUNDA

STS de 4 de junio de 1957

STS de 17 de noviembre de 1960

STS de 4 de abril de 1963

STS de 7 de diciembre de 1967

STS de 24 de septiembre de 1969

STS de 20 de febrero de 1970

STS de 8 de noviembre de 1975

STS de 2 de abril de 1976

STS de 16 de diciembre de 1982

STS de 6 de mayo de 1983

STS de 20 de mayo de 1983

STS de 24 de febrero de 1984

STS de 27 de noviembre de 1987

STS de 8 de noviembre de 1989

STS de 30 de enero de 1991

STS de 23 de marzo de 1991

STS de 23 de abril de 1992

STS de 25 de febrero de 1995

STS de 2 de febrero de 1994

STS de 24 de junio de 1994

STS de 22 de diciembre de 1995

STS de 14 de marzo de 1996

STS de 10 de enero de 1997

STS de 12 de febrero de 1997
STS de 15 de mayo de 1997
STS de 15 de diciembre de 1997
STS de 10 de junio de 1999
STS de 5 de noviembre de 1999
STS de 10 de diciembre 1999
STS de 10 de enero de 2000
STS de 30 de junio de 2000
STS de 16 de octubre de 2000
STS de 26 de diciembre de 2000
STS de 29 de diciembre de 2000
STS de 9 de abril de 2001
STS de 27 de noviembre de 2001
STS de 8 de marzo de 2002
STS de 15 de marzo de 2002
STS de 15 de abril de 2002
STS de 25 de octubre de 2002
STS de 5 de marzo de 2003
STS de 14 de mayo de 2003
STS de 24 de junio de 2003
STS de 22 de julio de 2003
STS de 10 de noviembre de 2004
STS de 11 de abril de 2005
STS de 13 de abril de 2005
STS de 3 de octubre de 2005
STS de 6 de junio de 2006
STS de 15 de junio de 2006
STS de 20 de junio de 2006
STS de 4 de julio de 2006
STS de 26 de julio de 2006 S
TS de 26 de enero de 2007
STS de 25 de mayo de 2007
STS de 2 de febrero de 2009
STS de 4 de febrero de 2009

STS de 8 de abril de 2009
STS de 11 marzo de 2010
STS de 25 de junio de 2010
STS de 13 de julio de 2010
STS de 22 octubre de 2010
STS de 17 de noviembre de 2011
STS de 14 de marzo de 2014
STS de 26 de junio de 2014
STS de 12 de enero de 2015
STS de 2 de junio de 2015
STS de 24 de junio de 2015
STS de 2 de septiembre de 2015
STS de 29 de febrero de 2016
STS de 16 de marzo de 2016
STS de 24 de mayo de 2024
STS de 30 de abril de 2024
STS de 22 de febrero de 2024
STS de 3 de abril de 2025

SALAS TERCERA Y CUARTA

STS (Sala 3ª) de 20 de noviembre de 2000
STS (Sala 4ª) de 18 de febrero de 1981
STS (Sala 4ª) de 30 de mayo de 1981
STS (Sala 4ª) de 15 de julio de 1982
STS (Sala 4ª) de 1 de marzo de 2007
STS (Sala 4ª) de 26 de septiembre de 2007
STS (Sala 4ª) de 28 de septiembre de 2011

tirant PRIME

Inteligencia jurídica
en expansión

Trabajamos para
mejorar el día a día
del **operador jurídico**

Adéntrese en el universo
de **soluciones jurídicas**

96 369 17 28

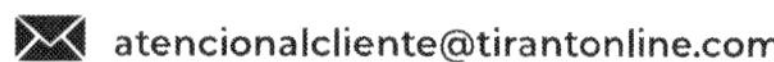
atencionalcliente@tirantonline.com

prime.tirant.com/es/